Guide de voyage Ulysse

LA COLOMBIE BRITANNIQUE et les ROCHEUSES CANADIENNES

Jane King

Éditions Ulysse
Montréal - Québec

Direction de projet	*Collaboration*	*Page couverture*
Claude Morneau	Anik Choinière	Jean-François Bienvenue
	Pierre Daveluy	
Traduction et adaptation	Daniel Desjardins	*Mise en pages*
Claude Morneau	Philippe Laberge	Jean-François Bienvenue
	Gérald Pomerleau	
Correction	Joël Pomerleau	*Mise à jour (1992)*
Marielle Dubois	Carol Wood	Jane King

Édition originale :
British Columbia Handbook, Jane King, Moon Publications Inc., 1992,
Chico, California, U.S.A.

Distribution :

Distribution Ulysse
4176 St-Denis
Montréal, Québec
H2W 2M5
☎ (514) 843-9882
Fax: (514) 843-9448

Belgique :
Vander
Av. des Volontaires, 321
B-1150 Bruxelles
☎ 02 762 98 04
Fax: 02 762 06 62

U.S.A. :
Ulysses Books and Maps
3 Roosevelt Terrace #13
Plattsburg, NY 12901
☎ (514) 843-9882
Fax: (514) 843-9448

France :
Vilo
25, rue Ginoux
75737 Parix, CEDEX 15
☎ 1 45 77 08 05
Fax: 1 45 79 97 15

Suisse :
Diffusion Payot SA
Rue des Côtes de
Montbenon 30
Suisse CH 1002
☎ (021) 20.52.21
Fax: (021) 311.13.93

Espagne :
Altaïr
Balmes 69
E-08007 Barcelona
☎ (34-3) 323-3062
Fax: (34-3) 451-25 59

Tout autre pays, contactez Distribution Ulysse (Montréal), Fax: (514) 843-9448
Other countries, contact Ulysses Books & Maps (Montréal), Fax: (514) 843-9448

Données de catalogage avant publication (Canada)

King, Jane, 1956-

Colombie-Britannique et les Rocheuses canadiennes
(Guide de Voyage Ulysse)

Traduction de : British Columbia Handbook.
Comprend des références bibliographiques et un index.

ISBN 2-921444-07-0

1. Colombie-Britannique - Guides. 2. Rocheuses canadiennes (C.-B. et Alb.) - Guides. I.
Titre. II. Collection.

FC3807.K5614 1992   917.1104'4   C92-096685-3   F1087.K5614 1992

Bibliothèque nationale du Québec
Dépôt légal - Troisième trimestre 1992
ISBN 2-921444-07-0

Les Rocheuses commandent le respect... Seule la fascination que suscite l'immensité mobile de la mer se compare à celle qu'inspire l'immobile tranquillité de ces montagnes. Toutes deux possèdent le pouvoir de séduire et d'intimider à la fois, tout en imposant leur indélébilité.

- Val Clery, *Canada in Color*

SOMMAIRE

TABLEAU DES SYMBOLES

☎	Téléphone
⇄	Télécopieur
bp	Salle de bain privée (installations sanitaires complètes dans la chambre)
ec	Eau chaude
≡	Air conditionné
≈	Piscine
ℜ	Restaurant
●	Bain tourbillon (baignoire à remous)
ℝ	Réfrigérateur
C	Cuisinette

LÉGENDE DES CARTES

——— Autoroute
——— Route secondaire
– – – Route non-revêtue
–·–·– Sentier pédestre
⌒ Numéro d'autoroute

— — Frontière internationale
—·— Frontière provinciale
—···— Autre frontière

○ GRANDE VILLE
○ Ville
○ Village
▲ Montagne
■ Point d'intérêt
🦆 Point d'intérêt spécialisé
⚌ Pont
▨ Eau

🌲 Parc

🎿 Ski

········ Route panoramique
– – – Traversier
⌒ Passage
N.P. = Parc national
P.P. = Parc provincial
C.G. = Camping

Sauf indication contraire, toutes les cartes
sont orientées avec le nord vers le haut

LISTE DES CARTES

INTRODUCTION

T roisième plus grande province du Canada, la Colombie-Britannique offre à ses visiteurs le spectacle saisissant de 952 263 km² de montagnes, de glaciers, de plaines, de vallées, de lacs et d'îles. C'est aussi la province canadienne géographiquement la plus occidentale. Quiconque souhaiterait sillonner toutes ses routes principales devrait prévoir au moins trois mois pour réaliser son projet. La Colombie-Britannique fait deux fois et demie la superficie du Japon et quatre fois celle de la Grande-Bretagne.

Cette province est longue et relativement étroite. Elle s'étend entre les 49ᵉ et 60ᵉ degrés de latitude. Les États américains de Washington, de l'Idaho et du Montana la bordent au sud, alors que celui de l'Alaska en fait autant au nord-ouest. Ses autres voisins sont, à l'ouest, l'océan Pacifique, à l'est, la province canadienne de l'Alberta et, au nord, les Territoires du Nord-Ouest et le Yukon.

La ville la plus importante de la Colombie-Britannique a pour nom Vancouver. Il s'agit d'une remarquable agglomération, située au sud-ouest de la province, riche de nombreux chef-d'œuvres architecturaux, de magnifiques parcs et jardins, et de splendides plages. La capitale provinciale, Victoria, présente quant à elle un délicieux mélange composé d'éléments empruntés à la vieille Angleterre (architecture, coutumes, traditions) et à la vie contemporaine (attractions modernes, restaurants cosmopolites, joie de vivre contagieuse). C'est au sud-est de l'île de Vancouver qu'on peut dénicher cette perle, juste en face de la métropole Vancouver, de l'autre côté du détroit de Georgia.

Le territoire de la Colombie-Britannique

■ Les montagnes

La Colombie-Britannique occupe une partie du territoire montagneux qui s'étend sur toute la longueur de la partie Ouest des Amériques, ce qui en fait le théâtre de panoramas à couper le souffle. Trois chaînes de montagnes, entre lesquelles s'étalent trois vallées, dominent le paysage en s'étirant parallèlement du nord au sud. À l'ouest, l'abrupte chaîne Côtière (Coast Mountains) longe l'océan, alors qu'à l'est s'élèvent les célèbres montagnes Rocheuses (Rocky Mountains). Entre les deux prennent place les montagnes Cassiar, au nord, et les montagnes Columbia (formées des chaînes Purcell, Selkirk et Monashee), au sud, en plus d'une série de plateaux couverts de lacs et traversés par des rivières et des torrents. Le mont Fairweather constitue, avec ses 4 663 m, le plus haut sommet de la province, et le sixième au Canada. Il fait partie des montagnes St-Elias, situées à la frontière de l'Alaska. Par ailleurs, les basses terres que l'on retrouve au nord-est de la Colombie-Britannique appartiennent à ce qu'il est convenu d'appeler les Prairies canadiennes.

■ **Les plans d'eau**

La province compte plus que sa part de lacs et de rivières avec ses quelque 2 millions d'hectares de plans d'eau douce. Les fleuves Kootenay, Columbia, Fraser, Peace et Liard trouvent tous leur source dans les montagnes Rocheuses. Le plus long de ces fleuves est le Columbia (5e au Canada) avec ses 2 000 km. Il se rend jusque dans l'État de Washington. Au large de la côte du Pacifique, de nombreuses îles protègent le continent contre les vents et les marées. Parmi ces îles, mentionnons l'île de Vancouver (Vancouver Island), la plus vaste et la plus rapprochée du littoral, et les îles Queen Charlotte (Queen Charlotte Islands).

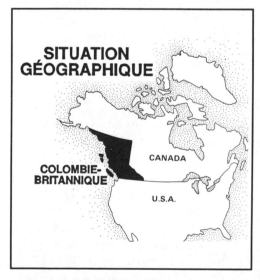

SITUATION GÉOGRAPHIQUE

COLOMBIE-BRITANNIQUE

CANADA

U.S.A.

■ **Les parcs**

D'innombrables parcs nationaux, provinciaux et historiques sont disséminés aux quatre coins de la Colombie-Britannique, leur mandat consistant bien sûr à préserver les paysages, la faune et les sites d'intérêt historique. Leur superficie varie de moins d'un hectare à plus d'un million, permettant ainsi aux amateurs une gamme d'activités de plein air étendue.

On compte six parcs nationaux : les parcs Kootenay et Yoho, dans la région des Rocheuses; les parcs Glacier et Mount Revelstoke, situés dans Thompson Country; le parc Pacific Rim, sur la côte Ouest de l'île de Vancouver; et le parc South Moresby, le dernier-né, que l'on retrouve sur les îles Queen

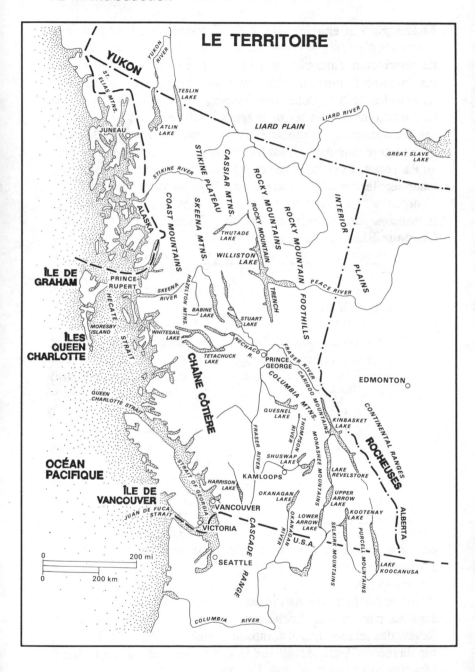

Charlotte. La plupart des parcs nationaux permettent aux campeurs d'y séjourner pour un maximum de deux semaines (pas de réservation : premiers arrivés, premiers servis...). Quelques-uns n'offrent que des sites de camping sauvage et ne sont accessibles qu'à pied (en bordure de sentiers de randonnée la plupart du temps), alors que d'autres sont équipés pour accueillir les caravanes. Certains n'acceptent que les tentes, d'autres se limitent aux caravanes. D'autres encore admettent tout le monde. Il en coûte entre 8,50 $ et 15 $ la nuit, en été. Certains campings demeurent en activité durant l'hiver.

À cela, il faut ajouter pas moins de 336 parcs provinciaux. Ceux-ci disposent d'équipements variés, pouvant aller des simples tables de pique-nique jusqu'aux quais pour bateaux de plaisance. La moitié de ces parcs peuvent accueillir les campeurs (avec tente ou caravane). Encore une fois, les prix sont des plus abordables : 6 $ à 8 $ la nuit.

Près de 85% du territoire de la Colombie-Britannique est couvert de forêts et demeure sous la juridiction du Service des forêts. Plusieurs sites de récréation, pourvus d'équipements minimaux, ont été aménagés à même ces forêts. Habituellement, on peut y accéder gratuitement.

Les neuf régions

La Colombie-Britannique a été découpée en neuf régions économiques et touristiques : l'île de Vancouver, le Sud-Ouest (Southwestern British Columbia), Okanagan-Similkameen, Kootenay-Boundary, Rocky Mountain, Thompson Country, Cariboo, North by Northwest, Peace River-Alaska Highway.

La topographie de l'**île de Vancouver** varie énormément selon l'endroit où l'on se trouve : au sud, ce sont les vallées planes utilisées par l'agriculture; à l'est, les fjords côtiers; sur la côte Ouest, les plages du parc national Pacific Rim; au nord, les montagnes. C'est tout au sud de l'île que s'élève Victoria, la capitale provinciale.

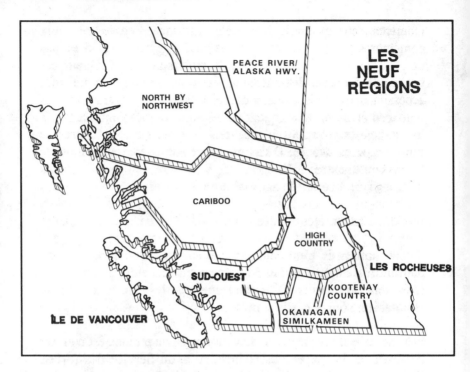

La région du **Sud-Ouest** s'avère quant à elle la plus peuplée de la province. On y compte un peu plus de 1,5 million d'habitants, soit 53% de la population totale. La magnifique chaîne Côtière vient s'éteindre dans les limites de cette région où l'on retrouve également une série de presqu'îles côtières, reliées les unes aux autres par une armée de petits traversiers, de même que les riches terres de la vallée du fleuve Fraser. Vancouver, métropole financière et culturelle, plus grande ville de la province, troisième en importance au Canada, et plaque tournante du transport, est située au sud-ouest de cette région.

Considérée par plusieurs comme le cœur de la Colombie-Britannique, la **région Okanagan-Similkameen** jouit d'un climat chaud et sec. Au menu, gigantesques lacs d'eau cristalline, plages sablonneuses, stations balnéaires, vergers, vignobles et ranchs à perte de vue. De quoi remplir d'aise les nombreux visiteurs provenant de coins de pays où les cieux sont moins cléments, cherchant ici un hâle qui fera l'envie de leurs congénères.

La région **Kootenay-Boundary**, au sud-est de la province, est montagneuse et boisée. On y découvre de superbes lacs, des pics enneigés et de profondes vallées. De pittoresques bourgades et des villages fantômes, héritage de l'époque de l'exploitation des mines d'or et d'argent, s'alignent en bordure des lacs ou se blottissent dans les montagnes, alors que de remarquables sites naturels sont préservés dans les limites de nombreux parcs. La vie économique dans cette région s'organise autour des activités minières, forestières, hydro-électriques et touristiques.

Tirant son nom des célèbres montagnes, la région **Rocky Mountain**, on l'aura deviné, présente des paysages parmi les plus extraordinaires du monde. On n'a qu'à penser aux majestueux sommets rocheux, aux prairies alpines parsemées de fleurs sauvages, aux glaciers sur fond de ciel d'un bleu éclatant, aux lacs d'eau turquoise, aux vallées verdoyantes, aux agréables rivières, à la faune abondante et aux cités entourées de montagnes. On y a également aménagé les parcs nationaux Kootenay et Yoho, et c'est par ici que l'on peut accéder aux sensationnels parcs albertains Banff et Jasper.

Au nord-ouest de cette dernière région s'étend celle de **Thompson Country**, surtout connue pour ses deux parcs nationaux, Glacier et Mount Revelstoke, de même que pour sa diversité topographique et climatique. En traversant cette région, on rencontrera la suite impressionnante de glaciers et de cascades du parc national Glacier (souvent sous la pluie ou dans la brume) ainsi que les environs de Kamloops (ville principale) et de Cache Creek, avec leurs ranchs et leur climat désertique.

Plus verdoyante, la région **Cariboo** est couverte de forêts et de prairies. De grands ranchs d'élevage de bétail, séparés les uns des autres par des kilomètres de clôture, font également partie du décor. Les villes principales sont Williams Lake et Quesnel.

Tout juste au nord apparaît la vaste région baptisée **North by Northwest** qui s'étend sur toute la largeur de la province, de l'océan Pacifique à l'Alberta. Les Rocheuses, où sont aménagés des parcs spectaculaires, dominent l'Est de cette région. La ville de Prince George, métropole économique et culturelle du Nord, occupe quant à elle le centre de North by Northwest. Plus à l'ouest, l'autoroute Yellowhead mène d'une montagne enneigée et couverte d'arbres à une autre, en longeant plusieurs magnifiques rivières jusqu'à la côte.

C'est alors que l'on rejoint Prince Rupert, carrefour des voyageurs se dirigeant vers l'île de Vancouver (au sud), l'Alaska (au nord), ou encore vers les îles Queen Charlotte, montagneuses, fortement boisées et mystérieuses. C'est d'ailleurs sur l'une de celles-ci, l'île South Moresby, que l'on retrouve le dernier-né des parcs nationaux du Canada. Une autre route permet d'atteindre le territoire isolé et peu peuplé de Stewart-Cassiar. Animaux sauvages, montagnes, forêts et parcs règnent en ces lieux, qui s'étendent jusqu'au Yukon.

La région située à l'extrême nord-est de la Colombie-Britannique s'appelle **Peace River-Alaska Highway**. À peine 2% de la population de la province y habite. On peut toutefois y apercevoir de nombreux barrages hydro-électriques, les contreforts accidentés des Rocheuses entre Prince George et Dawson Creek, des plaines totalement plates et de douces prairies entre Dawson Creek et Fort St. John (la ville la plus importante), et de paysages sauvages spectaculaires dans le Grand Nord. Sur le plan économique, la région a su développer des activités variées : production de gaz naturel et d'hydro-électricité, extraction minière, exploitation forestière, agriculture et tourisme.

Le climat

Le niveau de précipitation varie énormément d'un coin à l'autre de la Colombie-Britannique, selon la configuration des différentes régions et l'importance des vents qui les balaient. Ainsi, la ville de Kamloops, située dans la vallée protégée de la rivière Thompson, au centre-sud de la province, ne reçoit que 25 cm de pluies par année alors que sur la côte Ouest de l'île de Vancouver, c'est une moyenne annuelle de 274 cm qu'on enregistre.

En fait, tout le flanc Ouest de la chaîne Côtière, de même que les îles au large, connaissent un climat très humide (imperméable et parapluie de rigueur...), malgré un littoral relativement sec. À l'est de la chaîne Côtière, le plateau intérieur (Interior Plateau) est déjà plus sec (ne pas oublier la lotion de bronzage et le chapeau), et ce jusqu'au versant humide et venteux des Rocheuses. De façon générale, les régions localisées du côté des montagnes frappé par les vents recevront davantage de pluies que celles installées sur les flancs à l'abri des rafales.

Une topographie aussi diversifiée crée également des différences importantes au niveau des températures moyennes de chacune des régions. Elles varieront suivant l'élévation, la latitude, la déclivité et selon la situation géographique intérieure ou côtière. Toute la zone littorale subit l'influence de l'air marin polaire, ce qui donne des étés frais et raisonnablement secs et des hivers doux et légèrement humides. À l'intérieur des terres, des étés chauds et arides suivis d'hivers froids et secs résultent de la conjonction des courants d'air maritimes et continentaux. Au nord-est de la province, des masses d'air polaire et arctique rendent les hivers extrêmement froids et neigeux et raccourcissent des étés déjà frais et humides.

Peu importe la saison durant laquelle on visite la Colombie-Britannique, il faut se munir de vêtements convenant à des températures pouvant varier d'un extrême à l'autre, sans oublier d'apporter un coupe-vent et un imperméable.

La flore et la faune

Deux couleurs frappent le visiteur en Colombie-Britannique : le bleu des superbes étendues d'eau, et le vert des innombrables arbres présents partout. On y retrouve une grande variété de sapins, d'épinettes, de pins, de bouleaux et de saules.

L'été est quant à lui le théâtre d'un spectacle floral toujours magnifique. Toutes les couleurs de l'arc-en-ciel sont alors représentées par une multitude de roses, de marguerites, de lupins, de muguets, de trèfles, de boutons-d'or, etc.

Par ailleurs, il est à noter que l'emblème de la Colombie-Britannique est le cornouiller du Pacifique, portant fièrement de grandes fleurs blanches au printemps, et garni de beaux fruits rouges à l'automne.

En ce qui a trait à la faune, la Colombie-Britannique est sans l'ombre d'un doute la province canadienne servant d'habitat à la plus grande diversité de mammifères et d'oiseaux. Les automobilistes doivent toujours s'attendre à voir surgir un cerf ou un orignal sur la route... On dénombre quelque 112 espèces de mammifères vivant en Colombie-Britannique dont 74 sont propres à cette province. Parmi ceux-ci, mentionnons l'ours grizzly (25% de la population mondiale de cette espèce), la chèvre des montagnes (60%), la grouse bleue et le cygne (50%), le bélier (75%) et l'aigle chauve (25%). De plus, les basses terres, là où vit la majorité de la population de la province, constituent une importante halte pour des millions d'oiseaux migrateurs. D'innombrables canards, oies et cygnes hivernent d'ailleurs à Boundary Bay, près de Vancouver.

La faune marine fréquentant la proximité de la côte est également impressionnante. Baleines, dauphins, marsouins, phoques et otaries cohabitent dans les eaux de l'océan Pacifique, en plus d'une multitude de poissons tels que les saumons, les truites et les ombres.

Pour plus de renseignements, on peut écrire à l'adresse suivante : Wildlife Branch, Ministry of Environment and Parks, Parliament Buildings, Victoria, B.C., V8V 1X5.

UN PEU D'HISTOIRE

I l n'y a guère plus de 200 ans, la côte nord-américaine du Pacifique constituait l'une des régions les moins explorées du monde. Les barrières naturelles qu'imposait sa géographie particulière en étaient en grande partie responsable : on a qu'à penser aux gigantesques montagnes Rocheuses à l'est ou aux kilomètres d'océan à l'ouest.

Quoi qu'il en soit, dans la seconde moitié du XVIIIᵉ siècle commencèrent à affluer des explorateurs russes, espagnols, britanniques et américains, tous poussés par la même volonté de découvrir de nouvelles richesses naturelles. Des vaisseaux espagnols en provenance du Mexique furent parmi les premiers à explorer la côte. Ainsi, dès 1774, Juan Perez entreprit de traiter avec les Indiens locaux, et Bodega y Quadra prit possession de la côte de l'Alaska au nom de l'Espagne. Puis, en 1778, l'Anglais James Cook s'arrêta à Nootka et engagea le commerce avec les autochtones. Il obtint ainsi des peaux de loutres de mer qu'il revendit par la suite en Chine à des prix incroyablement élevés. Cette fructueuse activité ne demeura pas sa chasse gardée bien longtemps. À partir de 1785, des navires chargés de fer, de cuivre, de mousquets, de vêtements, de bijoux et de toute autre denrée pouvant être échangée contre les précieuses peaux, se succédèrent les uns aux autres, et ce pour les 25 années qui suivirent. Ce lucratif commerce permettait aux Européens d'acquérir, en Chine, des biens de grand luxe tels que de la soie, du thé, des épices et du gingembre.

En 1789, les Espagnols établirent une colonie à Nootka, mais après s'être frottés aux Anglais qui réclamaient également la région, ils abandonnèrent les lieux aux mains du capitaine George Vancouver en 1793.

Durant la même période, des aventuriers à l'emploi de la North West Company traversèrent les Rocheuses et recherchèrent les cours d'eau pouvant les mener jusqu'à la côte Ouest. Alexander Mackenzie fut le premier à réussir en 1793, en empruntant les fleuves et rivières Peace, Fraser et West Road. Sur un rocher du canal Dean, près de Bella Coola, on peut d'ailleurs toujours apercevoir une inscription gravée à la main disant *Alex Mackenzie from Canada by land 22nd July 1793*. D'autres légendaires explorateurs l'imitèrent ensuite, tels Simon Fraser (1808) et David Thompson (1811) qui léguèrent chacun leur nom à un fleuve. Au début du XIXe siècle, des postes de traite furent installés par la North West Company à New Caledonia (nom donné par Fraser au plateau intérieur Nord), pour être ensuite récupérés par la Compagnie de la Baie d'Hudson lors de la fusion de 1821.

Les Indiens

Toutes ces activités commerciales contribuèrent à une certaine prospérité pour les peuplades aborigènes dont la société s'organisait autour de la richesse, de la propriété et du potlatch (coutume consistant à couvrir ses invités de cadeaux somptueux, ce qui représentait, pour les donataires, un défi d'en faire un jour autant). La Compagnie, qui ne voyait aucun intérêt à s'immiscer dans les affaires des Indiens, les traitait de manière correcte. De cette effervescence résultèrent un accroissement des échanges entre les tribus côtières et celles vivant à l'intérieur des terres, de même qu'une augmentation phénoménale de la demande pour les objets d'art et d'artisanat; les chefs réclamant davantage de masques sculptés, de costumes et de vaisselles pour les cérémonies de plus en plus fréquentes à mesure que la fortune des leurs grandissait.

Cependant, cette nouvelle richesse provoqua sa part d'effets pervers sur la vie des autochtones. Les sites traditionnels furent graduellement abandonnés, les tribus préférant s'installer à proximité des forts pour le commerce autant que pour la protection qu'ils pouvaient y trouver. De plus, la fréquentation des Blancs entraîna l'introduction d'armes à feu, d'alcool et de maladies (principalement la variole) dans la vie quotidienne des Indiens, chacun de ces facteurs occasionnant sa part de bouleversements.

Les relations entre les Indiens et les Blancs commencèrent à se détériorer lors de l'arrivée des premiers colons, décidés à prendre possession du territoire et, plusieurs années plus tard, lorsque le lobby religieux obtint le bannissement du potlatch. Des conflits majeurs portant sur la propriété des terres débutèrent alors et se sont perpétués jusqu'à nos jours.

L'île de Vancouver

Le Gouvernement Impérial décida en 1849 que l'île de Vancouver devait être colonisée de façon à confirmer l'emprise britannique sur la région et prévenir toute visée expansionniste des Américains. Richard Blanshard devint le premier gouverneur de l'île qui toutefois, dans les faits, continuait d'être contrôlée par la Compagnie de la Baie d'Hudson. D'ailleurs, en 1851, bien peu de temps après sa nomination, Blanshard démissionna au profit de James Douglas, intendant en chef de la Compagnie. Les préoccupations premières de Douglas furent de s'assurer que règnent la loi et l'ordre, et d'acquérir les droits de propriété du territoire en négociant avec les Indiens à qui il garantit certaines terres qui devinrent des réserves. Les traités alors signés conféraient aux Blancs la propriété perpétuelle des lieux tout en réservant aux Indiens le droit de résider dans leurs villages et réserves, ainsi que de chasser et de pêcher sur les terres inoccupées. Chaque famille reçut de plus une minime compensation en argent.

En 1852, des minerais de charbon furent découverts près de Nanaimo. Puis, la Puget Sound Agricultural Association (filiale de la Compagnie de la Baie d'Hudson) développa l'exploitation de grandes fermes dans la région de Victoria. Déjà à cette époque, grâce à son climat tempéré et à son sol fertile favorisant la culture des légumes et des fleurs, Victoria s'avérait un endroit où il faisait bon vivre.

La ruée vers l'or

Le premier Parlement à l'ouest des Grands Lacs fut élu en 1856. Le Dr J.S. Helmcken devint alors le président du parlement de l'île de Vancouver. À peine deux ans plus tard, ce qui était jusque-là l'un des territoires les moins explorés et les plus tranquilles au monde fut balayé par un vent de folie suite à la découverte d'or sur les rives du fleuve Fraser.

La nouvelle se répandit comme une traînée de poudre et bientôt des navires bondés de prospecteurs, des Américains pour la plupart, arrivèrent à Victoria où la population passa de quelques centaines de colons à plus de 5 000 âmes. Le commerce de la fourrure commença à décliner au profit de ce nouveau secteur d'activités jugé plus prometteur. Devant l'évidente richesse qui semblait vouloir émerger dès lors sur le continent, les Britanniques y fondèrent une seconde colonie, s'ajoutant à celle de l'île de Vancouver. C'est ainsi que naquit la Colombie-Britannique, en 1858. James Douglas, gouverneur de l'île de Vancouver, abandonna ses fonctions au sein de la Compagnie de la Baie d'Hudson pour se consacrer entièrement à l'administration des deux colonies. Celles-ci fusionnèrent dès 1866.

La célèbre ruée vers l'or des Cariboo, qui permit à de nombreux mineurs de s'enrichir rapidement grâce à la découverte de grandes quantités de ce précieux métal, aboutit à la construction de la route des Cariboo (1861-65), ouvrant ainsi l'intérieur de la province de Yale jusqu'à Barkerville. Cette ruée attira même ceux qu'on appela les *Overlanders*, ces groupes de colons, partis de l'Ontario et du Québec à l'été 1862, qui traversèrent les Prairies et les Rocheuses pour finalement atteindre Kamloops à l'automne. Certains d'entre eux poursuivirent alors leur route jusqu'aux monts Cariboo afin de prospecter, mais plusieurs se contentèrent de rejoindre la côte et de s'y installer, le voyage en lui-même ayant comblé leur besoin d'aventure.

Un développement rapide

La route des Cariboo, l'une des plus grandes prouesses techniques d'avant la construction du chemin de fer du Canadian Pacific Railway, fut complétée en 1865. Parallèlement, d'autres routes furent tracées dont les sentiers Hope-Princeton et Dewdney menant aux terres des Indiens Kootenays.

L'industrie de la mise en conserve du saumon se développa à la même époque alors que les nombreuses conserveries bordant le fleuve Fraser et la rivière Skeena dominaient le marché mondial (il en existe toujours une aujourd'hui, près de Prince Rupert).

Ce n'est qu'en 1862 que Burrard Inlet (aujourd'hui Vancouver) apparut sur la carte, lors de la construction d'une petite scierie. Les grands arbres de la région devinrent de plus en plus en demande et plusieurs autres usines ouvrirent ici et là. En quelques années seulement, celles-ci contribuèrent à la mise sur pied d'une industrie de premier plan dont les marchés d'exportation assurèrent la prospérité.

Des fermiers vinrent aussi s'installer dans le secteur et, dès la fin des années 1860, une petite ville était née. Un dénommé *Gassy Jack* Deighton exploitait alors un très populaire saloon sur la rive Sud de Burrard Inlet, et pour un certain temps, la ville s'appela Gastown en son honneur. Le nom changea pour celui de Granville, en 1870, puis finalement pour celui de Vancouver en 1886. Dans l'intervalle, soit en 1866, les deux colonies s'unirent pour devenir la Colombie-Britannique et New Westminster fut désigné capitale, ce qui n'eut pas l'heur de plaire aux citoyens de Vancouver. Deux ans plus tard, la ville de Victoria se vit attribuer le rôle de capitale, titre qu'elle a par la suite conservé jusqu'à nos jours.

Le dominion canadien

Londres et Ottawa invitèrent bientôt la Colombie-Britannique à se joindre au dominion des provinces de l'Est afin de faire contrepoids à la puissance des États-Unis, tout juste au sud. Après un long débat public, la Colombie-Britannique devint une province canadienne en 1871, en échange de la garantie que son territoire serait relié aux provinces de l'Est par un chemin de fer. Celui-ci fut complété en 1885.

Le développement s'accéléra alors encore davantage à mesure que de nouvelles routes s'ajoutèrent au précieux chemin de fer, créant d'importants débouchés pour l'exploitation forestière et minière, l'agriculture, la pêche et le tourisme.

LA VIE SOCIALE,
ÉCONOMIQUE ET POLITIQUE

 a population de la Colombie-Britannique est composée en majorité d'Amérindiens et de Blancs de descendance britannique (51 %), allemande, chinoise ou française.

Les Amérindiens

La côte et l'intérieur du territoire de la Colombie-Britannique furent d'abord occupés par les autochtones peu après la période glaciaire. Les Kwakiutls, les Bella Coolas, les Nootkas, les Haidas et les Tlingits peuplaient la côte Ouest canadienne bien avant sa «découverte» par les Blancs. Ces populations côtières vivaient confortablement de la chasse au cerf, au castor, à l'ours et à la loutre de mer; de la pêche au saumon, à la morue et au flétan, de même que de la récolte de varechs comestibles. Quant aux peuplades vivant à l'intérieur des terres, elles étaient davantage nomades et elles devaient leur subsistance à la chasse essentiellement.

Les Indiens s'abritaient dans de gigantesques huttes de 90 m de long et fabriquaient des canots mesurant près de 20 m. Ils développèrent au cours des siècles leur style artistique propre, hautement décoratif, qui met en scène des animaux, des créatures mythiques et des formes humaines. Leur société était basée sur la propriété privée et sur la richesse matérielle de chaque chef et des membres de sa tribu. La coutume du potlatch faisait que cette richesse changeait de mains continuellement. Ces cérémonies de potlatch étaient habituellement accompagnées d'un festin, de danses et de discours pouvant durer plusieurs jours. On racontait alors, vêtu de masques et de costumes élaborés, des histoires dont le but était de divertir, mais aussi d'instruire les invités sur les traditions du clan hôte. Les invités se voyaient alors couverts de cadeaux, en échange de la promesse d'être un jour aussi généreux que leurs donateurs.

L'arrivée des colons blancs incita bientôt les Indiens à vivre dans des réserves. De plus, pressé par un important lobby religieux qui jugeait la coutume du potlatch païenne et barbare, le gouvernement décréta illégale cette pratique en 1884 (l'interdiction se prolongea jusqu'en 1951). Cette période vit presque sombrer dans l'oubli les costumes, masques, chants, danses et autres objets rituels de ces peuples. Ces deux facteurs combinés à l'introduction des armes à feu, de l'alcool et de nouvelles maladies dans la région par les Blancs, contribuèrent à l'effritement de la société aborigène.

Aujourd'hui, les descendants amérindiens de la côte canadienne du Pacifique ont adopté la technologie et le mode de vie des descendants européens, mais forment toujours un groupe distinct. Une barrière sociale est toujours bien présente entre les communautés amérindiennes et non amérindiennes. Bien des choses ont changé et bien des traditions ont été abandonnées ou adaptées (par exemple, les chefs sont aujourd'hui élus), mais l'artisanat, malgré tous ces bouleversements, demeure une activité prédominante. Les peuples amérindiens contribuent ainsi à la richesse culturelle de la Colombie-Britannique.

■ Les mâts totémiques

D'innombrables mâts totémiques parsèment la Colombie-Britannique, au grand plaisir du voyageur. Ils sont faits de cèdre rouge ou, plus rarement, jaune. Les experts en identifient cinq types : les mâts intégrés à la structure de bâtiments, les mâts mortuaires élevés à la mémoire d'un chef de tribu sur lesquels ont été déposées des boîtes contenant les os et les cendres du défunt, les mâts commémoratifs, les mâts ornementaux (héraldiques ou commémoratifs), et les mâts totémiques exprimant l'humilité.

Contrairement à ce que croyaient les premiers chrétiens qui se sont installés dans la région, ces monuments ne sont pas des objets de culte. Ils racontent simplement l'histoire d'un individu, d'une famille ou d'un clan. Les figures qui y apparaissent représentent des ancêtres mythiques protecteurs.

Considéré à juste titre comme la plus remarquable forme autochtone d'art mortuaire de la côte Ouest, le mât totémique est aujourd'hui objet de convoitise pour des collectionneurs de tous les coins du monde. Des représentations miniatures, œuvres d'artistes de renom, sont effectivement très en demande sur les marchés de l'art.

Cet intérêt renouvelé pour ces magnifiques monuments a incité nombre de musées provinciaux à faire l'acquisition de mâts totémiques afin de mieux les préserver. Les poteaux déménagés se voient alors remplacer par des répliques. On peut toutefois admirer, encore aujourd'hui, d'authentiques mâts totémiques (restaurés cependant) dans plusieurs villages en bordure de l'autoroute Yellowhead, à Alert Bay sur l'île Cormorant, au parc Stanley à Vancouver, à l'Université de Vancouver, au musée provincial de Victoria, et dans le Sud des îles Queen Charlotte.

■ Le travail du bois de cèdre

Les Amérindiens du Nord de la côte Ouest sont passés maîtres dans l'art du travail du bois de cèdre. Ils en faisaient pratiquement tout ce que l'on peut imaginer : maisons, canots, contenants, mâts totémiques, masques, costumes, hameçons, gourdins, lances, arcs et flèches, etc.

Leurs maisons étaient construites sur la longueur ou en forme de carré, avec un toit en pente. La structure intérieure se voulait solide et durable alors que les parois extérieures pouvaient être retirées facilement.

Quant à leurs canots, ils pouvaient atteindre des dimensions spectaculaires (jusqu'à 23 m de long!) et contenir, dans certains cas, plus de 60 hommes... On peut encore admirer les plus grands de ces canots, arborant de magnifiques formes géométriques superbement peintes à la main, dans les musées ou lors de cérémonies spéciales.

■ Les arts et l'artisanat

Les œuvres artistiques des autochtones peuvent être regroupées en deux grandes catégories : les «arts», généralement l'apanage des hommes (sculpture sur bois, peinture, poterie, travail de l'argent et du jade, restauration de mâts totémiques), et l'«artisanat», où dominent les femmes (confection de paniers ou de literies, tissage, couture, tricot). Toutes ces activités représentent aujourd'hui une part importante des revenus de la communauté amérindienne.

De toutes ces formes d'expression artistique pratiquées par les Indiens de la Colombie-Britannique, la sculpture sur bois et la peinture sont sans contredit les plus reconnues. Ainsi, on trouvera à peu près partout de magnifiques totems, canots, pagaies, masques, vaisselles, bols, cuillers, etc. Les peintures sur papier aux couleurs vives, qui illustrent des animaux ou des personnages de légende, constituent également des pièces très recherchées. On peut d'ailleurs se procurer des reproductions numérotées de très haute qualité de ces peintures dans plusieurs boutiques d'art autochtone de la province.

Parmi les autres objets fort populaires, mentionnons les paniers fabriqués avec de l'écorce de cèdre (côte Ouest de l'île de Vancouver), ceux faits de racines d'épinettes (îles Queen Charlotte), ou les magnifiques paniers d'écorces de bouleau (dans la région de Hazelton, sur l'autoroute Yellowhead entre Prince George et Prince Rupert), les chandails de laine de chèvre (incroyablement chauds et durables), les mocassins, les vestes et les gants.

Les Blancs

À l'entrée de la Colombie-Britannique dans la Confédération canadienne, la population de la province atteignait à peine 36 000 personnes, dont 27 000 Indiens. Grâce au parachèvement du chemin de fer du Canadian Pacific Railway en 1885, aux vagues d'immigration du début du XXᵉ siècle et au développement industriel accéléré qui suivit la Deuxième Guerre mondiale, cette population a très rapidement crû. Entre 1951 et 1971 elle doubla... Aujourd'hui, 3 millions de personnes vivent en Colombie-Britannique, pour la plupart dans le Sud-Ouest de la province (plus du tiers dans la région métropolitaine de Vancouver) et le Sud de l'île de Vancouver. Malgré cette croissance impressionnante, cela ne représente toujours guère plus de trois personnes au kilomètre carré.

Pour vraiment goûter à l'atmosphère *british* de la province, il faut s'arrêter quelque temps à Victoria, une ville où la tradition britannique a été soigneusement préservée.

La langue de la majorité est ici l'anglais bien que 6% des habitants puissent s'exprimer en français, seconde langue officielle au Canada. Quant aux Indiens, qui représentent toujours une minorité importante, ils se divisent en 10 groupes linguistiques : les Nootkas (île de Vancouver Ouest), les Coast

Salishs (Sud-Ouest de la province), les Interior Salishs (Centre-Sud), les Kootenays (région qui porte leur nom), les Athabascans (région centrale et Nord-Est), les Bella Coolas et les Northern Kwakiutls (centre de la côte Ouest), les Tsimshians (Nord-Ouest), les Haidas (îles Queen Charlotte) et les Inland Tlingits (extrême Nord-Ouest). Cependant, la plupart des Indiens parlent maintenant davantage l'anglais que leur langue maternelle.

L'économie

Depuis toujours, l'économie de la Colombie-Britannique repose sur ses ressources naturelles : la chasse et la pêche au temps où les Amérindiens représentaient la majorité; le commerce de peaux de loutres de mer, puis l'exploitation forestière lorsque les Blancs entrèrent en scène. Ses richesses sont abondantes et très variées : forêts, minéraux, pétrole, gaz naturel, charbon, rivières harnachées pour la production hydro-électrique, animaux sauvages et magnifiques paysages qui attirent des visiteurs de partout. D'ailleurs, plusieurs mesures ont été prises pour préserver toutes ces richesses : plan de reboisement, limitation et réglementation s'appliquant aux activités de chasse et de pêche, gel de la désaffectation des terres agricoles, restriction sur le développement hydro-électrique afin de préserver l'habitat du saumon, etc. Ici, la bagarre entre les «écolo-conservationnistes» et les «capitalo-développeurs» en est une de tous les instants.

L'industrie forestière a dominé l'économie tout au long de ce siècle. Rien d'étonnant quand on sait que plus de la moitié du territoire est couvert d'arbres et que la province possède des réserves représentant environ 50% du bois commercialisable au Canada (25% de l'inventaire nord-américain). Le gouvernement provincial est propriétaire de 94% du territoire boisé, l'entreprise privée de 5%, et le gouvernement fédéral de 1%. Bien que cette industrie reste prédominante, des pressions conservationnistes pèsent de plus en plus sur elle afin que soient préservées les forêts pour le mieux-être des générations à venir.

La seconde industrie en importance est l'exploitation minière. On y dénombre plusieurs sous-secteurs : l'extraction de métaux (cuivre, or, zinc, argent, plomb, etc.), de minéraux industriels (soufre, amiante, etc.), de matériaux de construction (sable, gravier, ciment), de charbon (exporté vers le Japon et d'autres marchés asiatiques), et le forage de puits de pétrole et de gaz naturel au nord-est de la province.

Le tourisme a pour sa part rejoint le rang des plus importants secteurs économiques. Les nombreux parcs nationaux, provinciaux, régionaux et historiques favorisent l'essor de cette activité.

L'exploitation agricole est à la fois clairsemée et diversifiée sur le territoire montagneux de la Colombie-Britannique. On y trouve donc des fermes laitières (dans la basse vallée du Fraser, le Sud-Est de l'île de Vancouver et le Nord de la région Okanagan-Shuswap), des fermes d'élevage de bestiaux (dans les régions de Cariboo, Chilcotin, Kamloops, Okanagan et Kootenays), des vergers et des vignobles (Okanagan), des champs de baies (basse vallée du Fraser), des fermes d'élevage de volailles, des potagers, des sites de culture d'arbrisseaux d'ornement (près de Vancouver et Victoria) et des fermes mixtes d'élevage de bétail et de culture de la terre (Peace River County, véritable grenier de la province). On estime à 55-60% la part des besoins alimentaires de la Colombie-Britannique comblée par sa propre agriculture.

La pisciculture commerciale prend également de l'expansion. Mentionnons la production d'huîtres, de truites et de cinq espèces différentes de saumon. La pêche commerciale est toujours, de son côté, l'une des plus importantes industries de la province (saumon, hareng, flétan, morue et sole). Des poissons frais ou mis en conserve sont exportés sur tous les marchés mondiaux. La province est d'ailleurs considérée comme la plus grande région productrice au Canada. La pêche sportive attire également beaucoup d'adeptes dans la région. On y vient entre autres pour le saumon et la truite.

L'industrie manufacturière fut de tout temps dominée par la production du bois de construction et de la pâte à papier. Cependant, d'autres secteurs connaissent actuellement une croissance notable. C'est le cas de l'industrie textile, de la confection d'équipements sportifs et de plein air.

Le cinéma connaît quant à lui un certain essor à mesure que Hollywood découvre la beauté des paysages de la province, ses équipements cinématographiques, ses techniciens... et le taux de change favorable. Le potentiel énergétique est par ailleurs immense en cette contrée où les nombreuses précipitations et le territoire accidenté forment la combinaison idéale au développement hydro-électrique, et où le charbon et le gaz naturel abondent. Finalement, le secteur du transport s'avère lui aussi des plus florissants grâce à des équipements portuaires en opération à longueur d'année, aux activités d'entreprises internationales de transport en haute mer, aux vaisseaux de transport du bois, et à l'industrie du transport de passagers et de marchandises.

Les États-Unis, avec qui le Canada a récemment conclu une entente de libre-échange, et le Japon constituent les deux principaux partenaires commerciaux de la Colombie-Britannique.

Le gouvernement

Le Canada forme à la fois une monarchie constitutionnelle et une démocratie parlementaire de type britannique. D'ailleurs, le roi ou la reine d'Angleterre demeure encore aujourd'hui le chef de l'État canadien. Le pays ayant cependant conquis son indépendance, la monarchie britannique n'interfère en fait jamais dans les affaires intérieures canadiennes. Le gouverneur général, à Ottawa, et les lieutenants-gouverneurs, dans chacune des provinces, représentent officiellement la Couronne britannique. Leur signature, telle une «sanction royale», est indispensable à la passation de toute loi. Mais, ce rôle reste malgré tout ni plus ni moins que symbolique.

Le chef du gouvernement est le premier ministre. Il en est de même dans chacune des 10 provinces que compte le Canada. La législature de la Colombie-Britannique est dominée, comme on l'a vu, par le lieutenant-gouverneur. En dessous de lui, on retrouve l'Assemblée législative, élue par la population selon le mode de scrutin uninominal à majorité simple, et ce pour une période maximale de cinq ans. Siègent à cette assemblée le premier ministre (chef du parti ayant fait élire le plus grand nombre de députés), son cabinet ministériel (ou Conseil exécutif) et ses députés d'arrière-banc, le chef de l'Opposition officielle, les députés élus membres de partis d'opposition, et des députés indépendants.

Les deux partis les plus importants en Colombie-Britannique sont le Social Credit Party, parti de droite qui prône la libre entreprise et l'intervention minimale de l'État, et le New Democratic Party, parti de gauche favorisant la mise de l'avant de mesures sociales par le gouvernement. Le rôle de l'Opposition officielle consiste à questionner les actions et les politiques du gouvernement lors des débats de l'Assemblée législative, et à proposer le cas échéant des mesures de remplacement.

Parmi les responsabilités de la législature de la Colombie-Britannique, mentionnons les domaines de l'administration de la justice, des droits civils, de la propriété, des affaires municipales, des forêts, des ressources hydrauliques, et de l'éducation. Les lois de la province sont administrées par le Conseil exécutif, le premier ministre et le lieutenant-gouverneur, et sont interprétées par le pouvoir judiciaire composé des cours de comté, de la Cour provinciale, de la Cour d'appel et de la Cour suprême de la Colombie-Britannique.

RENSEIGNEMENTS PRATIQUES

A fin de profiter pleinement de son séjour en Colombie-Britannique, il importe de bien préparer son voyage. Ainsi, une fois sur place, on aura tout le loisir de jouir de ses fastueux sites naturels et des attraits de ses grandes villes.

 Pour s'y retrouver sans mal

■ **Le transport**

Par avion

Les grandes compagnies aériennes du monde entier desservent l'Aéroport International de Vancouver, principale porte d'entrée de la province :

De l'intérieur du Canada : Air B.C., Air Canada, Canadien, Wardair et Time Air.

Des États-Unis : American Airlines, Continental, United Airlines, Delta Airlines, San Juan Airlines.

De l'Europe : British Airways, Lufthansa et KLM.

De l'Asie : Japan Airlines, China Airlines, Cathay Pacific, Korean Air, Singapore Airlines.

De l'Australie : Quantas.

De la Nouvelle-Zélande : Air New Zealand.

L'Aéroport International de Vancouver n'est qu'à 25 minutes de route au sud du centre-ville. Un bureau d'information accueille les visiteurs au niveau 3. On peut également obtenir des renseignements ou réserver ses billets d'avion en composant le 604-276-6101.

Par bateau ou par traversier

Pour les visiteurs venant des États-Unis, la façon la plus agréable de faire connaissance avec la Colombie-Britannique consiste à en avoir un premier aperçu depuis un bateau. On peut en effet prendre le traversier à Port Angeles en direction de Victoria (☎ 206-457-4491 ou 604-386-2202), depuis Anacortes à destination de Sidney, sur l'île de Vancouver, via les îles San Juan, une route fort prisée des cyclistes (☎ 206-464-6400), ou encore à Seattle où l'on a le choix entre le B.C. Steamship, qui se dirige vers Vancouver (☎ 604-386-6731) et le Victoria Clipper, qui n'accueille que les piétons et qui vogue vers Victoria (☎ 604-382-8100).

De l'Alaska, le ferry d'état permet une croisière spectaculaire jusqu'à Prince Rupert. De là, un autre traversier mène à Port Hardy, sur l'île de Vancouver.

Cette façon de découvrir la côte du Pacifique est des plus plaisantes et gagne rapidement en popularité. Il faut donc réserver le plus longtemps possible à l'avance (plusieurs mois pour la saison d'été), surtout si on désire la croisière depuis l'Alaska (ou dans la direction opposée). On doit alors, pour cette dernière croisière, réserver sa place pour la partie comprise entre Port Hardy et Prince Rupert auprès du BC Ferries Reservation Centre (☎ 604-669-1211 à Vancouver, ou 604-386-3431 à Victoria), et faire de même pour la section Prince Rupert / Skagway à l'Alaska Marine Highway System (☎ 907-465-3941).

Par voies routières

La Colombie-Britannique possède un excellent système routier. Cependant, d'impressionnantes chutes de neige peuvent forcer la fermeture temporaire de certaines routes en hiver. Il est possible d'obtenir des rapports complets sur les conditions routières en composant le 660-9775 (partie méridionale de la province) ou le 660-9781 (partie septentrionale).

Pour les adeptes du voyage en autocar, mentionnons que la compagnie Greyhound offre des liaisons à partir de toutes les grandes villes du Canada et des États-Unis.

Se déplacer en Colombie-Britannique

La meilleure façon de parcourir la Colombie-Britannique consistera toujours à le faire à bord d'un véhicule privé (automobile, caravane, motocyclette ou bicyclette). Les services ferroviaires et les liaisons par autocar, bien qu'honnêtement organisés, ne permettront jamais la même flexibilité, ni cette possibilité de s'éloigner des sentiers battus. Par ailleurs, des lignes aériennes inter-provinciales sont offertes par plusieurs compagnies (Air B.C., Air Canada, Time Air, Canadien). Mais il s'agit bien là de la meilleure façon de ne pas voir le magnifique paysage de la Colombie-Britannique... surtout si le temps s'avère maussade.

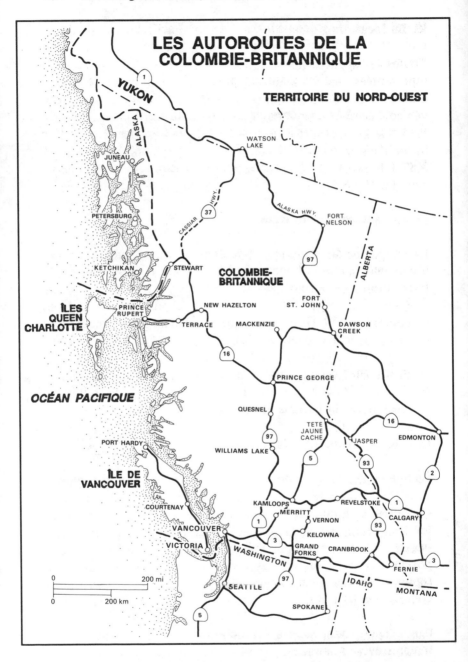

LES AUTOROUTES DE LA COLOMBIE-BRITANNIQUE

■ **La location d'une voiture**

Toutes les agences internationales de location de voitures sont représentées en Colombie-Britannique, plusieurs exploitant d'ailleurs des bureaux dans les principaux aéroports. Pour un véhicule économique, il faut compter environ 45 $ par jour, plus 0,15 $ le kilomètre (en général, les 100 premiers sont cependant inclus dans le tarif de base) et le coût de l'essence (autour de 0,57 $ le litre). On peut aussi louer une auto usagée pour aussi peu que 19,95 $ par jour chez Rent-A-Wreck.

■ **Par autocar**

La compagnie Greyhound permet de se rendre dans pratiquement n'importe quelle ville de la province. De plus, aucune réservation n'est nécessaire.

La compagnie Pacific Coach Lines offre quant à elle des liaisons entre Victoria et Vancouver en empruntant le traversier (3 h 30, 15,75 $, aller seulement). Sur l'île de Vancouver, la compagnie Island Coach Lines dessert la plupart des localités.

À Vancouver, le terminus d'autocar se situe au 150 Dunsmuir Street (☎ 604-662-3222). À Victoria, l'adresse est le 710 Douglas Street (☎ 604-385-4411).

■ **Par train**

La British Columbia Railway, mieux connue sous le vocable de BC Rail, relie North Vancouver à Prince George, via Howe Sound et Lillooet (55 $, aller seulement). La gare se trouve à North Vancouver, au 1311 1st Street West (réservations : ☎ 984-5246; renseignements sur les départs et arrivées : ☎ 984-5264).

Par ailleurs, Via Rail offre des liaisons ferroviaires entre Vancouver et Edmonton ou Winnipeg, de même qu'un service quotidien vers Prince Rupert ou Winnipeg, en passant par Prince George (☎ 1-800-665-8630).

Mentionnons finalement que les villes et villages situés au nord de Prince George ne sont desservis que par autocar.

Les formalités d'entrée

Les visiteurs autres qu'Américains doivent se munir d'un passeport valide pour entrer au Canada. Un visa peut également être exigé selon le pays d'origine. À l'heure actuelle, les citoyens des États-Unis, des pays du Commonwealth britannique et de la plupart des pays d'Europe de l'Ouest, n'ont pas à se procurer de visa. Quoi qu'il en soit, il est toujours préférable de s'enquérir des derniers changements en ce domaine auprès de son agent de voyages, ou directement auprès du consulat canadien le plus près de chez-soi, quelques mois avant le départ.

Quant aux citoyens ou résidants américains, bien que de simples papiers d'identité suffisent dans les faits (certificat de naissance, permis de conduire, etc.), il est toujours sage d'apporter son passeport.

Quiconque désire travailler ou étudier au Canada doit préalablement se procurer les autorisations nécessaires auprès d'un consulat canadien. Un examen médical pourra alors être exigé. On obtient tous les renseignements quant aux possibilités d'emplois au Canada et aux procédures à suivre en écrivant à Emploi et Immigration Canada, à Ottawa. On peut également obtenir de l'information plus générale en s'adressant au Ministry of Tourism, Recreation and Culture, Parlement Buildings, Victoria, B.C., V8V 1X4.

Dans un tout autre ordre d'idée, il faut savoir que l'introduction de pistolets et d'armes automatiques au Canada est strictement prohibée. Un permis spécial doit être obtenu par les chasseurs et toute arme doit obligatoirement être déclarée au service des douanes, à l'entrée au pays.

L'argent

L'unité monétaire est le dollar canadien ($), divisible en 100 cents. Des coupures de 2, 5, 10, 20, 50, 100, 500 et 1 000 dollars circulent sur le marché. On trouve aussi des pièces de 1, 5, 10 et 25 cents, de même que de 1 dollar. Tous les prix indiqués dans ce guide sont en dollars canadiens.

Pour le visiteur, se munir de chèques de voyage représente l'option la plus pratique. Lorsque émis en devise canadienne, on peut les utiliser à peu près partout (hôtels, restaurants, magasins, etc.). La plupart des cartes de crédit sont également acceptées au Canada : Visa, Master Card, American Express, etc.

La santé

Aucune vaccination n'est requise pour entrer au Canada. Tout au long de son séjour, il n'y a généralement aucun problème à boire l'eau du robinet ou à manger la nourriture locale. Il reste toutefois sage de faire bouillir son eau avant de la consommer dans les régions sauvages.

Il est d'autre part recommandé de se procurer une assurance-voyage avant le départ. À titre d'exemple, mentionnons que les services hospitaliers coûtent au bas mot 900 $ par jour, en plus d'une surcharge de 30% pour les étrangers, dans certains cas... Quelques firmes canadiennes d'assurances offrent des plans adaptés aux besoins des visiteurs. C'est le cas de l'entreprise Hospital Medical Care, Box 1012 Georgia Street West, Vancouver, B.C., V6E 2Y2 (☎ 604-684-0666).

Les personnes handicapées physiquement et désireuses de voyager en Colombie-Britannique (ou ailleurs au Canada) peuvent obtenir de l'information spécifique en écrivant à la Canadian Paraplegic Association, 780 S.W. Marine Drive, Vancouver, B.C., V6P 5Y7 (☎ 604-324-3611).

Renseignements divers

■ La poste

Tout courrier posté au Canada doit être affranchi avec des timbres-poste canadiens. Il en coûte 0,42 $ pour poster une lettre en première classe, à l'intérieur du pays. Pour expédier une lettre aux États-Unis, le tarif est de 0,48 $, alors qu'il atteint 0,84 $ pour une lettre destinée à une adresse d'outre-mer. On peut se procurer des timbres-poste dans les bureaux de poste, dans la plupart des hôtels, dans plusieurs kiosques à journaux, et dans les gares, les aéroports et les terminus d'autocar.

■ Le téléphone

Le code régional précédant tout numéro de téléphone en Colombie-Britannique est le 604. Les cabines téléphoniques fonctionnent avec des pièces de 0,25 $.

■ L'électricité

La tension électrique en Colombie-Britannique est de 120 volts. Les prises de courant nécessitent des fiches plates. Les voyageurs d'outre-mer doivent donc se munir d'un adaptateur pour être en mesure d'utiliser leurs appareils.

■ Magasins, banques et pourboires

Les heures d'ouverture des magasins en Colombie-Britannique sont généralement de 9 h à 17 h en semaine (jusqu'à 21 h les jeudis et vendredis). Les centres commerciaux demeurent pour la plupart en opération durant la fin de semaine.

Plusieurs banques ne sont ouvertes qu'en semaine, entre 10 h et 15 h.

En Colombie-Britannique, le pourboire n'est jamais inclus dans l'addition. Il faut donc ajouter environ 15 % pour le service (restaurants, coiffeurs, taxis, etc.). Les porteurs s'attendent quant à eux à recevoir 1 $ par bagage.

■ La conduite d'un véhicule en Colombie-Britannique

La conduite se fait à droite partout au Canada. Il faut de plus noter que le port de la ceinture de sécurité est obligatoire, de même que celui d'un casque protecteur pour les motocyclistes.

Lorsqu'un étranger est impliqué dans un accident de la route, il doit contacter le bureau local de l'Insurance Corporation of British Columbia (à Vancouver : ☎ 661-3800; à Victoria : ☎ 383-1111).

Les voyageurs adhérant à une association d'automobilistes feraient bien d'apporter leur carte de membre puisque le Canadian Automobile Association offre un service complet aux membres d'associations affiliées (agent de voyages, suggestion d'itinéraires, réservations d'hôtel, service de dépannage d'urgence, etc.).

Les limites de vitesse imposées sont de 100 km/h sur les autoroutes et de 50 km/h en ville. Finalement, il faut se rappeler que la législation concernant l'ivresse au volant est particulièrement sévère en Colombie-Britannique. Boire de l'alcool et prendre le volant peut mener jusqu'à un emprisonnement de 5 ans...

LE PLEIN AIR EN COLOMBIE-BRITANNIQUE

La nature, les grands espaces... voilà ce que représente la Colombie-Britannique pour plusieurs. Avec plus de 5 800 km² de terre encore non-défrichée, ses paysages toujours plus spectaculaires à chaque virage, ses innombrables parcs, et sa faune abondante, elle est, aux yeux des amateurs de plein air, une sorte de paradis terrestre. Tout y est possible : randonnée pédestre, escalade, sports nautiques, pêche, chasse, plongée sous-marine, ski alpin, ski de randonnée, etc.

Pour obtenir davantage de renseignements spécifiques à l'activité récréative de son choix, on peut écrire au Ministry of Lands and Parks, 800 Johnson Street, Victoria, B.C., V8V 1X4, ☎ 604-387-4330.

La randonnée pédestre

Des pistes de randonnée sont accessibles un peu partout dans la province, depuis les circuits les plus faciles, dans les villes ou les parcs régionaux, jusqu'aux défis que représentent certains sentiers particulièrement exigeants, en région sauvage.

Les parcs provinciaux offrent aux excursionnistes des sentiers généralement bien entretenus qui se parcourent assez aisément. On y trouve habituellement d'agréables paysages de même que des lacs et des rivières à l'eau cristalline.

Les parcs nationaux des montagnes Rocheuses constituent des sites exceptionnels pour la pratique de la randonnée pédestre. Les pistes les plus courtes permettent la découverte de chutes, lacs et formations géologiques d'intérêt, alors que les plus longues mènent jusqu'aux prairies alpines avec leur décor composé de fleurs sauvages et de lacs turquoise, ainsi qu'aux plus hauts sommets enneigés qui réservent aux randonneurs des panoramas imprenables.

 La pêche

La pêche au saumon, en eau douce comme en eau salée, est très bonne entre l'île de Vancouver et le continent. De même, la grande majorité des lacs, rivières et ruisseaux de la province permettent d'excellentes pêches au saumon, à la truite (arc-en-ciel tout particulièrement), etc. Sur l'île de Vancouver, les communautés de Campbell River, Duncan, Courtenay et Port Alberni constituent des destinations appréciées des pêcheurs.

Entre les mois de novembre et mars, plusieurs tentent leur chance à la pêche sur glace sur les lacs près de Kamloops, William Lake et Prince George, sur la rivière Thompson ou sur le fleuve Fraser.

Le prix du permis de pêche varie selon l'âge de celui qui en fait la demande et le lieu de son domicile. Ainsi, des contributions différentes sont exigées des habitants de la Colombie-Britannique dont l'âge se situe entre 16 et 64 ans, des habitants de la province âgés de plus de 64 ans, des Canadiens d'autres provinces de 16 ans plus, et des étrangers de plus de 16 ans. Les visiteurs étrangers doivent s'attendre à devoir débourser 28,89 $ pour un permis de pêche en eau douce valable pour un an. Il faut de plus compter un supplément pour pouvoir pêcher certaines espèces (la truite arc-en-ciel sur le lac Kootenay parc exemple). On peut se procurer un permis dans les boutiques d'équipement de sport.

Pour plus de détails concernant la réglementation en vigueur, on doit écrire au Ministry of Environment, Fish and Wildlife Branch, Parliament Buildings, Victoria, B.C., V8V 1X5.

 Le canot

La Colombie-Britannique possède tant de lacs et de rivières qu'il est bien difficile pour les amateurs de canot de faire un choix. Pour y arriver, une bonne carte topographique indiquant rapides, chutes, obstacles et lieux de portage s'avère un outil de premier plan. On peut se procurer les excellentes cartes de la série Maps and Wilderness Canoeing (MCR 107) en écrivant à Maps B.C., 553 Superior Street, Room 110, Victoria, B.C., V8V 1X4, ☎ 604-387-1441.

Pour des renseignements sur les meilleurs tracés, les cours et les clubs, il faut écrire à la Canadian Recreational Canoeing Association, 1029 Hyde Park Road, Suite 5, Hyde Park, Ontatio, N0M 1Z0, ☎ 519-2109.

Par ailleurs, quelques numéros de téléphone valent la peine qu'on les note :

Météo (message enregistré) :   ☎ 656-3978 (Victoria)
☎ 376-3044 (Kamloops)

L'une des routes les plus prisées des adeptes du canot est celle comprise dans les limites du Bowron Lake Park. Il s'agit d'un circuit de quelque 116 km à l'intérieur d'une chaîne de lacs, dans les Cariboo Mountains. Cette route est cependant l'apanage des «experts» de ce sport, et on ne trouve aucun équipement aménagé le long du parcours.

 La navigation de plaisance

Les 27 000 km de ligne côtière de la Colombie-Britannique, particulièrement le détroit de Georgia qui sépare l'île de Vancouver du continent, promettent un séjour paradisiaque aux amateurs de navigation de plaisance. En longeant cette côte, ils découvriront tour à tour des criques protégées, des plages sablonneuses, de magnifiques parcs marins (l'un des plus extraordinaires est le parc Desolation Sound, au nord de Powell River) et de nombreux équipements destinés à répondre exclusivement à leurs besoins. Plusieurs gigantesques lacs de la province constituent également des terrains propices à cette activité nautique.

La meilleure source d'information sur les services offerts aux plaisanciers demeure le Pacific Yachting Cruising Services Directory. On peut se le procurer dans les bureaux d'information touristique ou en écrivant à Maclean Hunter, Special Interest Publications, 1132 Hamilton Street, Suite 202, Vancouver, B.C., V6B 2S2.

Quant aux conditions de navigation, des services de *Marine Weather* sont accessibles à Vancouver (☎ 604-270-7411), à

Victoria (☎ 604-656-2714 ou 656-7515), et à Port Hardy
(☎ 604-949-6559).

La descente de rivière ou *rafting*

Plusieurs rivières sauvages de la Colombie-Britannique sauront
étonner les plus téméraires parmi les amateurs de descente de
rivière en canot pneumatique. Mentionnons entre autres les
fleuves et rivières Fraser, Thompson, Chilliwack et Lillooet dans
le Sud-Ouest de la province, Chilko, Chilcotin et Fraser dans les
Cariboo, de même que Kootenay dans les Rocheuses.

Tous les bureaux d'information touristique fournissent des
renseignements sur les entreprises organisant ce genre
d'excursion, sur leurs tarifs et leurs horaires.

 ## Plongée sous-marine

L'hiver constitue la meilleure période de l'année pour la plongée
sous-marine le long de la côte de la Colombie-Britannique. Cette
saison permet généralement une visibilité de 40 m, idéale pour
découvrir la diversité de la vie marine de ces eaux froides et
cristallines : éponges, anémones de mer, coraux, pétoncles,
scorpènes, etc., en plus de nombreuses épaves.

Les sites les plus populaires se situent au large des Gulf Islands,
de Nanaimo, de Campbell River, de Telegraph Cove, de Port
Hardy, et de Powell River, «capitale canadienne de la plongée».

 ## La chasse

Les chasses à l'ours, à l'orignal et au cerf sont extrêmement
populaires en Colombie-Britannique. Il en est de même de la
chasse au gibier à plume, qui abonde aux environs de Fort
St. James, Cranbrook, Prince George et Lac La Hache.

Les étrangers désireux de participer à une partie de chasse dans la province doivent être accompagnés d'un guide détenteur d'un permis officiel. Ils devront de plus, une fois la chasse terminée, remplir un formulaire de déclaration qui leur sera remis par le guide. Toutefois, les chasses au gibier à plume et au petit gibier ne nécessitent pas l'embauche d'un guide. Les habitants d'autres provinces canadiennes n'ont qu'à être accompagnés d'un citoyen de la Colombie-Britannique possédant un permis de chasse valide, peu importe qu'il soit guide ou non.

Le permis de chasse coûte 49,22 $ pour les Canadiens de l'extérieur de la Colombie-Britannique et 155,15 $ pour les étrangers. Il faut de plus compter un supplément pour obtenir le droit de chasser dans certaines régions (quelques dollars seulement) ou celui de chasser certaines espèces (entre 26,75 $ et 535 $ de plus pour l'ours noir, le caribou, le puma, l'orignal, le grizzly, le cerf, la chèvre des montagnes ou le loup). Les visiteurs peuvent obtenir un permis de chasse en écrivant au Ministry of Environment, Fish and Wildlife Information, 780 Blanshard Street, Victoria, B.C., V8V 1X5, ☎ 604-387-9737.

 La bicyclette

Parcourir les routes de Colombie-Britannique à bicyclette constitue, sans l'ombre d'un doute, le moyen que devrait privilégier quiconque désire ne rien manquer de ses splendides paysages. Parmi les circuits les plus appréciés des cyclotouristes, il y a celui traversant les Gulf Islands, situées entre l'île de Vancouver et le continent (scènes rurales, atmosphère de calme, nombreux artistes), celui longeant la côte Est de l'île de Vancouver (plages tranquilles, petites villes trépidantes), le circuit des Kootenays (montagnes couvertes de forêt, lacs aux eaux profondes, curieuses petites villes minières, villages fantômes, sites idéaux pour le vélo de montagne), et celui des Rocheuses (panoramas incomparables, faune abondante, sources chaudes).

Pour tout renseignement relié à cette activité de plein air, on peut entrer en contact avec les organismes suivants :

> Bicycling Association of B.C.
> 1367 West Broadway
> Vancouver, B.C., V6h 4A9
> ☎ 604-737-3034
>
> Outdoor Recreation Council of B.C.
> ☎ 604-737-3058
>
> B.C. Safety Council
> ☎ 604-877-1221

Par ailleurs, de nombreuses agences spécialisées organisent des tours en groupe. Ainsi, Benno's Adventure Tours (1975 Maple Street, Vancouver, B.C., V6J 3S9, ☎ 604-738-5105) propose un voyage de huit jours à travers la Colombie-Britannique et les Rocheuses canadiennes, incluant certaines portions du périple en autocar. D'autre part, un circuit de quatre à six jours dans la région des Kootenays est offert par Kootenay Mountain-Bike Tours (P.O. Box 867, Nelson, B.C., V1L 6A5, ☎ 604-354-4371).

 Le ski

La Colombie-Britannique compte des pentes de ski qui pourront satisfaire les experts comme les débutants. Elles sont, pour la plupart, aménagées dans la partie Sud de la province.

Voici les plus importants centres de ski alpin de la province : Grouse Mountain (Vancouver), Whistler et Blackcomb (au nord-est de Squamish), Forbidden Plateau et Mount Washington (près de Courtenay sur l'île de Vancouver), Apex Alpine (près de Penticton), Big White Mountain (au sud-est de Kelowna), Silver Star (près de Vernon), Tod Mountain (au nord de Kamloops), Whitewater Mountain (près de Nelson), Baldy Mountains

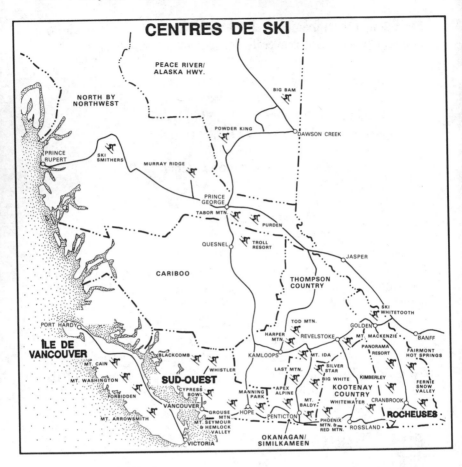

(au nord-est d'Osoyoos), Snow Valley (près de Fernie), Kimberley Mountain (près d'Invermere), Fairmount Hot Springs (dans le village de vacances du même nom) et Hudson Bay Mountain (près de Smithers).

Les skieurs de niveau intermédiaire ou plus avancé, peuvent également se laisser tenter par l'aventure de l'«héli-ski» dans les neiges poudreuses des chaînes Côtière et Chilcotin, des montagnes Cariboo, Bugaboo ou Rocheuses. Il est par ailleurs possible de pratiquer le ski de randonnée à peu près partout en Colombie-Britannique. Mentionnons cependant que les alentours des villages bordant l'autoroute Yellowhead, de même que les montagnes Rocheuses, offrent les meilleures pistes.

On peut obtenir de plus amples informations en contactant l'Office de Tourisme de la Colombie-Britannique le plus près et en demandant la brochure intitulée *Ski with us!*. Pour des renseignements sur les centres situés sur l'île de Vancouver, il faut s'adresser à la Tourism Association of Vancouver Island, 302/45 Bastion Square, Victoria, B.C., V8W 1J1 (☎ 604-382-1665).

VICTORIA

É légante capitale de la Colombie-Britannique, Victoria accueille les visiteurs dans une étonnante atmosphère de vacances. Elle se dresse fièrement sur la pointe Sud de l'île de Vancouver. Ses 140 ans d'histoire marqués par le commerce de la fourrure, la ruée vers l'or et l'activité marine font de cette distinguée capitale un endroit unique où se côtoient partout passé et présent.

De magnifiques maisons centenaires s'alignent en bordure des rues de la ville; des mâts totémiques s'élèvent dans les parcs ombragés; de chic boutiques et d'exotiques restaurants ont pignon sur rue dans les arrondissements historiques restaurés; des autocars à deux étages se voient concurrencer par des voitures tirées par des chevaux; de charmants résidants qui préservent jalousement tout ce qui contribue à une ambiance de

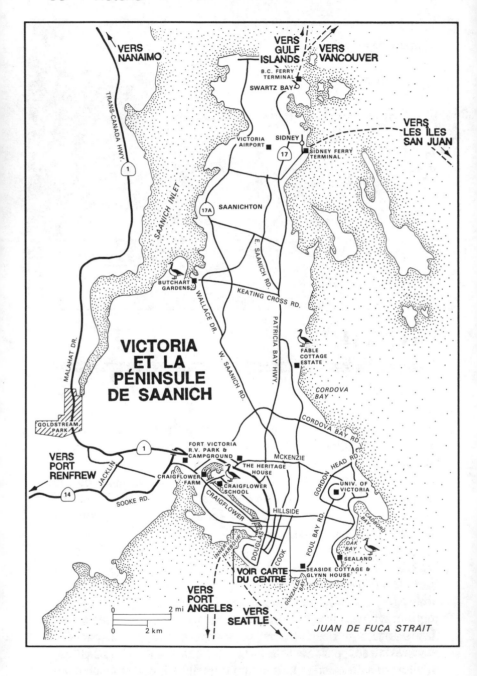

VERS
NANAIMO

VERS
GULF
ISLANDS

VERS
VANCOUVER

B.C. FERRY
TERMINAL

SWARTZ BAY

TRANS-CANADA HWY

1

SAANICH INLET

VICTORIA
AIRPORT

SIDNEY

17

SIDNEY FERRY
TERMINAL

VERS
LES ÎLES
SAN JUAN

17A   SAANICHTON

E. SAANICH RD.

KEATING CROSS RD.

BUTCHART
GARDENS

WALLACE DR.

PATRICIA BAY HWY.

FABLE
COTTAGE
ESTATE

**VICTORIA
ET LA
PÉNINSULE
DE SAANICH**

MALAHAT DR.

W. SAANICH RD.

CORDOVA
BAY

CORDOVA BAY RD.

GOLDSTREAM
PARK

VERS
PORT
RENFREW

1

JACKLIN

14

SOOKE RD.

FORT VICTORIA
R.V. PARK &
CAMPGROUND

MCKENZIE

THE HERITAGE
HOUSE

CRAIGFLOWER
FARM

CRAIGFLOWER
SCHOOL

CRAIGFLOWER

HILLSIDE

GORDON HEAD RD.

UNIV. OF
VICTORIA

CADBORO
BAY

OAK
BAY

SEALAND

INNER HARBOUR

DOUGLAS

COOK

FOUL BAY RD.

**VOIR CARTE
DU CENTRE**

SEASIDE COTTAGE &
GLYNN HOUSE

GONZALES BAY

VERS
PORT
ANGELES

VERS
SEATTLE

0   2 mi

0   2 km

JUAN DE FUCA STRAIT

vieille Europe, vieille Angleterre : voilà un aperçu de ce que le visiteur découvrira à Victoria.

Victoria hier

C'est le capitaine George Vancouver qui, explorant les eaux qui entourent l'île de Vancouver, démontra en 1792 qu'il s'agissait là d'une île. Il venait en fait de découvrir la plus grande île d'Amérique du Nord baignant dans les eaux du Pacifique. À cette époque, plusieurs communautés indiennes habitaient les diverses parties de l'île et pour les 50 années qui suivirent, leur mode de vie ne fut guère bouleversé.

Les premiers à reconnaître le potentiel des lieux furent des explorateurs impliqués dans le commerce de la fourrure. Ils représentaient des entreprises de la côte Ouest, mais aussi de l'intérieur du continent et même d'aussi loin que de la côte Est nord-américaine. La Compagnie de la Baie d'Hudson devint la plus importante et prit le contrôle de l'île entière, établissant un monopole comme elle l'avait déjà fait auparavant dans la colonie continentale de *Columbia*. En 1843, afin de bien établir la présence britannique sur la côte Nord-Ouest d'Amérique, la Compagnie construisit sur la pointe Sud de l'île de Vancouver un fort baptisé Victoria en l'honneur de la reine d'Angleterre. Dès 1849, l'île obtint le statut de colonie de la Couronne; son administration fut confiée à la Compagnie de la Baie d'Hudson et, graduellement, des colons britanniques amenés là par la Puget Sound Agricultural Company entreprirent de défricher le territoire bien au-delà des limites du fort. Parallèlement, Esquimalt Harbour devint un port d'attache important pour la marine britannique du Pacifique.

Lors de la ruée vers l'or de la fin des années 1850, on vit débarquer à Victoria, seul port et lieu de ravitaillement de la région, d'innombrables mineurs et prospecteurs. Cet endroit se transforma alors en une sorte de ville champignon, mais en conservant malgré tout son cachet *british*. Ces bouleversements n'altérèrent en rien la force économique, politique et militaire de

Victoria, et lors de l'union des deux colonies en 1866, le titre de capitale de la nouvelle Colombie-Britannique lui revint de droit.

Victoria aujourd'hui

Beaucoup de visiteurs, et ce depuis près de 150 ans, aperçoivent Victoria pour la première fois depuis un bateau accostant à Victoria Harbour. En atteignant Laurel Point, on a une vue imprenable sur ses quartiers résidentiels périphériques, ses pelouses magnifiques et ses jardins floraux. Puis, on entre dans Inner Harbour (port très fréquenté par les navires océaniques, les bateaux de pêche et d'excursion touristique ainsi que les hydravions) d'où, enfin, on découvre l'architecture unique de son centre-ville.

Victoria compte 64 800 habitants, tous très fiers de leur cité. Malgré un rythme de vie se comparant à celui d'autres villes de même dimension, ceux-ci se font un devoir de garder un peu de temps pour déambuler le long du bord de mer, pour jouer une partie de golf ou pour prendre le thé...

Il y a deux saisons à Victoria : celle qui va du mois de mai au mois d'octobre et qui constitue la haute saison touristique, et le reste de l'année que l'on peut désigner comme la basse saison. Dès le printemps, la ville est en effervescence et des milliers de visiteurs commencent à l'envahir. Cette agitation n'atteint toutefois son apogée qu'à l'été. Ceux qui préfèrent une atmosphère plus décontractée ne devraient pas craindre les risques de pluie et le vent frais de la mer de la basse saison, car il s'agit là d'une bonne période pour se joindre aux résidants et profiter avec eux du temps qui passe alors plus doucement et... de prix plus abordables.

Renseignements pratiques

■ Information touristique

Le bureau d'information touristique de Victoria est au 812 Wharf Street (☎ 382-2127 ou 382-1131). Il accueille les visiteurs tous les jours entre 9 h et 17 h. On peut y réserver une chambre d'hôtel, une place dans un tour guidé, une table au restaurant, un siège au théâtre, etc. En été, le personnel organise même des visites guidées à pied du centre de la ville.

■ Librairie de voyage

Earth Quest Books (1286 Broad Street, ☎ 604-361-4533).

 Attraits touristiques

■ Quoi voir au centre-ville

Il y a beaucoup à voir au centre de Victoria. Heureusement, de courtes balades à pied permettent d'aller d'un point d'intérêt à l'autre. La marche représente donc sans contredit le meilleur moyen d'explorer cette partie de la cité.

Un saut au Tourism Victoria Travel Information Centre (812 Wharf Street, sur le front de mer, ☎ 382-2127) permet de bien entreprendre sa visite du centre-ville et d'y attraper les dépliants touristiques d'usage. On peut alors se diriger vers la marina... chargé de quelques kilos supplémentaires.

Originellement, ces environs faisaient partie du port lui-même. D'ailleurs, l'imposant hôtel Empress s'élève aujourd'hui sur ce qui n'était jadis qu'un vaste terrain boueux avant que l'on y construise la chaussée de pierres massives qui forme maintenant la marina. En parcourant le plus bas niveau de la marina, on

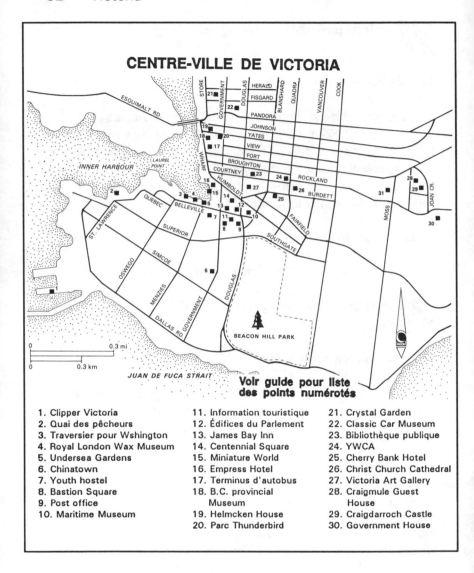

CENTRE-VILLE DE VICTORIA

Voir guide pour liste des points numérotés

1. Clipper Victoria
2. Quai des pêcheurs
3. Traversier pour Wshington
4. Royal London Wax Museum
5. Undersea Gardens
6. Chinatown
7. Youth hostel
8. Bastion Square
9. Post office
10. Maritime Museum

11. Information touristique
12. Édifices du Parlement
13. James Bay Inn
14. Centennial Square
15. Miniature World
16. Empress Hotel
17. Terminus d'autobus
18. B.C. provincial Museum
19. Helmcken House
20. Parc Thunderbird

21. Crystal Garden
22. Classic Car Museum
23. Bibliothèque publique
24. YWCA
25. Cherry Bank Hotel
26. Christ Church Cathedral
27. Victoria Art Gallery
28. Craigmule Guest House
29. Craigdarroch Castle
30. Government House

atteint un escalier menant à la statue du Capitaine Cook commémorant son arrivée en ces lieux en 1778.

L'hôtel Empress

Couvert de lierres, ce qui lui donne un petit air pompeux, l'hôtel Empress est l'œuvre du célèbre architecte Francis Rattenbury à qui l'on doit également le parlement de Victoria, le CPR Terminal (devenu le musée de cire) et Crystal Garden. Il fut construit en 1908.

Tout juste au nord de l'hôtel Empress, sur Humboldt Street, **Miniature World** comblera les enfants (ouvert tous les jours; adultes 6 $). Quant aux amateurs de vieilles voitures, ils trouveront de quoi satisfaire leur passion au Classic Car Museum, au coin des rues Humboldt et Burdett (ouvert tous les jours; adultes 5 $, enfants 2 $).

Le Parlement

Les bâtiments du parlement de Victoria, siège de l'Assemblée législative de la province, furent complétés en 1897 selon les plans de Francis Rattenbury. L'extérieur est composé de pierres provenant de l'île Haddington, en Colombie-Britannique. Des statues de Sir James Douglas, qui choisit la localisation de Victoria, et de Sir Matthew Baillie Begbie, chargé de faire respecter la loi et l'ordre au temps de la ruée vers l'or, ornent l'entrée principale. Au sommet du dôme recouvert de cuivre s'élève une statue dorée du capitaine George Vancouver, premier navigateur à faire le tour de l'île qui porte aujourd'hui son nom.

Tout au long de l'été, des visites gratuites du Parlement sont offertes en six langues, et ce tous les jours (du lundi au vendredi en hiver).

Il ne faut pas manquer de retourner jeter un coup d'œil au Parlement en soirée. Les bâtiments sont alors illuminés, tout comme leur voisin, l'hôtel Empress.

Les autres attractions du front de mer

En poursuivant son chemin sur Belleville Street, en face du Parlement, on se dirige tout droit vers le CPR Steamship Terminal, devenu le **Royal London Wax Museum**. Construit en 1924 par Rattenburry, cet édifice était surnommé le «Temple de Neptune» à cause des nombreuses sculptures représentant le visage du dieu de la Mer qui ornent ses colonnes. On peut y contempler plus de 180 statues de cire importées de Londres (ouvert tous les jours de 9 h à 17 h; adultes 5,25 $, enfants 2,50 $).

Aux **Pacific Undersea Gardens**, les visiteurs ont l'occasion de découvrir 5 000 espèces de plantes aquatiques dans leur milieu naturel à bord d'un bateau à fond de verre, d'applaudir le spectacle de plongeurs, et de faire connaissance avec Armstrong, la pieuvre géante (ouvert tous les jours de 10 h à 17 h; adultes 5 $, enfants 2,50 $).

Laurel Point

Poursuivre sa route sur Belleville Street après s'être arrêté au musée de cire représente une balade des plus agréables. Après avoir croisé une série d'hôtels modernes et le quai de traversier Washington, on pénètre dans un quartier dont l'étonnante architecture remonte jusqu'au XIXe siècle. Puis, un sentier mène à un joli parc ombragé pour ensuite longer la mer, devant une autre rangée d'hôtels d'où l'on jouit de belles vues sur Inner Harbour. Le sentier conduit finalement jusqu'à Laurel Point.

Les marcheurs les plus aguerris pourront alors continuer leur chemin et rejoindre ainsi le **Fisherman's Wharf Park** et sa grouillante marina, puis contourner Ogden Point, traverser Fonyo Beach, toucher au panneau indiquant le kilomètre zéro de la célèbre autoroute Transcanadienne et finalement gagner le populaire Beacon Hill Park.

Beacon Hill Park

Aménagé sur une colline, comme son nom l'indique, Beacon Hill Park réserve aux visiteurs des panoramas intéressants sur le détroit de Juan De Fuca, sur les Gulf Islands et, par temps clair, sur les lointaines montagnes Olympiques. Ce très grand parc constitue également un magnifique oasis à la végétation luxuriante. On y déniche aussi de petites plages de galets et de sable. Cet endroit est très apprécié des citoyens de Victoria si bien que, quand viennent les beaux jours ensoleillés, on croirait que toute la ville s'y est donnée rendez-vous.

Pour ceux que l'histoire intéresse tout particulièrement, il est amusant de traverser le parc jusqu'à **Finlayson Point**, site d'un ancien village indien fortifié qui, entre 1878 et 1892, fut orné de deux canons géants devant protéger l'endroit contre une invasion russe appréhendée, invasion qui ne se matérialisa bien sûr jamais...

Mentionnons que, depuis le centre-ville, l'autobus n° 5 mène au Beacon Hill Park.

Le Royal British Columbia Museum

Les voyageurs friands d'histoire naturelle et d'ethnographie seront plus que comblés par le Royal British Columbia Museum, peut-être l'un des plus extraordinaires musées du genre en Amérique. En fait, il saura convaincre même les plus réfractaires à l'idée d'une visite de musée.

Toutes les présentations y sont criantes de vérité : bruits, jeux de lumière et odeurs viennent ajouter au réalisme des montages; ainsi, on croise des mammouths, on traverse des forêts et des océans, et on voyage dans le temps (reconstitution d'une ville du tournant du siècle, expositions relatant la découverte de la Colombie-Britannique, la ruée vers l'or, l'industrialisation, etc.). Des sections sur l'archéologie, l'histoire amérindienne, les mâts totémiques et l'habitation traditionnelle des Indiens Kwakiults sont également au programme.

À l'extérieur du musée, on remarquera le superbe ornement floral constituant le **Native Plant Garden** de même que l'étonnante tour du carillon, don de la communauté hollandaise de la province. Des marches conduisent à une rangée de cloches pesant chacune entre 9 et 865 kg.

Le musée est situé au 675 Belleville Street (ouvert de 9 h 30 à 19 h en été et de 10h à 17 h 30 en hiver; adultes 5 $, enfants 2 $). La boutique du musée offre par ailleurs une impressionnante sélection de livres sur la faune canadienne, l'histoire et la culture amérindiennes. À proximité, un salon de thé très achalandé permet de refaire ses forces.

Le Thunderbird Park

Tout juste derrière le musée, au coin des rues Belleville et Douglas, on peut contempler d'authentiques mâts totémiques, œuvres de diverses tribus autochtones de la côte Ouest dans le Thunderbird Park. De l'autre côté de ce parc, on trouve la maison du Dr J. S. Helmken, plus vieille construction de la ville, (1852) qu'il est d'ailleurs permis de visiter. Pionnier de la chirurgie canadienne et homme politique, Helmken participa activement aux négociations qui permirent l'adhésion de la Colombie-Britannique à la Confédération canadienne en 1870. Dans les environs, on peut également visiter un autre des plus vieux bâtiments de Victoria, la salle de classe Ste-Anne (1858).

Crystal Garden

Imaginé par Francis Rattenbury et réalisé par Percy James, Crystal Garden fut inauguré en 1925. À cette époque, il abritait la plus grande piscine d'eau de mer de l'Empire britannique. Avec ses salons de thé, ses salles de bal et sa promenade, il constituait l'endroit tout désigné pour les expositions horticoles ou artistiques, les grandes soirées de danse au son de la musique d'un Big Band, ou simplement pour la baignade.

En 1971, on dut fermer ses portes avant que le gouvernement provincial n'en fasse l'acquisition en vue de le convertir en serre d'exposition. On peut aujourd'hui y admirer une grande quantité d'espèces de plantes et d'oiseaux exotiques provenant d'Amérique du Sud, de Nouvelle-Guinée et d'Australie. On y trouve également des étendues d'eau où se pavanent des flamants couleur de corail, de même que des quartiers réservés aux singes, iguanes, écureuils, wallabies et ouistitis. D'étonnantes sculptures sur bois de Nouvelle-Guinée complètent le tableau. À l'étage supérieur, on peut prendre le thé entre 14 h 15 et 16 h 15 (5,50 $) tout en profitant au maximum de cette ambiance tropicale. Crystal Garden est situé au 713 Douglas Street derrière l'hôtel Empress, ☎ 381-1213 (ouvert de 10 h à 21 h; adultes 6 $, enfants 4 $).

La cathédrale Christ Church

Au coin des rues Quadra et Courtnay s'élève la cathédrale Christ Church, siège de l'épiscopat de la Colombie-Britannique. Construite dans le style gothique du XIIIe siècle, elle est l'une des plus grandes églises du Canada. Des visites guidées de l'intérieur de la cathédrale sont organisées entre 8 h 30 et 17 h 30 en semaine, et entre 7 h 30 et 20 h 30 le dimanche. Le samedi, à 16 h, des chorales y donnent des récitals gratuits.

Rockland

À partir de la cathédrale Christ Church, il est possible d'emprunter l'avenue Rockland pour atteindre le quartier historique du même nom. On ne manque pas d'y remarquer de majestueuses résidences entourées de jardins luxuriants.

On doit tourner à gauche sur la rue Moss pour accéder au manoir Spencer (1889), devenu aujourd'hui la **Art Gallery of Greater Victoria**. Elle renferme, entre autres, la plus extraordinaire collection canadienne d'œuvres d'art japonaises, incluant un véritable jardin japonais où domine un sanctuaire shintô. La galerie est située au 1040 Moss Street (ouvert de 10 h à 17 h du lundi au samedi, de 10 h à 21 h le jeudi, et de 13 h à 17 h le dimanche; adultes 4 $, gratuit le jeudi entre 17 h et 21 h).

En poursuivant sur l'avenue Rockland, on aperçoit bientôt, sur la droite, **Government House**. Ses jardins ornés de fleurs dessinant des formes géométriques parfaites sont ouverts au public en tout temps.

Craigdarroch Castle

Un peu plus loin sur l'avenue Rockland, le Joan Crest mène au Craigdarroch Castle (vers la gauche), un imposant manoir victorien construit en 1890 pour l'industriel et politicien Robert Dunsmuir. Il ne faut pas manquer de s'y arrêter pour admirer les superbes boiseries, les vitraux et le mobilier d'époque. Des guides bénévoles sont au service des visiteurs pour leur permettre de mieux goûter la richesse de l'endroit. De plus, l'étage supérieur permet une vue intéressante de l'ensemble de la ville (ouvert tous les jours de 10 h à 17 h; adultes 5 $).

La vieille ville

Centennial Square, bordé par les rues Government, Douglas, Pandora et Fisgard, constitue le centre de l'arrondissement historique de Victoria. Plusieurs bâtiments construits à la fin du siècle dernier avoisinent ce square, dont l'hôtel de ville de Victoria (1878) qui donne sur Douglas Street, et l'édifice de la Compagnie de la Baie d'Hudson.

Un peu plus bas sur Fisgard Street, on pénètre dans le **Chinatown**, un des plus anciens et des plus prospères quartiers chinois du pays. Les arômes d'une cuisine authentiquement orientale sont répandus par les nombreux restaurants qu'on y trouve. Tout au long de Fisgard Street, une variété de boutiques offrent un peu de tout, depuis les délicates lampes confectionnées à l'aide de papier fin et de soie brodée jusqu'aux racines de gingembre, en passant par une grande variété de fruits et légumes exotiques mis en conserve. On découvre ensuite Fan Tan Alley, le centre du commerce de l'opium au XIX° siècle.

Bastion Square

En empruntant les rues Store et Wharf vers le sud, depuis le Chinatown, on peut rejoindre Bastion Square. Bien que situé à plusieurs rues au nord du centre-ville, ce square, bordé d'habitations datant des années 1880 à 1890 et de jolis lampadaires à l'huile, demeure très achalandé et constitue une zone piétonne des plus appréciées. Il s'agit là de l'emplacement initial choisi par James Douglas, en 1843, pour construire le Fort Victoria. Les maisons restaurées qui entourent la zone piétonne abritent aujourd'hui restaurants, cafés et boîtes de nuit (dont le populaire Harpo's).

À deux pas de là, le **Maritime Museum** retrace l'histoire maritime de Victoria grâce à des photographies, des uniformes, d'authentiques canots et des reproductions de divers navires (ouvert de 9 h 30 à 16 h 30 de septembre à mai, de 9 h à 18 h 30 en juin, et de 9 h à 20 h 30 en juillet et août; adultes 5 $).

Afin de regagner le centre-ville, on peut poursuivre sa route sur Wharf Street le long de laquelle, jadis, étaient stationnés les navires remplis de fourrures en partance pour l'Angleterre. C' est aussi sur cette rue que débarquèrent les prospecteurs de tout acabit au temps de la ruée vers l'or.

 Quoi voir au nord de Victoria

À partir du centre-ville, Dallas Road permet de rejoindre le front de mer d'où une série de panneaux de signalisation bleus indiquent aux visiteurs la route du *Scenic Drive*. Cet itinéraire mène à de paisibles quartiers résidentiels, à de petites plages de galets, et à de riches quartiers abritant de luxueuses résidences.

Après avoir longé le club de golf de Victoria, ce circuit rejoint Gonzales Point, Sealand, puis Cadboro Bay où se trouve le Victoria Yacht Club.

On croisera également l'Université de Victoria et Fable Cottage Estate à Cordova Bay (visites guidées du cottage et des jardins offertes dès 9 h en saison; adultes 7,50 $, enfants 3 $). On atteint ensuite l'autoroute Patricia Bay (n°17). On a alors le choix de retourner vers le centre-ville en empruntant la direction sud, ou de poursuivre la balade vers le nord et les célèbres Butchart Gardens, l'aéroport, la ville de Sidney et la pointe de Saanich Peninsula d'où partent les traversiers menant aux Gulf Islands et à Vancouver.

Sealand

Le parc thématique Sealand offre à toute la famille la possibilité de voir évoluer quantité de poissons, pieuvres et mammifères marins dans leur environnement naturel (recréé dans d'énormes aquariums). À l'extérieur, quatre piscines servent d'habitat à plusieurs phoques, otaries et épaulards. Ces créatures se donnent d'ailleurs en spectacle tout au long de la journée. Il faut toutefois se préparer à prendre une bonne douche si on a l'imprévoyance de se tenir trop près des bassins… Situé au 1327 Beach Drive, Oak Bay, ☎ 598-3373 (ouvert tous les jours de 10 h à 17 h; adultes 6,50 $, enfants 2,75 $).

Butchart Gardens

À quelque 20 km de Victoria, dans la péninsule Saanich, à Tod Inlet pour être plus précis, ont été aménagés les célèbres Butchart Gardens à l'intérieur d'une carrière désaffectée. L'endroit tient son nom d'un pionnier de l'industrie canadienne du béton. Butchart se fit construire une résidence non loin de sa carrière. Grands voyageurs, lui et son épouse rapportèrent des plantes, des arbres et des arbustes de leurs nombreux séjours à l'étranger qu'ils intégrèrent dès 1904 aux jardins devant servir à embellir les environs de leur demeure. Aujourd'hui, avec l'ajout de sentiers, de ponts décoratifs, de chutes et de fontaines, ce lieu est devenu une sorte de joyau canadien. On y trouve plus de 5000 espèces de fleurs présentées dans un grand nombre de jardins sublimes. L'été, il ne faut pas manquer de visiter les jardins au crépuscule alors qu'ils s'illuminent à mesure que diminue l'intensité de la lumière naturelle. Saisissant!

Les Butchart Gardens sont accessibles par l'autoroute n°17 Nord, sortie Brentwood/Butchard Gardens, à gauche sur Keating Crossroad, ☎ 652-5256. Les autobus n°74 et n°75 y conduisent également depuis le centre-ville (ouvert de 9 h à 21 h en été et de 9 h à 17 h en hiver; adultes 9,50 $, enfants 1 $).

 Quoi voir à l'ouest de Victoria

À l'ouest de Victoria, en route pour Sooke, plusieurs sites historiques d'intérêt sont à signaler. L'autobus n°14 se dirige dans cette direction depuis l'intersection des rues Yates et Douglas au centre-ville.

Point Ellice House

Point Ellice House, sur Pleasant Street juste avant d'atteindre le pont portant le même nom, est le premier de ces sites historiques. Cette maison où l'esprit victorien est encore présent dans les moindres recoins fut construite en 1861. Le jardin, typique du XIX° siècle, est à ne pas manquer (ouvert en été de 10 h à 17 h; adultes 3,25 $, enfants 1,25 $ incluant une visite des deux sites historiques de Craigflower - voir plus loin).

La ferme et l'école Craigflower

Un peu plus loin en continuant sur Craigflower Road, on atteint la ferme Craigflower en prenant à droite sur Admiral Road. Kenneth McKenzie construisit la maison entre 1853 et 1856 pour le compte de la Puget Sound Agricultural Co., filiale de la Compagnie de la Baie d'Hudson. L'emploi de colons sur cette ferme, et sur quelques autres dans la région, permit la transition entre l'état de simple campement pour la traite de la fourrure et celui de village permanent. L'endroit constituait le centre de la vie sociale des habitants et des officiers de la marine d'Esquimalt. Aujourd'hui, on peut toujours y découvrir des objets ayant appartenu aux propriétaires originaux : mobilier, couvre-lit de dentelle, chaudrons, livres, etc. Un guide en costume d'époque fait découvrir, un à un, les secrets de cette famille aux visiteurs.

De l'autre côté de Gorge Water s'élève l'école Craigflower (1854-55), sur la droite. On raconte que les hommes qui construisirent ce bâtiment étaient de véritables ivrognes... On est effectivement porté à le croire en apercevant les cadres de porte en pente et le foyer incliné. L'unique salle de classe accueillait les enfants de la ferme et des environs alors que l'étage servait de demeure à l'institutrice, à sa famille et aux élèves pensionnaires. Il s'agit de la plus vieille école du Canada. On y enseigna entre 1855 et 1911. Elle fut convertie en musée dès 1931 (ouvert tous les jours de 10 h à 17 h).

Le Anne Hathaway's Cottage

Au 429 Lampson Street, une réplique du cottage d'Anne Hathaway de Stratford-On-Avon attend les visiteurs intéressés à jeter un coup d'œil sur la vieille Angleterre. L'ameublement du XVIᵉ siècle y est authentique (ouvert tous les jours de 9 h à 22 h en été et de 10 h à 17 h en hiver; adultes 5 $, enfants 3 $).

À deux pas du cottage s'alignent une série de maisons de style Tudor formant une sorte de «village anglais» et le Olde English Inn. Cette auberge offre des repas excellents et on peut y trouver une chambre entièrement décorée de meubles anciens (avec un lit à baldaquin si haut qu'il faut un tabouret pour y monter), de même qu'un foyer.

Quoi voir de Sooke à Port Renfrew

Les voyageurs disposant d'une voiture ne manqueront pas de consacrer une journée à l'exploration de la côte Sud-Ouest de l'île de Vancouver. Il faut alors emprunter l'une des routes permettant de quitter Victoria vers l'ouest, puis d'accéder à l'autoroute n°14 jusqu'à Sooke. Tout au long de cette route, on rencontre de très beaux parcs, de superbes plages et de magnifiques sites pour le camping. Durant les fins de semaine ensoleillées, la région devient particulièrement achalandée. C'est le lieu de loisir privilégié des citoyens de Victoria.

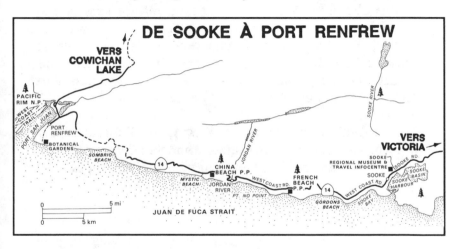

La première escale, à 34 km de Victoria, est la ville de Sooke, point de départ idéal pour la pêche au saumon. Le musée régional et bureau d'information touristique de Sooke se situe juste après le Sooke River Bridge, à l'intersection des routes Sooke et Phillips (ouvert tous les jours de 10 h à 18 h entre les mois de mai et de septembre, de 10 h à 17 h d'octobre à avril). Sooke étant le dernier village sur cette route, il convient d'y faire quelques provisions (nourriture, essence, etc.) avant de poursuivre son chemin.

On se dirige alors vers une série de plages de galets dont **Gordon's Beach** et **French Beach Provincial Park** (à quelque 20 km de Sooke). Il en coûte 8 $ par nuit pour camper à ce dernier endroit.

La route continue à fendre la forêt sur un autre 12 km. Il faut s'arrêter à **Jordan River**, lieu de prédilection pour les amateurs de surf, pour déguster un hamburger au populaire casse-croûte Shakies.

À 4 km plus à l'ouest, on rejoint le **China Beach Provincial Park** où on atteint une belle plage sablonneuse après une marche en forêt d'environ 15 minutes. On peut d'ailleurs, avec un peu de chance, y apercevoir des ours noirs (à une heure à peine de la ville!). Plus loin s'arrête la route revêtue, mais le chemin de gravier qui prend la relève est en bonne condition et mène sans ambages jusqu'à **Mystic Beach**, **Sombrio Beach**, puis Port Renfrew. On se trouve alors à 107 km de Victoria.

De Port Renfrew, on a accès à la **West Coast Trail**, un sentier de randonnée de 72 km menant à Bamfield. Cette piste n'est conseillée qu'aux marcheurs expérimentés et bien équipés.

 Hébergement

Les tarifs hôteliers varient énormément à Victoria et dans la région selon que l'on s'y rende en haute ou basse saison. De plus, il faut ajouter aux prix des chambres une taxe provinciale de 8% (les emplacements de camping échappent à cette réglementation). Voici, pour diverses catégories, quelques exemples d'établissements offrant un bon rapport qualité-prix.

■ **Hébergement du centre-ville**

L'hôtel **Cherry Bank** (41-66 $, ℜ, 825 Burdett Street, ☎ 385-5380) est localisé en plein cœur de la ville sur une petite rue tranquille. Le prix comprend un excellent petit déjeuner servi entre 8 h et 10 h.

Le **James Bay Inn** (44-60 $, bp, ℜ, tv, 270 Government Stre et, ☎ 384-7151) constitue également un bon choix puisque situé à distance de marche des principales attractions du centre-ville et de Beacon Hill Park. Le pub de l'étage du dessous sert de copieux petits déjeuners et une cuisine des plus créatives.

■ Bed and Breakfasts

La formule de *Bed and Breakfasts* est extrêmement répandue à Victoria. L'échelle des tarifs va du très raisonnable à l'outrageusement cher...

Heritage House (60-75 $, 3808 Heritage Lane, ☎ 479-0892) est une magnifique résidence entourée d'arbres et de jardins qui fut construite en 1910. Elle se situe au nord-ouest du centre-ville, dans un paisible quartier aux abords de Portage Inlet. Les propriétaires, Mike et Marlene Gilbert, offrent à leurs hôtes un choix de plusieurs chambres plus attrayantes les unes que les autres (l'une d'elle permet une vue de Portage Inlet depuis une véranda privée, une autre est entièrement décorée de meubles antiques). L'été, il faut réserver tôt, car l'endroit est très recherché. Entre les mois de novembre et avril, c'est beaucoup plus calme et un escompte de 15% est consenti aux visiteurs. Attention, car l'allée où est localisée Heritage House n'apparaît sur aucune carte de Victoria! Du centre-ville, il faut emprunter Douglas Street jusqu'à Burnside Road East et tourner à gauche. Après la jonction de l'autoroute Transcanadienne, prendre à nouveau à gauche pour demeurer sur Burnside Road. Heritage Lane est la première allée à droite, passé Grange Road.

Seaside Cottage (45-95 $, bp, 157 Robertson Street, ☎ 595-1047) s'élève au haut d'une falaise donnant sur la magnifique baie Gonzales au sud-est du centre-ville. La «chambre du capitaine» possède sa propre véranda et son entrée privée en plus d'offrir une belle vue sur la plage. Deux autres chambres sont disponibles. À noter que la septième journée est offerte gracieusement par les propriétaires Elisabeth et Lorne Doyle.

De l'autre côté de la rue, **Glyn House** (75 $, bp, 154 Roberts on Street, ☎ 598-0064), sans offrir le même panorama n'en reste pas moins située qu'à trois minutes à pied de Gozales Beach. Cette vieille maison datant de 1912 possède de jolies chambres meublées à l'ancienne. Hors saison, des tarifs spéciaux à la semaine ou au mois sont consentis.

Craigmyle Guest House (65-85 $, bp, 1037 Craigdarroch Road, ☎ 595-5411), une confortable demeure du chic quartier Rockland, est située juste en face de Craigdarroch Castle. On s'y sent chez soi grâce à l'accueil chaleureux des propriétaires Jim et Kathy Pace. Des suites familiales sont également disponibles.

■ **Hébergement pour petit budget**

L'auberge de jeunesse de Victoria (membres : 12,50 $, non-membres : 17,50 $, 516 Yates Street, ☎ 385-4511) se situe tout près du port, à plusieurs rues au nord du centre de la cité. On y trouve les services habituels : dortoirs et salles de bain séparés pour hommes et pour dames, cuisine, salle communautaire, bibliothèque, renseignements touristiques, boutique plein air, etc. Il est recommandé, en haute saison surtout, d'expédier par la poste l'équivalent du coût de la première nuit afin de réserver une place. Ceux qui comptent visiter le reste de l'île de Vancouver et d'autres régions de la Colombie-Britannique feraient bien de demander la liste des «mini-auberges» de la province. Il ne s'agit pas d'auberges de jeunesse traditionnelles, mais plutôt de maisons privées ou de petits hôtels offrant le gîte à peu de frais.

Les femmes voyageant seules peuvent opter pour le **YWCA** (26 $ pour une personne, 39 $ pour deux, ≈, ℜ, 880 Courtnay Street, ☎ 386-7511 ou 389-9280). Cet établissement dispose de plusieurs chambres petites, mais propres, réservées aux dames.

Entre les mois de mai et août, il est possible de loger dans les **résidences de l'Université de Victoria** (37 $, ☎ 721-8395). Le prix comprend le petit déjeuner.

 Camping

Le terrain de camping le plus rapproché de la ville est le **Fort Victoria RV Park and Campground** (13,50 $ à 18,50 $, 340 Island Highway, ☎ 479-8112), à 7 km au nord-ouest par l'autoroute n°1A.

Le **Goldstream Provincial Park** (13 $), l'un des plus beaux parcs provinciaux où il soit permis de camper, se trouve quant à lui à 19 km au nord-ouest de Victoria en empruntant l'autoroute Transcanadienne. On peut y pratiquer à peu près toutes les activités de plein air.

Pour ceux qui se dirigent vers le quai du traversier à la pointe de la péninsule de Saanich, le **McDonald Provincial Park** (8-10 $), à 32 km au nord de la capitale, s'avère un bon choix. Finalement, tout au long de l'autoroute menant à Port Renfrew, on croisera un nombre impressionnant de parcs provinciaux où il est permis de camper sur la plage.

 Restaurants

Victoria regorge de bons restaurants pouvant répondre à tous les besoins : repas légers, thé à l'anglaise, bonne bouffe au pub, repas gastronomiques, etc.

■ **Repas légers**

YWCA Café (Au bout de la rue Courtnay).Petit déjeuner complet pour 3 $, sandwichs pour moins de 3 $, hamburgers jusqu'à 5 $. Il peut cependant s'avérer difficile de trouver une place entre les heures de cours.

Sam's Deli (À l'angle des rues Government et Humbolt). Un des meilleurs endroits pour un déjeuner ou un dîner léger. Il faut y essayer le *Ploughman's Lunch*, constitué de levure de pain, de fromage, de pâte et de fruits et accompagné d'une soupe maison imbattable (5 $). On y sert de plus de créatifs sandwichs, gâteaux et jus (à ne pas manquer : le jus de pomme pur à 0,85 $). Ouvert tous les jours de 7 h 30 à 19 h (jusqu'à 22 h en été).

Eugene's Snack Bar (731 Fort Street). Pour une petite bouffe grecque.

La Petite Colombe (604 Broughton Street). Les résidants de Victoria adorent ce petit restaurant français aux prix abordables.

Harbour Centre (Situé sur Government Street). L'endroit tout indiqué pour un repas sur le pouce. On trouve à l'intérieur l'*International Food Fair*, une série de comptoirs de cuisines chinoise, mexicaine et végétarienne à bon marché.

Bengal Lounge (À l'intérieur de l'hôtel Empress). Ce restaurant sert des repas du lundi au samedi entre 11 h 30 et 18 h 30. Soupe (3 $), sandwichs (7,50 $), plat principal (9 $ à 12 $).

Garden Café (À l'intérieur de l'hôtel Empress). Un peu moins guindé que le précédent. Des repas légers sont servis entre 10 h et 22 h.

■ Le thé de l'après-midi

Le thé de l'après-midi est une tradition bien vivante à Victoria. À l'hôtel Empress, on prend la chose très au sérieux. Le thé est servi dans le hall de l'hôtel et il est inconvenant de s'y présenter vêtu de jeans, de shorts ou de souliers de course. Ce rituel, l'un des plus anciens de la ville, constitue une sorte d'attraction extrêmement prisée des touristes. Aussi faut-il absolument réserver une place lors des services de 13 h, 14 h 30 et 16 h (15,95 $ par personne).

Olde English Inn (429 Lampson Street). L'atmosphère est plus détendue à cette auberge voisine du Anne Hathaway's Cottage. Il en coûte entre 2,75 $ et 6,60 $ pour y prendre le thé de l'après-midi. On y sert aussi le petit déjeuner, le déjeuner (entre 7 $ et 8 $) et le dîner à l'anglaise (14 $ à 17 $).

■ Les pubs

Une autre formule très *british*, le pub, est répandue aux quatre coins de la ville. On peut généralement très bien manger dans ce type d'établissement.

Toad In The Hole (À l'angle des rues Burnside West et Harriet). Ce pub à l'ambiance joviale est très fréquenté par la population locale. Les prix varient entre 5 $ et 9 $ pour un re pas copieux au coin du feu.

The Keg (Situé à l'intersection des rues Wharf et Fort). Fruits de mer et steaks apparaissent au menu de ce pub. Les prix vont de 6 $ à 15 $ (un peu moins pour le déjeuner).

The Foundry (À deux pas du précédent). Cuisine italienne et atmosphère familiale au menu.

Six Mile Pub. Celui-là est très achalandé. On peut même parler de risque de chahut en soirée. Qu'à cela ne tienne, on y va pour l'excellente nourriture et les bons prix.

Spinnakers Brew Pub (308 Catherine Street). En voilà un autre qui a la cote auprès des résidants de Victoria. On brasse une délicieuse bière maison à cet endroit.

■ Pour le dîner

Pagliacci's (1011 Broad Street). L'un des restaurants italiens les plus courus en ville. C'est tout petit, presque toujours complet et un trio de musiciens de jazz y présente un spectacle tous les soirs.

Herald Street Café. Le menu de ce restaurant a beaucoup en commun avec celui de Pagliacci. On peut également y déguster de la cuisine grecque. Des spectacles sont offerts tous les soirs en été, et en fin de semaine durant l'hiver.

Periklis Greek Restaurant (531 Yates Street). Atmosphère de douce folie dans la salle (danseuses du ventre, danse grecque improvisée, etc.), bonne bouffe pas trop chère dans l'assiette (10 $ à 15 $).

Gay '90s Spare Rib House (À l'intérieur de l'hôtel Cherry Bank sur Burdett Street). Ambiance des années cinquante et soixante accentuée par les mélodies *honky-tonk* livrées par le pianiste maison. C'est alors que la fête commence. Tout le monde tape des pieds et des mains et se met à chanter. Poulet rôti, fruits de mer, et surtout côtes levées figurent au menu. Ouvert du lundi au jeudi entre 17 h et 21 h, le vendredi et le samedi de 17 h à 22 h, et le dimanche de 16 h 30 à 21 h.

White Spot (710 Caledonia Street). Bonne cuisine et succulents desserts à bon marché.

Smitty's Pancake House. Ce restaurant de la rue Douglas est ouvert jusqu'à minuit.

■ **Repas gastronomiques**

Sooke Harbour House (Perché au haut d'une falaise à Sooke). Ce restaurant propose de magnifiques plats de fruits de mer on ne peut plus frais. Les critiques sont dithyrambiques quant à la qualité de la cuisine de cet établissement.

The Deep Cove Chalet (Localisé à Sidney). Il s'agit ici d'un autre restaurant très apprécié des gens de Victoria qui veulent s'offrir un repas hors de l'ordinaire. Il ne faut surtout pas oublier sa carte de crédit...

Empress Dining Room (Hôtel Empress). Ce sont deux cartes de crédit qu'il faut apporter à ce restaurant. Le repas comprend cinq ou six services arrosés d'excellents vins. Compter quelque 47 $ par personne. Musique de danse les vendredis et samedis soirs. Pianiste en semaine. Réservation obligatoire (☎ 384-8111).

 Vie nocturne

Il y a toujours beaucoup d'activité nocturne à Victoria. Le *Arts Victoria*, magazine publié par le Community Arts Council of Greater Victoria, de même que le *Cut To : The Lower Island's Entertainment Monthly*, sont des sources d'information fiables en ce qui a trait aux spectacles, au théâtre, au cinéma et aux activités spéciales dans les bars et les boîtes de nuit.

■ **Clubs de nuit**

Harpo's Cabaret (Au coin de Wharf Street et Bastion Square). Spectacles de blues. Très couru des célibataires. Entrée : 7 $.

The Forge (Angle Courtnay et Douglas). Autre populaire boîte de nuit où des spectacles de musiciens sont à l'affiche.

Sweetwaters (Rue Wharf, près du Harpo's Cabaret). Discothèque.

■ **Théâtre**

McPherson Playhouse (3 Centenial Square, à l'intersection de Pandora Avenue et Government Street).

Royal Theatre (805 Broughton Street).

On peut obtenir des renseignements sur les pièces présentées et réserver des places en composant le 386-6121.

L'ÎLE DE VANCOUVER

Bordée par les détroits de Queen Charlotte au nord, de Juan de Fuca au sud, et de Georgia à l'est, ainsi que par l'océan Pacifique à l'ouest, l'île de Vancouver avec ses quelque 450 km de longueur est la plus grande île nord-américaine baignant dans les eaux du Pacifique.

La chaîne de montagnes Insular coupe l'île en deux sections distinctes. À l'ouest, une forêt très dense qui s'étend à perte de vue jusqu'à une côte battue par d'importants vents et des vagues à faire frémir; à l'est, une plaine relativement peuplée et une côte où se succèdent une série de petites bourgades et de plages.

Le climat, que contribuent à tempérer l'océan Pacifique et les courants en provenance du Japon, ne réserve ni températures très chaudes ni journées très froides. La région est toutefois extrêmement pluvieuse, surtout en hiver. C'est d'ailleurs à cette

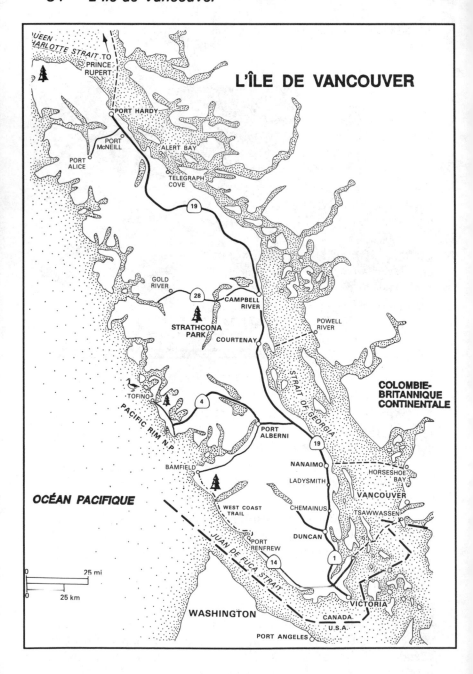

abondance de précipitations que l'on doit la riche végétation de l'île.

Les Gulf Islands

Entre l'île de Vancouver et le continent, dans le détroit de Georgia, baignent des centaines d'îles de toutes les dimensions. Il s'agit des Gulf Islands, suite nordique de l'archipel américain San Juan qui commence à Puget Sound. Les îles du Sud (Saltspring, Pender, Mayne, Saturna et Galiano) sont habitées et il est aisé d'y accéder grâce à des traversiers partant aussi bien de Vancouver que de l'île de Vancouver.

L'atmosphère en cet endroit est particulièrement douce grâce à un climat presque méditerranéen et à d'adorables paysages champêtres. Les îles attirent aussi bien les cyclistes que les campeurs, les randonneurs, les pêcheurs et les artistes.

Depuis l'île de Vancouver, on peut attraper un traversier menant aux Gulf Islands à Swartz Bay, Crofton, Chemainus et Nanaimo. Sur le continent, le traversier pour les îles part de Tsawwassen. Il faut cependant réserver (Vancouver ☎ 669-1211; Victoria ☎ 386-3431; Saltspring ☎ 537-9921; Nanaimo ☎ 753-1261).

De Victoria à Duncan

Le tronçon de l'autoroute n°1 reliant Victoria à Duncan s'avère rapide et efficace. En route, il ne faut pas manquer de s'arrêter au **parc provincial Goldstream**, l'un des meilleurs endroits pour camper à proximité de Victoria. De nombreux sentiers de randonnée sillonnent le parc.

■ Duncan

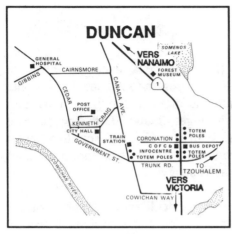

Petite ville industrielle située à la jonction des autoroutes n°1 et n°18, Duncan attire l'attention grâce à la vingtaine de mâts totémiques qu'on peut y admirer. Il est fort agréable de déambuler dans son quartier historique où l'on peut apercevoir quelques-uns de ces mâts totémiques et plusieurs édifices présentant une architecture intéressante (l'hôtel de ville entre autres).

Parmi les autres attractions de la ville, mentionnons le **Château de glace**, une habitation entièrement construite à l'aide de bouteilles de verre (ouvert entre les mois de février et octobre). Tout juste au sud de la ville, on peut apercevoir depuis l'autoroute le «plus grand bâton de hockey au monde», vestige de l'exposition internationale tenue à Vancouver en 1986. Un intéressant musée sur l'activité forestière, le **Forest Park Museum**, mérite également qu'on s'y attarde, quelques kilomètres au nord de Duncan (ouvert entre les mois de mai et septembre, de 10 h à 17 h 30; adultes 3,95 $, enfants 2 $).

Toujours dans la région de Duncan, **Lake Cowichan**, à une trentaine de kilomètres au nord, constitue un site fort apprécié des amateurs de pêche, de canot et de baignade. Avec ses 32 km de long, il s'agit de la plus grande étendue d'eau douce de l'île de Vancouver. L'endroit est particulièrement réputé pour la pêche à la truite et au saumon.

De Duncan à Nanaimo

■ Chemainus

En poursuivant vers le nord, le prochain village méritant qu'on s'y attarde est Chemainus, là où une petite scierie fut mise sur pied dès 1862. Chemainus vint tout près de disparaître lorsqu'en 1982 la scierie qui employait alors 400 personnes dut fermer ses portes. Les habitants du village se retroussèrent alors les manches et une nouvelle usine, plus moderne, fut inaugurée dès l'année suivante. Parce que la nouvelle scierie ne pouvait fournir de l'emploi qu'à 155 personnes, on dut se tourner vers le tourisme pour assurer la survie du village. On le fit d'ailleurs d'une façon fort originale en invitant plusieurs artistes à couvrir les murs de la ville de gigantesques peintures retraçant l'histoire de Chemainus. Les résultats furent spectaculaires au point que la ville se mérita le prestigieux *First Place Award* à New York en 1983, prix soulignant les efforts de revitalisation des centres-villes de toute l'Amérique.

Il y a des murs peints partout dans cette petite ville qu'il faut parcourir à pied. À partir du bureau d'information touristique (ouvert en été seulement), suivre le circuit identifié par des pas peints en jaune sur le sol pour ne manquer aucune de ces extraordinaires fresques.

■ Ladysmith

La principale caractéristique de la ville de Ladysmith est sa situation géographique. En effet, la ville se trouve à cheval sur le 49e parallèle, cette frontière invisible qui sépare le plus souvent le Canada des États-Unis. Après de longues négociations, le Canada obtint que l'île de Vancouver soit reconnue comme faisant partie de son territoire sur toute sa superficie, bien que le 49e parallèle la coupe en deux.

La ville fut construite durant la guerre des Boers afin d'accueillir les travailleurs des mines de charbon de la région de Nanaimo.

C'est aujourd'hui un agréable centre de villégiature faisant face
à la mer.

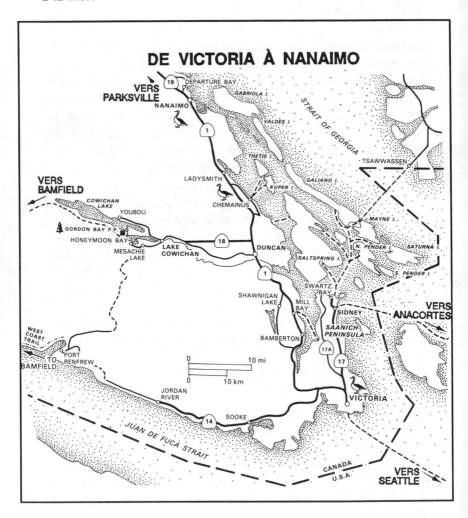

Le parc provincial Petroglyph

Il ne faut pas se priver de visiter ce fascinant petit parc situé à quelques kilomètres au sud de Nanaimo. On peut y découvrir, dans les bois, d'étranges hiéroglyphes gravés dans le roc par des Indiens. Ces dessins, réalisés à l'aide d'outils faits de pierre, remontent à quelques milliers d'années. Ils représentent des activités humaines, des animaux et des créatures mythiques.

Nanaimo

Inaugurée officiellement en 1874, Nanaimo constitue la troisième plus ancienne ville de la Colombie-Britannique. Mais, c'est en 1853 que débutèrent les activités d'extraction minière et que l'on construisit un fortin en ces lieux. L'extraction et l'exportation de charbon se poursuivirent jusqu'en 1949. De nos jours, il ne reste que peu de trace de la cité minière d'autrefois : deux musées évoquant cette époque, l'un installé près d'une des mines les plus productives, l'autre aménagé à même le robuste fort des débuts.

Après la fermeture des mines, les activités forestières et la pêche prirent de l'expansion. Aujourd'hui, Nanaimo est un important port de mer. La ville est reliée au continent par un traversier conduisant à Horseshoe Bay. La pêche, la foresterie et le tourisme assurent aux habitants de Nanaimo une certaine prospérité.

■ Information touristique

Le Nanaimo Tourist and Convention Bureau, localisé au nord de la ville au 266 Bryden Street, est en mesure de dispenser toute l'information nécessaire à un séjour dans la région de Nanaimo, et ce à l'année (ouvert de 8 h à 20 h en été, et de 9 h à 17 h en basse saison, ☎ 754-8474).

Attraits touristiques

Le front de mer

Une petite balade sur le front de mer de Nanaimo réserve de bien agréables moments au visiteur qui se plaira à observer le va-et-vient des bateaux et des hydravions. Entreprendre sa promenade au **parc Maffeo-Sutton**, près du quai du traversier

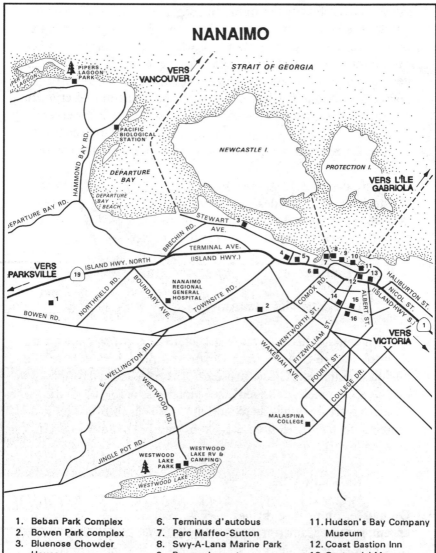

NANAIMO

1. Beban Park Complex
2. Bowen Park complex
3. Bluenose Chowder House
4. Information touristique
5. White Spot Restaurant
6. Terminus d'autobus
7. Parc Maffeo-Sutton
8. Swy-A-Lana Marine Park
9. Bureau de poste
10. Quai des hydravions et Lighthouse Bistro & Pub
11. Hudson's Bay Company Museum
12. Coast Bastion Inn
13. Centennial Museum
14. Bibliothèque
15. G.R.C. (R.C.M.P.)
16. Gare ferroviaire E & N

menant à l'île Newcastle, pour se diriger ensuite vers le port en longeant le bord de mer. **Poursuivre vers Swy-A-Lana Marine Park**, avant d'atteindre **Georgia Park** où l'on peut contempler deux mâts totémiques et un authentique canot squamish. Revenir vers le quai des hydravions et le Lighthouse Bistro and Pub pour goûter à sa bonne cuisine, à son atmosphère détendue et à ses magnifiques vues sur le port.

Le Bastion

À l'angle des rues Bastion et Front s'élève le Bastion, ce fortin construit en 1853 par des Canadiens français pour le compte de la Compagnie de la Baie d'Hudson afin de protéger les employés travaillant aux mines et leurs familles contre les attaques des Indiens. En été, on peut y visiter le musée de la Compagnie de la Baie d'Hudson.

Le Centennial Museum

Le Centennial Museum, situé à l'intérieur des limites du parc Piper de l'autre côté de Front Road, vaut bien qu'on s'y attarde quelques minutes. On y présente l'histoire de Nanaimo, sa géologie, ses ancêtres indiens, ses pionniers, etc. (100 Cameron Road; ouvert du lundi au vendredi de 9 h à 18 h et la fin de semaine de 10 h à 18 h en été, et du mardi au samedi de 9 h à 16 h en hiver).

La vieille ville

Du musée, on peut se diriger vers le cœur historique de la ville en empruntant Cameron Road jusqu'à Commercial Street. Les rues pavées de ce quartier sont bordées d'élégants lampadaires et d'édifices habilement restaurés, à l'intérieur desquels logent aujourd'hui de chic boutiques de mode.

Le centre d'exposition Madrona

Le centre d'exposition Madrona, qui fait partie du Malaspina College, propose des expositions canadiennes et internationales abordant des thèmes artistiques, scientifiques et technologiques. On trouvera à la boutique des objets d'art et d'artisanat réalisés par des artistes locaux. Ouvert du lundi au vendredi entre 9 h 30 et 17 h, en soirée également entre 19 h et 21 h du lundi au jeudi, et la fin de semaine de midi à 16 h. Situé au 900 Fifth Street, ☎ 755-8790.

L'île Newcastle

De Nanaimo, un service de traversier conduit à l'île Newcastle, et un autre à l'île Gabriola. Le parc provincial marin de l'île Newcastle, avec ses 20 km de sentiers de randonnée, ses plages, sa faune, son terrain de camping et son musée où sont offerts des concerts tout au long de l'été, en comblera plus d'un. On peut y accéder grâce au traversier quittant Nanaimo à partir de la pointe du parc Maffeo-Sutton (départ à toutes les heures de 10 h à 21 h en été; adultes 3,50 $ aller-retour; ☎ 753-5141).

L'île Gabriola

Une bonne quantité d'artistes et d'artisans comptent parmi les 2 000 habitants de l'île Gabriola. L'endroit est idéal pour ceux qui désirent s'évader de la foule. À ne pas manquer : les étonnantes cavernes Malaspina creusées par le vent et l'eau. Le traversier fait la navette plus de 17 fois par jour entre le centre-ville de Nanaimo et l'île Gabriola (adultes 2 $ aller-retour).

■ Événements spéciaux

Nanaimo est annuellement le théâtre de deux événements fort originaux. Tout d'abord, au cours des mois de juillet et août, c'est le **festival Shakespeare Plus**. À cette occasion, des créations canadiennes originales, des comédies musicales et bien sûr des pièces de William Shakespeare sont présentées dans des décors contemporains. Des comédiens de renommée internationale participent à ce populaire festival de théâtre.

Par ailleurs, le troisième dimanche de juillet a lieu la course la plus inusitée que l'on puisse imaginer : **The International Bathtub Race**... Il s'agit bien là d'une course de baignoires sur l'eau pour laquelle des participants viennent d'aussi loin que d'Australie! En fait, les baignoires sont montées sur des planches munies d'un moteur de hors-bord. La course s'étend sur 54 km entre le port de Nanaimo et la plage Kitsilano à Vancouver.

 Hébergement

Le **Coast Bastion Inn** (128 $ à 138 $, 11 Bastion Street, ☎ 753-6601) est le plus grand hôtel du centre-ville. Chacune de ses chambres offre une belle vue sur le port ou la ville.

Une «**mini-auberge de jeunesse**» accueille les visiteurs à longueur d'année. Elle est la propriété de Verdun Thompson (12 $ pour les membres, 1660 Cedar Hwy., ☎ 722-2251). Elle se situe à 7 km au sud de Nanaimo en bordure d'une rivière idéale pour la pêche et la baignade.

Par ailleurs, on compte de nombreux terrains de camping dans un rayon de 10 km du centre-ville. Mentionnons, entre autres, le **Westwood Lake RV & Camping** (10-14 $ la nuit pour un emplacement, 35-40 $ pour une cabine, sur Westwood road à l'ouest de Nanaimo, ☎ 753-3922), et le **Newcastle Island Provincial Marine Park** (8 $ la nuit, sur l'île Newcastle, ☎ 929-1291).

 Restaurants

Lighthouse Bistro and Pub (Sur le front de mer, devant le quai des hydravions). Jouissant d'une localisation de rêve, ce bistro est devenu le lieu de rencontre des visiteurs du port. Parmi les

plats les plus populaires, notons la soupe aux fruits de mer
(2,75 $), les magnifiques salades (4 $ à 7 $), les burgers et les
croissants (5 $ à 6 $), de même que les pâtes (12 $ à 18 $).
Ouvert tous les jours de 11 h à 23 h. La fin de semaine, un
brunch est servi entre 11 h et 16 h (4,50 $ par personne). À
l'étage, le Lighthouse Pub attire une foule toujours dense (ouvert
de 11 h à minuit du dimanche au jeudi, et de 11 h à 1 h les
vendredis et samedis).

The Bluenose Chowder House (1340 Stewart Avenue). Pour les
fruits de mer et la superbe vue sur le port. Terrasse extérieure.
Ouvert de 11 h à 20 h, fermé le lundi.

White Spot Family Restaurant (130 North Terminal Avenue).
Très apprécié des chefs de famille pour ses prix (4 $ à 9 $ par
personne) et ses... desserts. Ouvert tous les jours de 6 h 30 à
minuit.

Gina's Mexican Café (47 Skinner Street). La meilleure cuisine
mexicaine servie au nord du Mexique, prétendent les habitués.
Ouvert de 11 h à 21 h en semaine, et de 16 h à 21 h la fin de
semaine.

De Parksville à Tofino

■ Parksville

À 32 km au nord de Nanaimo, Parksville a toutes les
caractéristiques d'un petit paradis sur terre : des plages de sable
doré, des montagnes faites sur mesure pour les amateurs de ski
et, aux alentours, une série de rivières, de chutes, de lacs et de
parcs provinciaux. Les eaux qui viennent caresser les plages de
Parksville sont d'ailleurs reconnues comme les plus chaudes de
tout le Canada...

Tout juste au sud de Parksville, le **parc provincial Rathtrevor
Beach** accueille les adeptes de la plage comme de la randonnée
pédestre. C'est aussi un site exceptionnel pour l'observation

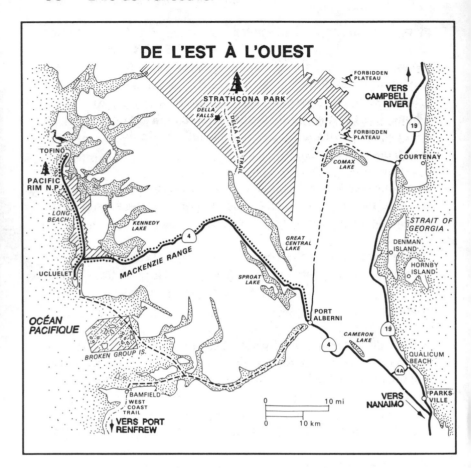

DE L'EST À L'OUEST

d'oiseaux marins, particulièrement au printemps. On peut également camper sur place.

Durant les mois de juillet et août, le parc Rathtrevor Beach est habituellement bondé. Ceux qui désirent fuir cette foule tout en demeurant dans la région choisiront alors de se diriger vers l'ouest et les parcs **Englishman River Falls** et **Little Qualicum Falls.**

Pour plus de renseignements sur cette populaire partie de la côte Est de l'île de Vancouver, contacter la chambre de commerce de Parksville au 248-3613.

■ **Port Alberni**

Depuis Parksville, il faut rebrousser chemin quelque peu afin d'atteindre l'autoroute n°4 qui mène en direction de Port Alberni. Chemin faisant, des haltes s'imposent aux parcs provinciaux **Englishman's Falls** (chutes de 40 m, superbes lieux de pêche à la truite, emplacements pour le camping), **Little Qualicum Falls** (magnifiques cascades, pêche à la truite), et **MacMillan** (forêt tropicale humide). À l'intérieur des limites de ce dernier parc, il ne faut surtout pas manquer de se rendre au site nommé **Cathedral Grove** pour y admirer des sapins de Douglas âgés de 200 à 600 ans qui atteignent jusqu'à 70 m de haut!

Situé tout au bout du plus grand bras de mer à s'enfoncer à l'intérieur de l'île de Vancouver (40 km), Port Alberni est une ville industrielle où l'odeur de la pulpe de bois surprend par son omniprésence. Parmi les attraits dignes de mention, il faut noter la **tour de l'Horloge** du haut de laquelle on a droit à une vue intéressante de la marina, de la ville et de ses usines. Il est également possible de visiter quelques-unes des usines de fabrication de papier. Pour plus de détails, contacter le bureau d'information touristique de la chambre de commerce locale au 724-6535 (situé aux abords de l'autoroute, à l'entrée de la ville).

Excursions à partir de Port Alberni

En été, les lundis, mercredis et vendredis, monter à bord du **MV Lady Rose** pour une croisière sur le détroit de Barkley constitue une expérience inoubliable. Le bateau transporte à la fois le courrier, des marchandises diverses, et bien sûr des passagers. On peut alors décider de descendre à l'une des **îles du Broken Group**, qui font partie du célèbre **parc national Pacific Rim**, pour y pratiquer le canot-kayak, à **Bamfield** pour y observer des baleines ou faire de la randonnée pédestre, ou au petit port de pêche de **Ucluelet**. Il en coûte 16 $ pour un aller seulement et 32 $ pour l'aller-retour. Il est possible de prendre le petit déjeuner et le déjeuner à bord.

Depuis **Great Central Lake**, situé au nord de Port Alberni, on peut atteindre le pied des plus hautes chutes d'Amérique du Nord : **Della Falls** (440 m). L'excursion jusqu'aux chutes ne peut se faire que par bateau, par sentiers de randonnée (compter cinq à sept jours aller-retour), ou par avion.

 Hébergement

Les adeptes du camping trouveront toutes les commodités au **China Creek Park Marina & Campground**, à 15 km au sud de la ville (☎ 723-9812). Le camping Junction, à deux pas de la chambre de commerce, est également à signaler (10-12 $ la nuit).

Ceux qui préfèrent la formule des *Bed & Breakfasts* seront choyés chez **Mrs. Eileen Anderson** (40 $ incluant petit déjeuner, bp, 5847 River Road, ☎ 723-3617).

■ De Port Alberni à Ucluelet

Voilà une portion de l'autoroute n°4 qui réserve des panoramas d'une exceptionnelle beauté. Les adeptes de la photographie et les vidéastes amateurs s'en donneront à cœur joie. Il est recommandé de faire le plein à Port Alberni, car la région est désertique sur plusieurs kilomètres. Le **parc national de Sproat Lake** constitue la première halte. En plus de permettre la pratique d'une foule d'activités nautiques, l'endroit sert de base aux plus imposants avions-citernes du monde, les Martin Mars Flying Tankers. Des visites peuvent être organisées sur demande.

À 91 km de Port Alberni, l'autoroute n°4 se sépare en deux offrant ainsi la possibilité de se diriger vers Ucluelet, à 8 km au sud, ou vers Tofino en longeant la **Long Beach du parc national Pacific Rim**, à 34 km au nord. Les voyageurs disposant d'un peu de temps apprécieront un court arrêt à Ucluelet.

Ucluelet

Situé sur la rive Nord du détroit de Barkley, Ucluelet est un petit port de pêche, activité à laquelle s'ajoute aujourd'hui une industrie touristique en bonne santé. En effet, cette petite municipalité s'est elle-même attribuée le titre de capitale de l'observation des baleines. Des excursions d'observation d'animaux marins sont organisées à partir de Ucluelet, principalement au début du printemps et vers la fin de l'automne.

On peut profiter d'une halte dans ce petit village pour déguster un bon repas de fruits de mer dans l'un de ses nombreux restaurants. Le Block and Cleaver Deli constitue par ailleurs un bon choix pour un repas léger.

 Le parc national Pacific Rim

Le parc national Pacific Rim est en fait constitué de trois parties bien distinctes : la **Long Beach**, une plage de 11 km accessible facilement grâce à l'autoroute n°4; les **Broken Group Islands**, un archipel de plus de 100 îlots baignant dans les eaux du détroit de Barkley, et qu'il n'est possible d'atteindre que par bateau depuis Port Alberni, Ucluelet ou Bamfield; et finalement la **West Coast Trail**, la célèbre piste de randonnée de 77 km reliant Bamfield à Port Renfrew, que l'on rejoint par route ou par bateau au départ de Port Alberni.

Il est fortement recommandé d'apporter des vêtements chauds lors de toute exploration du parc Pacific Rim. En cette région, la température est très changeante et les pluies extrêmement fréquentes (300 cm par année). La température moyenne en été est de 14°C et chute à 6°C en hiver. Pour s'enquérir des prévisions météorologiques, composer le ☎ 726-4212.

On peut obtenir de l'information générale sur le parc en écrivant au Pacific Rim National Park, Box 280, Ucluelet, B.C., V0R 3A0. Une fois sur place, le bureau d'information touristique se trouve à 2 km au nord de l'intersection de l'autoroute n°4 et de la route reliant Ucluelet à Tofino (ouvert de 10 h à 18 h du mois d'avril à la mi-octobre, de 8h à 20h de juin à août, ☎ 726-4212).

Long Beach

Longue de plus de 11 km, la Long Beach est une magnifique plage de sable blanc couverte en maints endroits de coquillages et autres cadeaux de la mer. Une dense forêt tropicale humide et les pics enneigés des montagnes Mackenzie en constituent le spectaculaire arrière-plan. On peut y surprendre des phoques, des otaries et des baleines (de la mi-mars à la mi-avril, et occasionnellement en juin et février), mais aussi des milliers d'oies et de canards sauvages en migration vers Grice Bay, de l'autre côté de la péninsule (en octobre et novembre).

Les amateurs de randonnée pédestre trouveront plusieurs courts sentiers de 1 à 2 km. L'un de ceux-ci mène au sommet de Radar Hill où un observatoire offre une vue sensationnelle sur toute la péninsule.

Entre les mois d'avril et de septembre, le Wickaninnish Centre présente des expositions relatant l'histoire naturelle du parc. Adjacent à ce centre d'interprétation se trouve l'un des deux seuls restaurants du parc, le Wickaninnish Restaurant, ouvert en été seulement. L'autre restaurant est localisé au terrain de golf de Long Beach.

Le meilleur site pour le camping se trouve à Green Point, sur un cap surplombant la plage. L'endroit est très fréquenté, surtout en juillet et août. Un autre camping, plus rudimentaire, est situé tout au nord de la plage, à Schooner Cove.

The Broken Group Islands

Certains des quelque 100 îlots qui forment le Broken Group étaient jadis occupés par des Indiens ou des postes de traite. Aujourd'hui, les campeurs occasionnels constituent les seuls représentants humains parmi les résidants de ces lieux. De tout temps, la navigation s'est avérée difficile dans ces parages comme en témoignent la cinquantaine de navires qui se sont échoués sur l'un ou l'autre des îlots depuis un siècle. Ceux qui désirent naviguer dans les environs feraient donc bien de se procurer la carte n°3670 des Services hydrographiques canadiens en écrivant au Chart Sales and Distribution Office, Institute of Ocean Services, 9860 Saanich Road West, Box 6000, Sidney, B.C., V8L 4B2.

Autrement, on peut accéder à l'archipel par bateau ou par avion au départ de Port Alberni, Ucluelet ou Bamfield. Ceux qui désirent faire du camping doivent garder en mémoire que l'eau potable y est rare et, par conséquent, s'informer auprès des autorités du parc pour connaître l'emplacement des divers points d'eau.

The West Coast Trail

Le magnifique sentier West Coast s'étend sur 77 km entre Pachena Bay, à 5 km au sud de Bamfield, et Port Renfrew. Ce secteur est souvent désigné comme le cimetière du Pacifique à cause des nombreuses épaves qu'on peut y apercevoir. En 1906, après le naufrage du SS Valencia et le décès de tous ses occupants, le gouvernement canadien décida d'aménager un sentier destiné à faciliter l'arrivée de secours lors de pareilles tragédies. Ce sentier suivait la ligne du télégraphe et reliait les phares et les villes jusqu'à Victoria. Les employés du télégraphe et les gardiens de phare veillaient à son entretien.

Ce sentier est devenu aujourd'hui l'une des pistes de randonnée les plus célèbres du pays. Il est cependant à noter que l'expédition ne s'adresse ici qu'aux marcheurs expérimentés et bien équipés. Six à huit jours sont nécessaires pour parcourir la piste de bout en bout. Aucun service n'est dispensé le long du circuit qui représente pour beaucoup d'adeptes de la marche un défi exaltant.

■ Tofino

Ancien village indien, Tofino fut l'un des premiers sites visités par le capitaine Cook. Il tient son nom de Don de Vincent Tofino, hydrographe membre d'une expédition espagnole en 1792. De nos jours, c'est un petit village de pêcheurs de moins de 1000 âmes, qui représente le terminus occidental de l'autoroute Transcanadienne. En haute saison, sa population augmente considérablement avec l'arrivée des vacanciers. Le village devient alors très achalandé et déborde de vie.

La meilleure façon de découvrir Tofino, c'est de le faire à pied. L'endroit est peu étendu et, par conséquent, se traverse assez rapidement. Une visite au port s'impose; on peut s'attarder sur chaque quai et observer le va-et-vient des bateaux d'excursion et de pêche.

Pendant leur période de migration, on peut apercevoir des baleines grises qui défilent au large. Des excursions en bateau partent de Tofino afin de s'approcher davantage des gigantesques mammifères marins. Il en coûte en moyenne 25 $ pour les adultes et 15 $ pour les enfants.

À environ une heure par bateau de Tofino et une trentaine de minutes de marche dans la dense forêt pour compléter le trajet, se trouve la seule source chaude de l'île de Vancouver, **Hotsprings Cove**. L'eau jaillit du sol à 87°C, puis franchit une petite falaise avant de se répandre dans une série de bassins pouvant accueillir deux ou trois personnes chacun et, finalement, gagner l'océan. Le bateau part du quai n°1 tôt le matin pour ne revenir qu'en après-midi. Il en coûte 30 $ par personne pour cette expédition. Pour information et réservation, contacter Coastal Adventures au 725-3777. Il est également possible de survoler la source au moyen d'un petit avion. Le tour ne dure toutefois qu'une quinzaine de minutes pour le même prix (minimum de trois personnes). Pour plus de renseignements, contacter Tofino Airlines au 725-4454.

Les amateurs de pêche s'en donneront aussi à cœur joie dans la région de Tofino. Des excursions de toutes sortes sont offertes pour pêcher du saumon, de la morue, de la truite, etc. Le Tofino Lodge organise ce genre de voyage, de même que des excursions de plongée et d'observation de baleines (60 $ à 120 $ de l'heure tout équipement compris, ☎ 725-3274).

Par ailleurs, il ne faut pas manquer de s'arrêter à la **galerie d'art Eagle Aerie** pour y admirer les peintures, gravures et sculptures de Roy Henry Vickers, un des grands artistes de la Colombie-Britannique. La galerie présente la forme d'une *longhouse* indienne et est flanquée de mâts totémiques; on ne peut la rater (sur la route principale face au bureau d'information touristique, ouvert de 9 h à 20 h en été, et de 9 h à 17 h en hiver).

 Hébergement

Le Tofino Swell Lodge (45 $ à 69 $, bp, ●, C, tvc, 341 Olsen Road, ☎ 725-3274) constitue le choix par excellence dans la région. On trouve même dans les chambres un télescope permettant de mieux apprécier le décor spectaculaire qui entoure l'auberge : anse de Tofino et île Meares, pics enneigés au loin... Pour réserver, écrire à Rod et Betsy Buhtz, Box 160, Tofino, B.C., V0R 2Z0.

 Restaurants

Tofino compte plusieurs restaurants intéressants dont la plupart offrent des fruits de mer aussi frais que l'on puisse souhaiter. Voici une liste non exhaustive :

Weigh West Pub (Situé près de la marina Weigh West). Pour une excellente soupe de palourdes servie avec du pain à l'ail (4,95 $) ou un repas complet de fruits de mer ou de steak (10 $).

The Loft. Un des plus populaires restaurants auprès de la population locale. Il se spécialise dans les fruits de mer. On peut y déjeuner (3 $ à 6 $) et dîner (10 $ à 25 $). Il y en a pour tous les goûts, depuis les simples sandwichs jusqu'aux plats de saumon les plus raffinés.

The Schooner (Situé sur la route principale, en face du resto The Loft). C'est à la fois le plus vieux restaurant de Tofino et une sorte d'institution où, en été, on peut déguster un repas substantiel (12 $ à 30 $).

De Qualicum Beach à Campbell River

■ Qualicum Beach

La station balnéaire Qualicum Beach est habituellement moins fréquentée que sa concurrente Parksville, à 11 km plus au sud. Pourtant, la plage y est tout aussi dorée et elle se laisse caresser par les mêmes eaux du détroit de Georgia.

Le centre de la ville, surnommé «le village» par les gens de la région, est tout à fait charmant. On y trouve, entre autres, **The Old Schoolhouse Gallery and Art Centre** où les amateurs d'art et d'artisanat de qualité dénicheront de quoi satisfaire leur passion. Tous les arts sont représentés à l'intérieur de cette magnifique construction rénovée datant de 1912. On peut même y observer des artisans à l'œuvre (sculpteurs, potiers, peintres, etc.). Situé au 122 Fern Road West, ☎ 752-6133.

En poursuivant vers le nord, on croise les communautés de **Cumberland, Courtenay** et **Comox** appartenant toutes trois à la vallée de Comox, véritable terrain de jeu géant avec ses plages, ses stations de ski, ses terrains de golf et de camping, de même que ses lieux de pêche.

■ Courtenay

Avec ses 9 000 habitants, c'est la plus grande des trois villes. C'est aussi le centre économique et culturel de la vallée. Elle tient son nom du capitaine George Courtenay qui dirigea, en 1848, la première expédition dans la région.

L'entrée Sud de la ville est garnie de fleurs sur près de 2 km. C'est le **Mile of Flowers**. Chaque année, la plantation de ces fleurs devient une sorte d'événement organisé par la section locale du Club Rotary auquel participent des centaines de personnes.

Il ne faut pas rater le **Courtenay and District Museum and Archives**, aménagé à l'intérieur du Native Sons of Canada Hall (1928). Ce musée raconte l'histoire de la vallée depuis l'ère préhistorique jusqu'à nos jours. On y trouve de nombreux objets amérindiens et une remarquable collection de poupées (ouvert de la mi-mai à la fête du Travail, de 10 h à 17 h, ☎ 334-3611).

La région est très prisée des amants du ski. Voilà pourquoi il n'est pas rare que les hôtels et motels des environs affichent complet en plein hiver. Ce qui est considéré comme la saison morte ailleurs sur l'île de Vancouver devient ici la haute saison. Le **Forbidden Plateau** et le **mont Washington** sont particulièrement prisés.

Le Forbidden Plateau

Situé à l'intérieur des limites du parc provincial Strathcona, le Forbidden Plateau convient parfaitement à ceux qui skient en famille. Son nom, qui signifie «le plateau interdit», provient d'une vieille légende indienne. Les Indiens Comox auraient un jour envoyé s'y réfugier leurs femmes et leurs enfants, pendant qu'ils combattaient une tribu ennemie, les Cowichans. Après avoir triomphé, ils gagnèrent le sommet du plateau mais n'y retrouvèrent jamais les leurs. L'endroit devint alors tabou à leurs yeux.

L'actuelle station de ski se trouve à 30 min de Courtenay et permet l'accès à ses pistes du jeudi au lundi entre 9 h et 16 h (adultes 15 $, enfants 8 $, ski de fond 3 $, ☎ 334-4744). L'endroit devient par ailleurs un merveilleux site de randonnée pédestre en été.

Le mont Washington

Le mont Washington atteint quant à lui une altitude de 1 609 m. Ses pentes sont superbes et ses pistes de ski de fond comptent parmi les meilleures du Pacifique Nord-Ouest. Il se situe à

32 km de Courtenay, soit à environ 45 min en voiture (adultes 22 $, enfants 14 $, ski de fond 5 $).

On trouvera, en poursuivant sa route vers Campbell River, le meilleur endroit pour camper dans la région : le **parc provincial Miracle Beach**. Il s'agit d'un lieu magnifique pour observer de nombreuses espèces d'animaux sauvages, depuis l'ours noir jusqu'au raton laveur, en passant par le cerf, le phoque et la baleine.

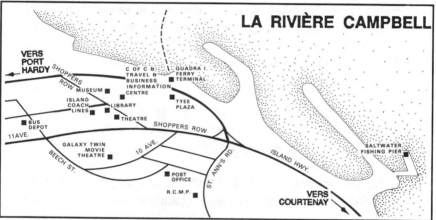

LA RIVIÈRE CAMPBELL

■ **Campbell River**

Campbell River, qui abrite environ 17 000 personnes, se targue d'être la capitale mondiale du saumon. C'est peut-être bien la vérité d'ailleurs, Campbell River étant un centre de pêche de renommée mondiale. Le village n'est séparé de l'île Quadra que par l'étroit passage Discovery (2 km). Il en résulte des courants parmi les plus forts de toute la province qui attirent des quantités incroyables de saumons. On prétend que plus de 60% des visiteurs de Campbell River viennent ici pour pêcher...

Le **District Museum and Archives** vaut bien, malgré tout, que l'on s'y attarde quelque peu. On y découvrira des photographies et documents retraçant la fondation du village, de même que des sculptures, des masques, des paniers et autres objets d'artisanat indiens. Ouvert de 10 h à 16 h de la mi-mai à la fin septembre, et de 13 h à 16 h, du mardi au samedi, le reste de l'année.

L'île Quadra

Un traversier mène à l'île Quadra en moins de 15 min. Le musée **Kwakiutl**, à Cape Mudge Village, mérite une visite. De magnifiques costumes et masques cérémoniels indiens y sont exposés. Ouvert de 10 h et 16 h 30 en été (à partir de 12 h le dimanche), et de 12 h à 16 h 30, du mardi au samedi, en hiver. Le parc faisant face au musée possède d'étonnants pétroglyphes.

 Hébergement

Petit village touristique, Campbell River dispose de tous les types d'établissement hôteliers. Mentionnons le motel suivant qui offre un bon rapport qualité-prix :

Le Super 8 Motel (54 $, 340 South Island Highway, ☎ 286-6622) propose de spacieuses chambres avec vue sur l'île Quadra.

 Restaurants

Plusieurs restaurants et cafés parsèment les rues du village, certains de ceux-ci, à vocation familiale, se retrouvant sur la Tyee Plaza.

Mr. Mike's (Situé sur la Tyee Plaza). Restauration-minute de type familial (hamburgers, poissons).

The Coffee Shop (Également sur la Tyee Plaza). Parfait pour un repas léger. Toujours bondé.

Willows Neighbourhood Pub (521 Rockland Road, à l'extrémité Sud de la ville). Steaks, crevettes, salades. Repas style *Bar-B-Q* servis le dimanche (10,50 $).

Royal Coachman Neighbourhood Pub (Situé sur Dogwood Street). Similaire au précédent, on y trouve en plus un magasin de vins et de bières.

The White Tower (2257 Island Highway). Spécialités grecques (8 $ à 15 $) et gigantesques pizzas (12 $ à 15 $).

 Vie nocturne

Encore ici, ce sont dans les pubs que les gens du coin vont finir leur journée. Voici deux adresses à noter :

Peoples (Situé près d'Ironwood Street). Spectacles rock and roll avec musiciens sur scène (entrée : 3 $).

McFarr's Lounge (Situé à l'hôtel Anchor Inn, sur South Island Highway). Musique de danse enregistrée ou mixée par un *Disk Jockey* (entrée sans frais).

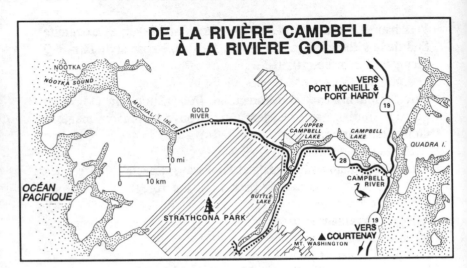

DE LA RIVIÈRE CAMPBELL
À LA RIVIÈRE GOLD

De Campbell River à Gold River

L'autoroute n°28, qui permet de passer de la côte Est à la côte Ouest de l'île de Vancouver en traversant la section nordique du magnifique parc provincial Strathcona, en est une autre qui réserve aux voyageurs des panoramas sensationnels. La partie centrale de l'île est effectivement montagneuse, fortement boisée, parsemée de rivières et de chutes, et pratiquement inhabitée.

 Le parc provincial Elk Falls

Le parc Elk Falls, à 6 km au nord-ouest de Campbell River, permet un premier arrêt. De très beaux sentiers en forêt donnent accès à de superbes cascades. On peut aussi y camper du mois d'avril au mois d'octobre, pour 8 $ la nuit.

■ **Le parc provincial Strathcona**

L'immense parc Strathcona est le plus ancien parc provincial de la Colombie-Britannique et le plus grand que compte l'île de Vancouver. Il renferme le plus haut sommet de l'île, le **Golden Hinde** (2 220 m), et dans sa partie Sud, des chutes parmi les plus hautes du monde, les **Della Falls** (440 m, en 3 cascades). De plus, c'est ici, près de la rivière Puntledge, que s'élève le plus grand arbre connu de la province, un magnifique sapin de Douglas ne faisant pas moins de 93 m! À n'en pas douter, le parc Strathcona vaut le détour...

Outre les sapins de Douglas, des cèdres rouges et de magnifiques fleurs sauvages forment la flore du parc, lequel abrite une grande variété d'animaux sauvages : cerfs, loups, pumas, etc.

On peut choisir de simplement goûter à la magnificence de ces lieux en traversant le parc par l'autoroute n°28, ou pénétrer plus profondément en empruntant la sortie située à mi-chemin entre Campbell River et Gold River et en suivant jusqu'au bout cette route qui longe le lac Buttle. C'est par cette voie que l'on accède à deux terrains de camping et que l'on rejoint les quartiers généraux du parc (ouverts en été seulement).

Le seul établissement commercial de la région est le **Strathcona Park Lodge and Outdoor Education Centre**, situé à l'extérieur des limites du parc, au lac Campbell, à proximité de l'entrée menant au lac Buttle. Plusieurs types d'hébergement sont offerts sur place : camping près de la plage (14 $ à 16 $ la nuit), abris où l'on doit apporter son propre sac de couchage mais qui comprend une cuisine (12 $ par personne), chambres traditionnelles (65 $ à 90 $), cottages (59 $ à 69 $), et même chalets où 20 personnes peuvent se loger. On peut aussi y prendre les repas du matin (5,95 $), du midi (6,95 $) et du soir (11,95 $). Pour de plus amples renseignements, il faut écrire à l'adresse suivante : Box 2160, Campbell River, B.C., V9W 5C9 (☎ 286-3122).

■ Gold River

Le village de Gold River, construit en 1965 afin de loger les employés d'une usine de pâte à papier, se trouve presqu'à la fin de l'autoroute n°28, entre les rivières Gold et Geber. L'intérêt du secteur réside dans les croisières offertes dans la magnifique baie Nootka (☎ 283-2325). Certaines de ces croisières permettent de visiter **Friendly Cove** (adultes 35 $, enfants 17,50 $), là où James Cook accosta et rencontra des Amérindiens pour la première fois en 1778. C'est également à cet endroit que George Vancouver et Bodega y Quadra négocièrent la possession de la région en 1792. Des croisières nocturnes sont également proposées à bord du Tahsis et de l'Esperanza (adultes 45 $, enfants 22,50 $) ou du Kyuquot (adultes 50 $, enfants 25 $).

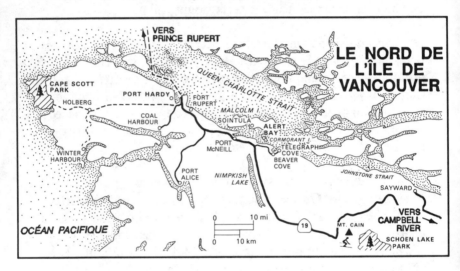

Le Nord de l'île de Vancouver

Au-delà de Campbell River, l'autoroute n°19 permet de rejoindre Port Hardy d'où partent les traversiers menant à Prince Rupert. Cette route très peu achalandée garantit des vues spectaculaires.

Sur le chemin, on croise Port McNeil où trois importantes entreprises d'exploitation forestière ont leurs quartiers généraux. C'est aussi à Port McNeil qu'on peut prendre le traversier pour Alert Bay sur l'île Cormorant. La population compte ici 50% d'Indiens Kwakiultls et 50% de Blancs. À ne pas manquer sur l'île : le **U'Mista Cultural Centre** (superbe présentation de masques et de costumes indiens, de même que de films portant sur la coutume du potlatch); le **Indian Big House** devant lequel se dresse le plus grand mât totémique du monde; et la **réserve écologique Gator Gardens.**

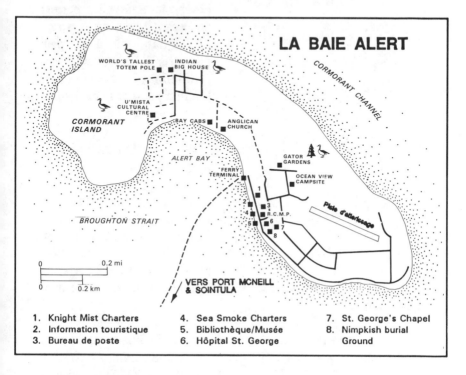

1. Knight Mist Charters
2. Information touristique
3. Bureau de poste
4. Sea Smoke Charters
5. Bibliothèque/Musée
6. Hôpital St. George
7. St. George's Chapel
8. Nimpkish burial Ground

■ Port Hardy

C'est à Port Hardy que l'on embarque à bord du traversier qui navigue sur les eaux de l'Inside Passage, en direction de Prince Rupert et de l'Alaska. La ville constitue également un excellent pied-à-terre pour quiconque désire explorer la nature vierge de la partie Nord de l'île de Vancouver.

Un peu partout en ville, on peut apercevoir de monumentales sculptures exécutées à l'aide de scies à chaîne... Ainsi, il faut voir la remarquable famille d'ours qui orne la devanture du **Jessie's Gifts and Gallery** de même que l'élégant aigle à l'entrée de l'hôtel **Glen Lyon Inn.**

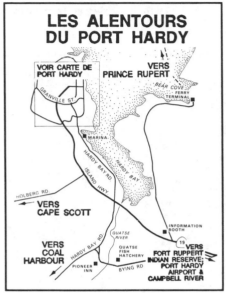

LES ALENTOURS DU PORT HARDY

Une promenade longeant la mer, le **Seawalk**, permet d'accéder au **parc Tsulquate** où l'on peut admirer de belles sculptures indiennes. Le musée municipal mérite également une petite visite.

 Hébergement

On peut trouver toutes les formes d'hébergement à Port Hardy, mais il convient de réserver quelques jours à l'avance : les arrivées et les départs du traversier causent généralement un important achalandage dans le secteur.

Le **Pioneer Inn** (50 $, ℜ, ☎ 949-7271) mérite une mention pour son excellent rapport qualité-prix, alors que le Glen Lyon Inn (60 $ à 65 $, ℜ, 6435 Hardy Bay Road, ☎ 949-7115) propose de spacieuses chambres avec vue sur la mer.

Le terrain de camping le plus près du quai d'embarquement est le **Wildwoods Campsite**, à 3 km par Bear Cove Road, mais le mieux aménagé pour accueillir les campeurs avec tente est le **Quatse River Campground**, à 1 km au sud de la ville.

 Restaurants

Le choix est plutôt limité à Port Hardy en ce qui a trait à la bonne chère. Quelques établissements sont toutefois dignes de mention :

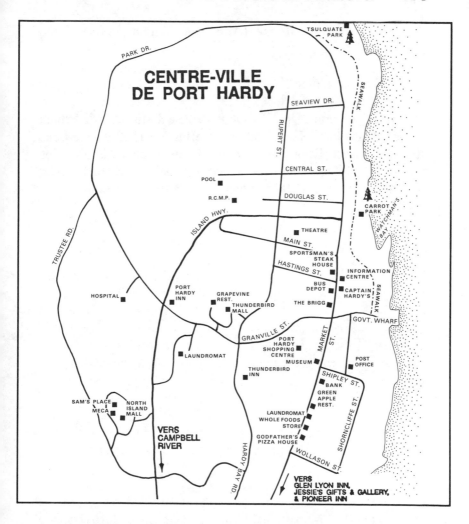

The Roadhouse Coffee Shop (Situé face au centre de pisciculture de Quatse River). Pour de gargantuesques petits déjeuners.

Glen Lyon Inn (Situé sur Hardy Bay Road). Pour d'excellents déjeuners et dîners.

The Brigg (Sur Market Street). Pour un dîner de fruits de mer raffiné.

Sportsman's Steak House (Aussi sur Market Street). Bons steaks et fruits de mer.

Le traversier

Le traversier empruntant l'Inside Passage à destination de Prince Rupert quitte Port Hardy tous les matins à 7 h 30 en été pour atteindre Prince Rupert à 22 h 30. Il en coûte 80 $ pour les piétons et 165 $ pour les voyageurs avec véhicule (aller seulement). En hiver, la fréquence des départs est réduite à un par semaine.

VANCOUVER

D es pics enneigés en arrière-plan, une puissante rivière serpentant sa partie Sud, des édifices centenaires et de modernes gratte-ciel faisant face à la mer, de magnifiques plages sablonneuses qui s'étirent dans sa proche banlieue, de superbes parcs couverts d'arbres et de jardins de fleurs multicolores, d'élégantes oies parcourant le ciel : voilà un portrait assez fidèle de l'extraordinaire métropole qu'est Vancouver.

Ici, on peut dévaler à ski des pentes spectaculaires, se faire bronzer sur la plage, sauter à bord d'un bateau de pêche, se promener dans un parc municipal pour y surprendre des canards et des ours polaires, savourer un repas gastronomique et s'éclater jusqu'aux petites heures du matin dans une boîte de nuit... tout ça, en une seule journée!

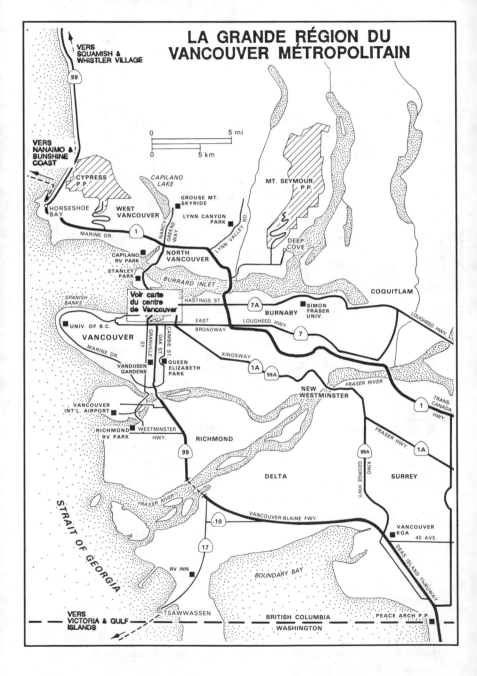

LA GRANDE RÉGION DU
VANCOUVER MÉTROPOLITAIN

Il est bien difficile aujourd'hui de s'imaginer l'impénétrable forêt que découvrit en ces lieux George Vancouver en 1792, puis l'explorateur Simon Fraser. C'est à Fort Langley, à 48 km à l'est de l'actuelle ville de Vancouver, que fut fondé un poste de traite par la Compagnie de la Baie d'Hudson, en 1827, première tentative d'établissement dans la région. Mais ce n'est que lors de la découverte de minerais d'or en amont de la rivière Fraser, vers la fin des années 1850, que débuta réellement sa colonisation. New Westminster, une ville située tout juste au sud-est du Vancouver d'aujourd'hui, devint la première capitale de la Colombie-Britannique en 1866, titre qui devait toutefois lui être retiré deux ans plus tard au profit de Victoria.

Avec l'établissement d'usines de fabrication de briques au sud de Burrard Inlet en 1862, puis d'usines de pâte à papier et autres spécialités reliées à l'exploitation forestière, plusieurs villes champignons poussèrent en pleine nature sauvage. Granville (centre-ville actuel de Vancouver) fut la première de ces villes. On la surnommait aussi Gastown, en l'honneur d'un populaire propriétaire de saloon, *Gassy Jack* Deighton. En 1886, Granville devint Vancouver mais, peu après, un incendie ravagea presque complètement la ville. Les pionniers de l'époque mirent toutefois peu de temps à la reconstruire et elle devint bientôt le terminus du chemin de fer transcontinental du Canadian Pacific.

De nos jours, Vancouver vient au troisième rang des villes canadiennes avec une population de 420 000 personnes (1,4 millions d'habitants dans sa région métropolitaine). Il s'agit par ailleurs du plus important port de la côte Ouest nord-américaine.

 Renseignements pratiques

■ **Information touristique**

Le bureau principal d'information touristique (Vancouver Travel Infocentre) se situe au 562 Burrard Street, à deux pas du

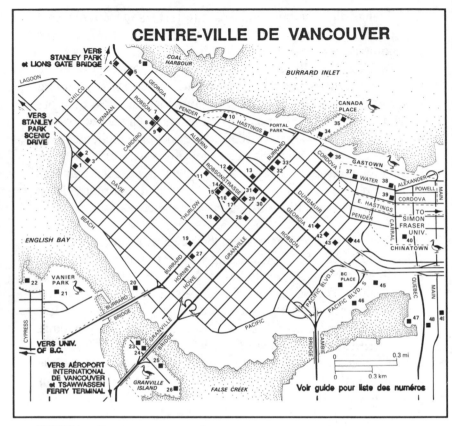

CENTRE-VILLE DE VANCOUVER

YWCA. Pour tout renseignement, on peut le contacter au 683-2000. On peut également y faire des réservations en composant le 683-2772. Ouvert de 8 h 30 à 17 h 30 tous les jours, sauf le dimanche, du mois de mai au début du mois de septembre.

On compte plusieurs autres comptoirs d'information dans la région : à Delta et à Richmond, au sud de Vancouver; à Coquitlam, pour ceux qui arrivent de l'est; à North Vancouver, au nord-est. Il y a également un comptoir au niveau 3 de l'aéroport international de Vancouver.

Par ailleurs, le Greater Vancouver Convention And Visitors Bureau constitue une autre source d'information, en plein cœur

1. English Bay Cafe
2. Michael's on the Bay Restaurant
3. Quilicum West Coast
   Indian Restaurant
4. ABC Bicycle Rental
5. Scooter & Moped Rentals
6. Traversiers
7. Pharmacie et bureau de poste
8. Robson Public Market
9. Yangtze Mandarin Resstaurant
10. railway yards
11. Pharmacie et bureau de poste
12. Joe Fortes
13. Royal Centre Mall
14. Monte Cristo
15. Le Crocodile
16. Bananas California Restaurant
17. White Spot Restaurant
18. YMCA
19. Hôpital St. Paul
20. Vancouver Aquatic Center
21. Vancouver Museum & Planetarium
22. Maritime Museum
23. Granville Island Market
24. Arts Club
25. Emily Carr College of Art and Design
26. Granville Island Hotel
27. Vancouver Scooter Shooter
28. Robson Square
29. Bibliothèque publique
30. Vancouver Art Gallery
31. Hotel Vancouver
32. YWCA
33. Information touristique
34. Pan Pacific Vancouver Hotel
35. Cinéma IMAX
36. Skytrain/Terminus du Sea Bus
37. Steam Clock
38. Old Spaghetti Factory &
    Brother's Restaurant
39. Maple Tree Square
40. Chinese Cultural Centre &
    Dr. Sun Yat-Sen Park
41. Bureau de poste central
42. Queen Elizabeth Playhouse &
    Theatre
43. Terminus d'autobus Greyhound
44. Skytrain/Stadium Station
45. Expo Theatre
46. BC Enterprise Centre
47. Science world
48. Skytrain/Station centrale
49. Gare ferroviaire VIA

du centre-ville au Royal Centre Mall, angle Burrard et Georgia (☎ 682-2222).

■ **Librairies de voyage**

The Travel Bug (2667 West Broadway, ☎ 604-637-1122).

World Wide Books and Maps (736-A Granville Street, ☎ 604-687-3320).

Pour s'y retrouver sans mal

La meilleure façon de découvrir les quartiers de Vancouver est d'utiliser son excellent système de transport public (autobus, SkyTrain et SeaBus). On peut laisser sa voiture à l'un des terrains de stationnement situés en périphérie. Certains de ceux-ci, aménagés à l'occasion de l'Expo 86, sont gratuits. Une carte disponible dans les bureaux d'information touristique en indique les localisations exactes.

Pour le transport en commun, la région de Vancouver a été divisée en trois zones. Le coût du passage est de 1,25 $, peu importe les zones, en dehors des heures de pointe. Par contre, pendant les heures d'affluence (les jours de semaine avant 9 h 30 et de 15 h à 18 h 30), il en coûte 1,25 $ pour un trajet compris dans les limites d'une seule zone, 1,75 $ pour deux zones, et 2,50 $ pour trois zones.

Une façon économique d'utiliser les transports publics pour visiter Vancouver consiste à se procurer un billet d'un jour (DayPass) qui permet, pour 3 $ seulement, de monter et descendre aussi souvent qu'on le désire toute la journée (à partir de 9 h 30 en semaine). Il y a aussi le *Explorer Pack* (adultes 12 $, enfants et personnes âgées 6,75 $) qui comprend un billet de trois jours, une carte détaillée du réseau de transport en commun, des coupons rabais et le guide intitulé *Discover Vancouver on Transit*. On peut se le procurer dans les bureaux d'information touristique et les magasins 7-Eleven. Pour tout renseignement sur les services de transport public, on doit contacter le ☎ 261-5000 entre 6 h 30 et 23 h 30.

■ Le SkyTrain

Le métro de Vancouver, appelé Skytrain, mérite bien qu'on l'emprunte au moins une fois, ne serait-ce que pour faire un tour sans destination précise en tête. Il se déplace sur 35 km de voies surélevées reliant le centre de Vancouver à New Westminster en

27 min. La balade permet d'apprécier de jolis panoramas. Il compte 15 stations, dont 4 au centre-ville (stations souterraines). Le SkyTrain est en opération de 5 h 50 à 1 h 15 en semaine, de 6 h 50 à 1 h 15 le samedi, et de 8 h 50 à 24 h 15 le dimanche et les jours fériés. Il est interdit d'y apporter sa bicyclette.

■ Le SeaBus

Autre élément original du système de transport en commun de Vancouver, le SeaBus permet de voguer jusqu'à North Vancouver en une dizaine de minutes. Une fois sur l'autre rive, des autobus réguliers assurent la correspondance.

■ La location de voitures

Ceux qui désirent louer une voiture pour visiter la ville et ses environs ont l'embarras du choix. Voici une liste non exhaustive des agences de location ayant pignon sur rue à Vancouver :

Rent-A-Wreck (Situé au 350 Robson Street, ☎ 688-0001). Véhicules usagés à prix imbattables.

Avis Rent-a-Car. Situé au 757 Hornby Street (☎ 682-1621) et à l'aéroport (☎ 273-4577).

Budget Rent-a-Car. Situé au 450 Georgia Street West (☎ 685-0536) et à l'aéroport (☎ 1-800-268-8900).

Dominion U-Drive. Situé au 901 Seymour Street (☎ 684-6113) et à l'aéroport (☎ 689-0550).

Hertz Rent-a-Car. Situé au 666 Seymour Street (☎ 688-2411) et à l'aéroport (☎ 688-2411, 278-4001 à l'aéroport).

Tilden Rent-a-Car. Situé au 1140 Alberni Street (☎ 685-6111) et à l'aéroport (☎ 273-3121).

■ La location de bicyclettes

On peut louer des bicyclettes (3, 5 et 12 vitesses), des vélos de montagne, et même des patins à roulettes chez A.B.C. Rentals, localisé à l'entrée du parc Stanley, au 676 Chilco Street (☎ 681-5581). Ouvert de 8 h à 21 h en été, et de 9 h à 18 h en hiver.

■ Le taxi

Il existe plusieurs entreprises de taxis à Vancouver dont on trouvera facilement les coordonnées dans les Pages Jaunes. Voici quelques-unes de celles-ci :

Yellow Cabs (☎ 681-1111)
McLure's (☎ 731-9211)
Black Top (☎ 731-1111)

■ Services pour personnes handicapées

Un service d'autobus spécialement équipés pour accueillir les gens devant se déplacer en fauteuil roulant est disponible. Il se nomme Handydart et ses prix sont à peine plus élevés que ceux du service régulier de transport en commun. Il faut cependant réserver à l'avance en composant le ☎ 430-2692.

La firme Vancouver Taxi (☎ 255-5111) offre également un excellent service aux personnes handicapées grâce à ses voitures-taxis dessinées spécialement à cette fin. Les tarifs sont les mêmes que pour les autres voitures.

■ Le transport à partir de Vancouver

Par autobus

Le terminus d'autobus (Greyhound Bus Depot) est localisé au 150 Dunsmuir Street (☎ 662-3222). On ne peut pas réserver de place à l'avance.

Par train

On trouve la gare ferroviaire de Via Rail au 1150 Station Street, tout juste derrière la station du métro, dans Science World. Des trains à destination de Kamloops, Banff, Jasper, Calgary, et l'Est du Canada partent de cette gare.

Par ailleurs, la gare de B.C. Rail se situe au 1311 First Street West, à North Vancouver (☎ 984-5246). Parmi les destinations offertes, mentionnons Squamish, Whistler, Pemberton, Lillooet, Clinton, 100 Mile House, Williams Lake, Quesnel et Prince George.

Par bateau ou traversier

C'est au Tsawwassen Ferry Terminal, à 30 km au sud de Vancouver, qu'il faut se rendre pour embarquer à bord d'un traversier se dirigeant vers les Gulf Islands ou vers l'île de Vancouver (point d'arrivée : Swartz Bay, à 32 km au nord de Victoria). Du centre-ville, la route n°17 Sud mène au quai du traversier.

Les traversiers à destination de Nanaimo, sur l'île de Vancouver, de l'île Bowen, ou de la Sunshine Coast, partent du Horseshoe Bay Ferry Terminal, situé un peu à l'ouest de West Vancouver.

Par avion

L'aéroport international de Vancouver se trouve à quelque 25 min de route au sud de la ville. Les transports publics (autobus n°100), des autobus directs (6,50 $) et des taxis (autour de 15 $) desservent tous l'aéroport.

Attraits touristiques

■ Marine Drive

Lorsque l'on arrive à Vancouver par le sud, il est bien agréable de quitter l'autoroute n°99 juste après le pont de Oak Street et d'emprunter le Marine Drive, une agréable route panoramique relativement peu fréquentée (du moins en semaine).

Cette promenade permet d'apercevoir de chic immeubles à appartements, d'extravagants manoirs, des terrains de golf et de polo, de même que le **Marine Drive Forestshore Park**. La route mène aussi au magnifique campus de l'**Université de la Colombie-Britannique**, la plus vieille et la plus grande université publique de la province. On pourra découvrir à l'intérieur de ses limites l'excellent **Museum of Anthropology** ainsi qu'un beau jardin japonais.

Les terrains de stationnement de **Spanish Banks** et du **parc Jericho** permettent une vue imprenable sur la ville et le célèbre **parc Stanley**.

À l'intersection de Marine Drive et de la 4e Avenue (l'auberge de jeunesse est à deux pas d'ici), il faut tourner à gauche jusqu'à la rue Macdonald, tourner à gauche à nouveau, et puis prendre à droite sur la rue Cornwall, ce qui permet de franchir le pont Burrard et d'accéder au centre-ville. Auparavant, on peut décider de faire une halte au **parc Vanier** où se trouvent le **planétarium**, le **Vancouver Museum** et le **musée maritime**. Pour ce faire, une fois sur Macdonald, il faut prendre à droite sur Pt. Grey Road, et tourner à gauche sur Arbutus Street.

■ Les points d'observation

En plus des extraordinaires panoramas offerts tout au long du Marine Drive, Vancouver possède en son centre quelques points d'observation remarquables qui permettent de superbes vues d'ensemble. C'est le cas du minuscule **parc Portal**, aménagé au-dessus du SkyTrain Terminal (terminus du métro aérien) sur Hastings Street West. On y a une belle vue sur **Canada Place**, à l'est, de même que sur **Burrard Inlet** et **North Vancouver**. L'endroit est très prisé des jeunes couples à la tombée du jour...

Pour un panorama à 360°, c'est au sommet du **Harbour Centre** qu'il faut aller. Un observatoire intérieur y a été aménagé à quelque 167 m au-dessus du niveau de la mer. On y accède grâce à un ascenseur extérieur fait de verre. Un spectacle multimédia de 15 min présentant Vancouver et ses principaux attraits est offert aux visiteurs. On trouve également au sommet un restaurant tournant. Situé au 555 Hastings Street West, près de Richards Street, ☎ 689-0421 (ouvert tous les jours de 8 h 30 à 22 h 30 en été, et de 10 h à 18 h en hiver; adultes 5,35 $, enfants 3,75 $).

■ **Quoi voir au centre-ville**

Il n'est pas facile de trouver une place de stationnement au centre-ville de Vancouver. Il est donc préférable de laisser sa voiture garée à son hôtel ou dans un terrain de stationnement et d'explorer le centre de la cité à pied. L'excellent système de transport en commun permet également de se véhiculer rapidement à travers la ville. Une carte spéciale, l'*Explorer Pass*, permettant des tarifs privilégiés, est disponible pour les visiteurs dans les bureaux d'information touristique et les magasins de la chaîne *7-Eleven*.

Robson Street

Boutiques dernier cri, fine cuisine européenne, cafés où l'on sirote un cappuccino tout en observant les passants, voilà ce que l'on trouvera sur l'excitante et colorée Robson Street. On surnomme également cette rue Robsonstrasse à cause de la concentration de résidants d'origine germanique qu'on y rencontrait à une certaine époque. À l'extrémité Ouest de cette artère s'élève le **Robson Public Market** (1610 Robson Street), un impressionnant édifice coiffé d'un atrium de verre. L'autobus n°3, qui parcourt Robson Street vers l'ouest, permet de s'y rendre rapidement. La partie de Robsonstrasse la plus commerçante, là où s'alignent une série de boutiques chic, est située entre le marché public et Burrard Street. Au coin de Burrard Street, on remarque la **Vancouver Public Library** (Bibliothèque publique de Vancouver).

Un peu plus à l'est, entre les rues Hornby et Howe, on peut se détendre quelque peu au **Robson Square**, un important complexe comprenant bureaux gouvernementaux, restaurants intérieurs et extérieurs, patinoire extérieure en hiver et petites places ombragées avec fontaines.

De l'autre côté de la rue se dresse l'**ancien palais de justice** (1911), signé par Francis Rattenbury à qui l'on doit également plusieurs édifices publics de Victoria. Il abrite aujourd'hui le **Vancouver Art Gallery.** Ce musée présente une grande collection des œuvres d'Emily Carr, le peintre le plus connu de Colombie-Britannique. Entrée principale sur Hornby Street, ☎ 682-5621 (ouvert de 10 h à 18 h du lundi au samedi, et de 13 h à 18 h le dimanche; adultes 4,25 $, enfants 2,50 $).

Canada Place

Héritage de l'exposition internationale de 1986 (c'était le pavillon du Canada), le Canada Place est une imposante structure évoquant un paquebot géant qui serait couronné de voiles. C'est aussi le centre des congrès de la ville et le lieu d'ancrage de véritables bateaux de croisière (jusqu'à cinq en même temps). Il loge aussi le luxueux hôtel Pan Pacific, des restaurants, des boutiques, et un cinéma IMAX. Une promenade sur les «ponts» réserve de magnifiques vues sur le port, North Vancouver, la chaîne Côtière et les bateaux de croisière. Situé au pied de Burrard Street. Pour une visite guidée gratuite, contacter le 688-8687. On peut y accéder facilement grâce au SkyTrain (métro aérien), station Waterfront (se diriger alors vers l'ouest sur Cordova).

Gastown

Gastown est le plus vieux quartier de la ville. Certains de ses bâtiments datent d'aussi loin que 1886, avant même le grand incendie. On appréciera se balader dans ce coin de la ville par temps gris alors que les maisons rénovées et peintes de couleurs vives, les rues pavées de pierres rouges, bordées d'arbres et de lampadaires à l'huile, de même que les galeries, restaurants et boutiques réchauffent le cœur.

On peut entreprendre sa visite au **Maple Tree Square** (bordé par les rues Water, Carrall, Powell et Alexander) où s'élève la statue de Gassy Jack, le légendaire tenancier de saloon à qui le quartier doit son nom. On empruntera alors la rue Water pour découvrir la première horloge à vapeur au monde au coin de Cambie Street. Au 125-131 de la rue Water, on trouve la boutique d'importation écossaise House of McLaren où l'on vend de délicieux bonbons et divers autres articles venus d'Écosse.

On accède à Gastown à l'aide du SkyTrain, station Waterfront (se diriger alors vers l'est sur Cordova Street), ou en attrapant l'autobus n°50 au Granville Mall.

■ **Quoi voir en bordure du centre**

Chinatown

Le quartier chinois de Vancouver, second en importance en Amérique du Nord et l'un des plus grands en dehors d'Orient, mérite un détour. L'endroit est particulièrement excitant lorsqu'une fête ou un festival chinois bat son plein alors que des dragons se mêlent à la foule pour danser dans les rues. Le Chinatown s'étend à quelques rues au sud de Gastown, le long de Pender Street, entre les rues Carrall et Gore. Une multitude de boutiques proposent des marchandises diverses : ginseng, sauce soja, champignons séchés, théières, papiers fins, etc. L'architecture est également admirable de même que le mobilier urbain, comme ces cabines téléphoniques aux toits rappelant ceux des pagodes. On y trouve de plus une grande quantité de restaurants.

Le **Centre Culturel Chinois** présente des expositions occasionnelles portant sur des activités diverses comme la culture des bonsaïs ou la peinture aquarelle. Les prix d'admission varient selon les expositions. Par ailleurs, il ne faut surtout pas rater le jardin chinois du Dr Sun Yat-Sen, à l'arrière du centre. Il est l'œuvre d'artistes chinois venus de la ville de Suzhou, en 1986. Il s'agissait alors du premier jardin chinois classique à être aménagé hors de Chine. Situé au 578 Carrall Street, ☎ 689-7133 (ouvert tous les jours dès 10 h; adultes 3,50 $).

Science World

Au sud-est de la ville s'élève la géode, cette gigantesque balle de golf argentée qui constituait, avec ses comptoirs d'information, ses boutiques et ses restaurants, le lieu de ralliement durant l'Expo 86. Aujourd'hui, elle est devenue un des symboles de Vancouver et elle abrite Science World, sorte de musée des sciences et technologies. Situé au 1455 Québec Street, ☎ 687-7832. On peut s'y rendre au moyen du SkyTrain, station Main Street.

B.C. Place Stadium

Autre monument symbolique à Vancouver, le B.C. Place Stadium peut accueillir jusqu'à 60 000 spectateurs. Les matchs de football américain des Lions de la Colombie-Britannique, équipe membre de la Ligue Canadienne de Football, y sont présentés. Son toit est gonflé d'air, ce qui élimine la nécessité de piliers ou colonnes de soutien. Son inauguration au milieu des années quatre-vingt permit à Vancouver de savourer une victoire sur Montréal et Toronto, en remportant la course au premier stade couvert au Canada. Situé au 777 Pacific Blvd., au sud de la ville, ☎ 681-3664. Le SkyTrain (station Stadium) constitue le meilleur moyen de s'y rendre.

Granville Island

Reliée au Sud du centre-ville par le pont du même nom, l'île de Granville vaut qu'on s'y arrête quelques heures, le temps d'une balade au hasard de ses rues bordées de boutiques, de restaurants, de marchés et de théâtres qui logent à l'intérieur d'anciens entrepôts maritimes. La vue sur le **port de plaisance de False Creek** est des plus agréables.

On trouvera un bureau d'information touristique au 1592 Johnson Street (ouvert tous les jours de 9 h à 18 h). L'autobus n°50 relie le centre-ville (rue Howe) à Granville Island (passage : 1,25 $). Il est fortement recommandé d'utiliser le transport en commun pour se rendre dans ce lieu extrêmement populaire. La circulation y devient particulièrement dense durant la fin de semaine, rendant cauchemardesque la recherche d'un espace de stationnement...

False Creek

Sauter à bord d'un des nombreux petits traversiers qui sillonnent False Creek constitue une bien belle façon de découvrir ce grand port de plaisance. Il y en a plusieurs desservant **Granville Island**, la **plage Sunset** près du **Vancouver Aquatic Centre**, de même que le **parc Vanier**.

En plus de sa plage, le Vancouver Aquatic Centre dispose d'une grande piscine intérieure (adultes : 2,70 $) et d'un centre de conditionnement physique (adultes : 3,20 $). Situé au 1050 Beach Avenue, ☎ 665-3424.

Au parc Vanier, on peut découvrir un musée maritime et le **Vancouver Museum and Planetarium** (voir la section «Les musées», p. 132).

■ Le West End

Le joli parc côtier **English Bay Beach** fait partie de ce que les Vancouverois appellent le *West End*. Sa plage de sable doré, sa promenade et ses allées de verdure sont très prisées des coureurs, cyclistes et marcheurs. En arrière-plan, on remarquera des immeubles d'appartements haut de gamme, ainsi que des cafés et restaurants d'avant-garde. Le secteur est particulièrement couru pour le brunch du dimanche.

Les plus énergiques poursuivront leur balade vers le nord en empruntant la **Seawall Promenade** qui permet de rejoindre le magnifique **parc Stanley**. Au menu : superbes vues, plages, parcs et jardins.

 Les musées

La ville de Vancouver est pourvue de nombreux musées, grands et petits, généraux et spécialisés. Le guide *Discover Vancouver on transit*, remis gracieusement aux visiteurs se procurant une *Explorer Pass*, contient une liste exhaustive des musées et galeries de la ville.

Musée d'anthropologie (University of British Colombia)

Cet extraordinaire musée présente la plus grande collection d'art et d'artisanat indiens du Nord-Ouest de l'Amérique. Il loge dans un édifice ultramoderne conçu par l'architecte canadien Arthur Erickson. Des mâts totémiques, des sculptures, des bijoux, des masques, des paniers, et une monumentale sculpture de cèdre décrivant la légende du corbeau et des premiers hommes constituent l'essentiel de ce qu'on y retrouve. Il faut compter au moins deux heures pour la visite. Situé au 6393 N.W. Marine Drive, ☎ 822-3825 (ouvert de 11 h à 17 h du mardi au dimanche, avec prolongation jusqu'à 21 h le mardi; adultes 4 $, enfants 2 $). On peut accéder au musée au moyen de l'autobus n°10, depuis le Granville Mall.

Une promenade aux alentours du musée est par ailleurs conseillée afin de découvrir une série de mâts totémiques contemporains et une reconstitution d'un village Haida. De l'autre côté de Marine Drive, on pourra poursuivre la balade aux Nitobe Memorial Gardens, un magnifique jardin japonais traditionnel situé à deux pas du campus de l'université qui mérite, lui aussi, qu'on s'y attarde quelque peu. Pour des renseignements concernant les activités sur le campus, composer le ☎ 822-3131.

Vancouver Museum

Plus de 7 000 ans d'histoire sont racontés dans ce musée où l'on peut facilement passer deux heures. Les diverses salles d'exposition présentent des outils préhistoriques, des masques, des paniers tressés et des maquettes qui retracent la vie des ancêtres indiens de la région, puis le développement de la ville de Vancouver. Un restaurant et une boutique complètent les installations. Situé au 1100 Chesnut Street, dans le parc Vanier, ☎ 736-7736 (ouvert de 10 h à 17 h du mardi au dimanche, tous les jours en été; adultes 5 $, enfants 2,50 $).

À l'étage supérieur du musée se trouve le **H.R. MacMillan Planetarium**. Des représentations ont lieu à 14 h 30 et 20 h du mardi au dimanche (supplémentaires les jours de fin de semaine à 13 h et 16 h; adultes 4,50 $) ☎ 736-3656. En soirée, on y présente un spectacle au laser accompagné de musique rock (à 21 h 30 du mardi au dimanche, avec séance additionnelle à 22 h 45 les vendredis et samedis; adultes 6 $).

Tout près du musée, l'observatoire **Gordon Southam** accueille gratuitement les visiteurs les vendredis, samedis et dimanches de midi à 17 h, puis de 19 h à 23 h, par temps clair seulement.

Vancouver Maritime Museum

Ce musée raconte l'histoire maritime de la Colombie-Britannique. On y trouve entre autres le St-Roch, premier navire à avoir fait le tour de l'Amérique du Nord en empruntant le passage arctique et le canal de Panama. Il est aujourd'hui devenu un monument historique national que l'on peut visiter à l'intérieur du musée. On remarquera un petit port, le Heritage Harbour, juste derrière le musée. Situé au 1905 Ogden Avenue, dans le parc Vanier, à moins de 5 min de marche du Vancouver Museum (ouvert tous les jours de 10 h à 17 h; adultes 4 $, enfants 2,50 $). Il est à noter que des tarifs spéciaux sont aussi proposés aux visiteurs se procurant des billets à la fois pour le Maritime Museum et pour le Vancouver Museum.

 Les parcs et jardins

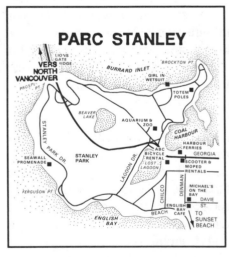

■ **Le parc Stanley**

Le magnifique parc Stanley couvre l'ensemble de la péninsule (405 ha) séparant les gratte-ciel du centre-ville et North Vancouver que l'on trouve de l'autre côté du pont Lions Gate. Cet énorme oasis couvert d'arbres et de jardins fut ainsi nommé en l'honneur de Lord Stanley, gouverneur général du Canada de 1888 à 1893.

On peut parcourir ce parc à pied en empruntant la Seawall Promenade (10 km) ou à bicyclette par le Scenic Drive. L'expédition permet de découvrir des points de vue superbes sur la ville, un sanctuaire d'oiseaux à Lost Lagoon, des mâts totémiques, un canon tirant à blanc chaque soir à 21 h, une statue surnommée *Girl in Wetsuit*, etc.

Le parc comprend également un **jardin zoologique** (ouvert de 10 h à 17 h; entrée gratuite) et l'**aquarium de Vancouver**. Ce dernier, avec ses quelque 8 000 animaux marins venant de tous les coins du monde est très bien aménagé et mérite qu'on s'y attarde (ouvert de 9 h 30 à 20 h; adultes 8,25 $, enfants 5,25 $). Pour de plus amples renseignements il faut composer le ☎ 682-1118 ou le ☎ 685-3364.

On peut louer une bicyclette au Stanley Park Bike Rentals, près de l'entrée du parc au 676 Chilco Street, ☎ 681-5581 (ouvert de 8 h à 21 h en été, et de 9 h à 18 h en hiver). Les visiteurs plus pressés apprécieront quant à eux sillonner les routes du parc sur un vélomoteur loué chez Stanley Scooter and Moped Rentals, à une rue du parc au 1896 West Georgia Street, ☎ 684-5117.

Le transport en commun dessert également le parc Stanley. On se rend tout d'abord à l'entrée du parc grâce à l'autobus n°19 que l'on peut attraper sur la rue Pender. En été, les jours de fin de semaine, l'autobus n°52 fait une boucle à l'intérieur du parc permettant à ses passagers de descendre en plusieurs endroits (service non disponible par mauvais temps; adultes 1,15 $, enfants 0,60 $).

■ **Le parc Queen Elizabeth**

Dans le Sud de la ville s'étend le parc Queen Elizabeth, 53 ha de splendides jardins. Depuis le sommet de Little Mountain, le point le plus élevé de Vancouver (152 m), la vue sur la ville et la chaîne Côtière est remarquable. On trouve également dans ce parc un grand dôme abritant le **Conservatoire Bloedel**. On y découvre une profusion de plantes et d'oiseaux tropicaux (ouvert tous les jours de 9 h à 17 h; adultes 2,80 $, enfants 1,40 $).

Une cafétéria, ouverte de 9 h 30 à 18 h, et un restaurant (le Quarry House) sont établis à l'intérieur des limites du parc

Queen Elizabeth, situé entre la 33rd Avenue East et la rue Cambie. L'autobus n°15 Sud, sur Burrard Street, permet de s'y rendre.

Les jardins Vandusen

On trouve plus de 1000 espèces de rhododendrons, de roses et d'autres fleurs dans ce jardin de 22 ha situé au sud de Vancouver, en plus d'une extraordinaire haie dessinant un labyrinthe et d'un jardin pour enfants garni de haies taillées en forme d'animaux. L'entrée des jardins est située à l'intersection de la 37th Avenue et de Oak Street (ouvert tous les jours en été de 10 h à la tombée du jour, et de 10 h à 16 h en hiver; adultes 4,25 $, enfants 2,15 $).

À l'intérieur des limites du parc se trouve le populaire Sprinklers Restaurant, ouvert de 11 h 30 à 15 h (prix raisonnables) et de 17 h 30 à 22 h (menu plus élaboré, prix plus élevés, clientèle mieux habillée...).

 ### Quoi voir à North Vancouver

Le pont suspendu Lions Gate, au nord du parc Stanley, permet de rejoindre la rive Nord de Burrard Inlet et North Vancouver. On peut également choisir de s'y rendre par le pont Second Narrows, depuis la banlieue de Burnaby, ou prendre le *SeaBus* qui fait la navette entre le centre-ville et la rive Nord (Lonsdale Terminal).

Lonsdale Quay Market

Une des attractions les plus vivantes de North Vancouver se trouve tout près du quai qui accueille le SeaBus. Il s'agit du Lonsdale Quay Market, un marché public complété par une galerie de boutiques à l'étage et, au second étage, par un hôtel (le Lonsdale Quay Hotel) et une grouillante boîte de nuit (le Tug's Cafe Bar).

Le parc Capilano

À l'origine, on trouvait dans ce parc inauguré en 1899, un magnifique pont de bois et de chanvre de 137 m qui enjambait un canyon. Aujourd'hui, plusieurs ponts plus tard, c'est une structure faite de bois et de métal qui est suspendue à 70 m au-dessus de la rivière Capilano. Il faut compter une trentaine de minutes pour explorer le parc, traverser le pont, et observer des sculpteurs de mâts totémiques en plein travail (en été). Pour s'y rendre, il faut emprunter Marine Drive, à la sortie du pont Lions Gate, et tourner à gauche sur Capilano Road jusqu'au 3735 où l'on doit à nouveau tourner à gauche (ouvert de 8 h 30 à 20 h 30 en été, et de 9 h à 17 h en hiver; adultes 5,50 $, enfants 4 $). En été, le pont s'illumine à la tombée du jour.

Le centre de pisciculture de Capilano

C'est sur Capilano Road que l'on trouve la première ferme piscicole de la province. Voilà donc l'endroit tout indiqué pour apprendre à mieux connaître le cycle de vie du saumon grâce à des expositions et des présentations didactiques. Situé au 4500 Capilano Park Road (entrée gratuite).

Un peu plus au nord, on apercevra **Cleveland Dam**, un barrage dont la construction, en 1954, permit la formation du lac Capilano, principal réservoir d'eau potable de Vancouver. De beaux sentiers de randonnée pédestre sont accessibles dans ce secteur.

Grouse Mountain

Plus au nord, Capilano Road devient le Nancy Green Way, ainsi nommé en l'honneur de la skieuse canadienne médaillée olympique. Par cette route, on atteint bientôt Grouse Mountain où l'on peut monter à bord de télécabines menant au sommet, situé à 1250 m d'altitude. L'ascension, qui dure huit minutes, se fait presque à la verticale. De là-haut, la vue embrasse la ville toute entière, incluant le parc Stanley, la baie de Burrard Inlet et

North Vancouver. Ces télécabines fonctionnent toute l'année de 9 h à 21 h; adultes 12,75 $, enfants 6,50 $.

Au sommet, des tours d'hélicoptère sont offerts (20 $ pour 5 min, 50 $ pour 15 min) à partir de 11 h jusqu'au coucher du soleil, ☎ 525-1484. On y trouve également le Mountain Bistro (ouvert tous les jours de 11 h à minuit) et le restaurant plus chic Grouse Nest (billet de télécabine gratuit avec toute réservation). Ce dernier restaurant ouvre ses portes entre 17 h et 21 h 30. L'entrée au parc est situé au 6400 Nancy Greene Way, ☎ 984-0661.

Lynn Canyon

Encore ici, un pont suspendu permet de passer d'un côté à l'autre de ce canyon, et ce à 80 m au-dessus de la rivière Lynn et de ses chutes. De nombreuses pistes de randonnée sont ici accessibles. De plus, on peut s'arrêter quelques instants au Lynn Canyon Ecology Centre, un centre d'interprétation de la nature où l'on consultera diapositives, éléments d'exposition et maquettes portant sur la vie des plantes et des animaux. Pour s'y rendre, il faut suivre Lynn Valley Road. On y accède par l'autoroute n°1, jusqu'à Peters Road où l'on tourne à droite.

■ Le parc provincial Mount Seymour

Mount Seymour, situé à tout au plus 30 min de route de la ville, est le parc provincial le plus près de Vancouver. Pour y accéder, il faut prendre la sortie menant au Mount Seymour Parkway de l'autoroute n°1/99, puis emprunter Mount Seymour Road. Une route réservant des panoramas à couper le souffle sillonne la forêt de ce parc de 3 508 ha. Certains de ses arbres ont plus de 2 000 ans. Au centre alpin (1 006 m), un café, un bureau d'information et les services nécessaires aux skieurs attendent les visiteurs. De là, on peut s'engager dans un sentier de randonnée menant au sommet (1 453 m). Des télésièges, en juillet, en août et durant les fins de semaine de septembre et d'octobre, permettent aussi d'accéder aux plaines alpines (de 11 h à 17 h, ☎ 986-3444).

 Quoi voir à West Vancouver

Le parc provincial Cypress

Le parc Cypress est un endroit offrant une vue remarquable sur le détroit de Georgia, qui sépare l'île de Vancouver du continent. Aussi, avec un peu de chance, des jumelles, et beaucoup d'imagination, peut-être pourra-t-on apercevoir *Say-noth-kai*, le serpent à deux têtes qui, selon une légende indienne Salishs, habite les eaux du détroit de Georgia... L'endroit permet de plus, par temps clair, un coup d'œil sur le **mont Baker**, vers le sud-est. Il s'agit là d'un des volcans de la côte du Pacifique.

En été, on peut pique-niquer, pratiquer la randonnée pédestre, ou aller au sommet de **Black Mountain** (1 220 m) au moyen d'un télésiège. En hiver, ce sont le ski alpin et le ski de fond (26 km de pistes) qui prennent la relève, ☎ 926-8644.

Horseshoe Bay

Petite ville très appréciée des visiteurs se dirigeant par traversier vers l'île de Vancouver, ou en revenant, de même que de ceux qui explorent la côte Sunshine, Horseshoe Bay a beaucoup à offrir. Une promenade le long du front de mer, aux abords de son très joli port vaut vraiment le coup. De plus, le village fourmille de bons petits restaurants et de pubs.

 Hébergement

Quel que soit le type d'hébergement recherché, Vancouver a de quoi répondre à toutes les attentes : emplacements pour tente ou caravane, auberges, *Bed & Breakfasts*, hôtels de grand luxe, etc. On peut obtenir de l'assistance pour choisir son lieu de séjour au bureau d'information touristique situé au 563 Burrard Street (☎ 683-2772).

Il est recommandé de faire des réservations, principalement vers la fin du printemps et tout au long de l'été.

■ Hébergement de luxe

Le **Granville Island Hotel** (130-140 $, bp, ec, ℜ, ●, 1253 Johnson Street, ☎ 683-7373) attire la faune *jet-set*. La plupart des chambres donnent sur False Creek. Il est situé sur l'île de Granville, au sud de Vancouver, où l'on trouve des salles de cinéma, des restaurants, des galeries d'art, des magasins et un marché public.

L'**Hotel Vancouver** (185-305 $, ≈, ℜ, 900 West Georgia Street, ☎ 684-3131) propose, avec son toit de cuivre, l'élégance d'autrefois en plein centre-ville. On ne peut le rater avec son toit vert, ses gargouilles et son style gothique classique qui rappelle un vieux château.

Le très beau **Pan Pacific Vancouver Hotel** (129-265 $, ≈, ℜ, ●, 999 Canada Place, ☎ 662-8111), s'élevant sur le bord de Burrard Inlet, offre une vue imprenable sur le port et sur la ville.

Pour ceux qui préfèrent opter pour la rive Nord, le **Lonsdale Quay Hotel** (122 $ à 145 $, ≈, ℜ, ●, 123 Carrie Cates Crescent, North Vancouver, ☎ 986-6111) est à signaler. Situé à proximité du quai du *SeaBus*, il ne se trouve qu'à 12 min du centre-ville.

■ Hébergement de catégorie moyenne

On trouve toute une série d'hôtels et de motels à prix raisonnables le long de l'autoroute Kingsway (n° 1A/99A) à l'approche Sud de la ville, dans la section comprise entre Boundary Road et Main Street. En moyenne, on peut s'en tirer à 40 $ la nuit.

L'hôtel du YMCA (50 $, ≈, 955 Burrard Street, ☎ 681-0221) propose de petites chambres propres avec salles de bain communes pour hommes, femmes ou couples. Draps et serviettes fournis. Situé à deux pas du *night life* de Vancouver.

L'hôtel du YWCA (55 $ à 65 $, ≈, 580 Burrard Street, ☎ 662-8188) est quant à lui un bon choix pour qui préfère loger au centre-ville. Moderne et bien localisé (à deux pas du bureau d'information touristique), il offre des chambres pour femmes seules, pour couples et pour familles, avec salle de bain privée ou commune.

Le Centre de conférences de l'Université de Colombie-Britannique (63 $, bp, ≈, C, ❀, 5961 boul. Student Union, ☎ 228-2963) offre l'hébergement aux visiteurs pendant les vacances des étudiants qui s'étendent du mois de mai au mois d'août (un petit nombre de chambres est disponible pendant l'année scolaire). À proximité de tous les services du campus universitaire.

L'Université Simon Fraser propose, entre les mois de mai et d'août, des chambres (37 $ incluant le petit déjeuner, entre les autoroutes n°7 et n°7A à Burnaby, ☎ 291-4201, demander la Shell House, chambre 239) à quiconque ne s'embarrasse pas du fait de se retrouver à 20 km au sud-est de la ville. Situé au sommet d'une colline, le mont Burnaby, le campus de cette université est renommé pour les vues imprenables qu'il permet sur la ville.

Au centre-ville, le petit hôtel Kingston (38-60 $ incluant le petit déjeuner, 757 Richards Street, ☎ 684-9024) est également à signaler. Situé à deux pas du terminus d'autobus et de la rue Robson.

■ **Hébergement pour petit budget**

Vancouver possède quantité d'auberges bon marché au centre-ville. Il faut cependant se rappeler que la plupart de celles-ci sont situées dans la partie la plus défraîchie de la ville... Un bon moyen pour traquer les aubaines consiste à consulter le tableau d'affichage au terminus d'autobus et à utiliser le téléphone sans frais mis à la disposition du public.

Toutefois, c'est l'**auberge de jeunesse de Vancouver** (12,50-17,50 $ ℜ, 1515 Discovery Street à Pointe Grey, près de l'intersection North West Marine Drive et West 4th Avenue, ☎ 224-3208) qui se classe bonne première dans cette catégorie grâce à son emplacement sûr et enchanteur. Elle est située à une trentaine de minutes du centre-ville, dans un secteur très fréquenté par les cyclistes, près du parc Jericho, d'une marina et d'une plage. Cet immense bâtiment blanc dispose de dortoirs pour femmes et pour hommes, de même que de chambres pour couples et familles. On ne peut y loger plus de trois nuits consécutives.

 Camping

Il n'y a aucun terrain de camping à l'intérieur même de la ville de Vancouver. Cependant, on en compte plusieurs en périphérie, aux abords de la plupart des routes donnant accès au centre-ville.

■ **Les parcs provinciaux**

Dans tout le Sud-Ouest de la Colombie-Britannique, un grand nombre de parcs provinciaux offrent des sites pour le camping à prix abordables. Certains de ces sites s'adressent toutefois aux adeptes du camping sauvage et ne sont accessibles qu'à pied. Il est impossible de réserver à l'avance un emplacement dans un parc provincial; il faut donc arriver tôt. On peut obtenir plus de renseignements sur les parcs de la région côtière de la Colombie-Britannique en composant le ☎ 929-1291.

Au **parc provincial Mount Seymour**, situé à 15 km au nord-est du centre-ville à North Vancouver, on permet le camping alpin au nord de la pointe Brockton.

Il est également possible de pratiquer le camping sauvage au **parc provincial Cypress**, qui se trouve à 12 km au nord-ouest du centre-ville, le long du sentier Howe Sound Crest et au-delà des zones de ski.

Les terrains de camping commerciaux

C'est le **Capilano Mobile Park** qui constitue le terrain de camping le plus rapproché des attraits de Vancouver. Il est extrêmement bien situé, sur la rive Nord face au pont Lions Gate et au parc Stanley. Cependant, il s'adresse davantage aux campeurs avec caravane, le nombre d'emplacements pour tentes étant limité. De plus, l'endroit est très achalandé en été. On peut toutefois réserver à l'avance. Un emplacement coûte entre 18 $ et 28 $ par nuit. Situé au 295 avenue Tomahawk à North Vancouver (accès direct par l'autoroute n° 1/99, ☎ 987-4722).

Convenant à la fois aux campeurs avec tente et à ceux avec caravane, le grand **Richmond RV Park and Campground** se trouve à moins de 20 min au sud de la ville, à Richmond. Ce terrain fait face à la rivière Fraser et un sentier de randonnée pédestre de 8 km court le long de la digue qui suit le bras Nord pour prévenir l'inondation de la route. S'y côtoient promeneurs, coureurs, cyclistes et amateurs d'avions et d'hydravions (on peut apercevoir un hydrobase depuis le camping qui, de plus, est aménagé tout au bout de la dernière piste de l'aéroport international de Vancouver). Il en coûte 13 $ pour un emplacement pour tente sans service, et de 17 $ à 20 $ pour un site avec services pour caravane. Situé au 6200 River Road, angle Hollybridge Road, à Richmond (☎ 943-5811).

Pour ceux qui désirent accéder à la ville au moyen du traversier Taswwassen, le **Park Canada RV Inns**, situé à proximité des glissades d'eau du Slashdown Park sur l'autoroute n° 17, s'avère très commode. Il devient cependant bondé de caravanes en été. Il en coûte entre 12 $ et 18 $ par nuit, pour deux personnes. De l'autoroute n° 17, on y parvient en suivant les indications *Victoria Ferry* et en prenant la sortie *52nd Street* (☎ 943-5811).

À Surrey, au sud de Vancouver, le **Vancouver KOA** est renommé pour ses aires de camping gazonnées et ses grands espaces. Tous les services y sont offerts. Situé au 14601 40th Avenue, à Surrey (☎ 594-6156).

 Restaurants

Robson Street est sans conteste l'endroit privilégié pour dénicher de bons petits restaurants français, italiens, chinois, portugais, japonais, vietnamiens, indiens, mexicains, californiens, etc. Il s'agit là d'une concentration remarquable permettant un choix exceptionnel. On trouve de plus, ailleurs dans la ville et dans sa région périphérique, d'autres perles qu'il fait bon découvrir.

■ **Les restos à bon prix**

The Cellar (745 Thurlow Street, au sous-sol). On trouve ici pas moins de quatre restaurants différents... Tout d'abord, **Las Margaritas** offre une cuisine mexicaine dans un décor de stuc blanc agrémenté de nappes colorées et de sombreros. Il faut essayer les *fajitas* (9 $). Puis, il y a **The Keg Steak House**, ouvert tous les jours (pour le dîner seulement la fin de semaine), où l'on sert de généreuses portions de steak et de fruits de mer (5,50 $ à 14 $). Deux restaurants japonais complètent ce «complexe gastronomique».

Red Robin Restaurant (À l'intersection des rues Thurlow et Alberni, à l'étage). Les amateurs de hamburgers en ont ici pour leur argent. On y sert également de délicieux sandwichs et de savoureuses salades. S'installer près d'une fenêtre permet de profiter d'une superbe vue sur la rue et la montagne. Ouvert de 11 h à minuit du lundi au jeudi, jusqu'à 1 h le samedi, et jusqu'à 23 h le dimanche.

The Food Fair (Juste à côté du Red Robin Restaurant). Pour des mets chinois, des *fish & chips* ou des sandwichs pour apporter ou manger sur le pouce à l'une des tables.

Monte Cristo (À l'intersection des rues Thurlow et Robson). Cette boulangerie-pâtisserie doublée d'un restaurant est toujours bondée. D'ailleurs, lorsque enfin on arrive à goûter à ses croissants ou à l'une de ses pâtisseries, on comprend pourquoi... Le spécial du petit déjeuner est servi jusqu'à 10 h, le prix des déjeuners est raisonnable (5 $ à 8 $), alors qu'il en coûte un peu plus cher pour le dîner (à partir de 10 $). L'été, on peut manger sur la terrasse extérieure et ainsi constater à quel point ce secteur est cosmopolite. Un comptoir sert aussi de succulentes glaces à 1,75 $.

Joe Fortes Seafood and Chop House (777 Thurlow Street, entre les rues Robson et Alberni). Pour les fruits de mer les plus frais en ville. L'attente est souvent longue à ce très populaire restaurant, mais elle est atténuée par de magnifiques murales que l'on prend plaisir à contempler en attendant son tour. Ouvert à partir de 11 h 30 pour le déjeuner (6 $ à 10 $) et le dîner (10 $ à 15 $), du lundi au samedi.

White Spot Restaurants (On en compte plusieurs à Vancouver dont un sur Robson Street, près de Burrard Street). Ces restaurants offrent de la cuisine canadienne de qualité, version *fast food*. Les desserts réservent de belles surprises (la tarte aux fraises est un pur délice...). Un repas coûte ente 4 $ et 10 $. Ouvert tous les jours de 6 h à 23 h.

Bananas Californian Restaurant (1044 Robson Street). Endroit à la mode avec son décor gris et rose. Nourriture santé de type «nouvelle cuisine» (lire : petites portions...) Plusieurs types d'omelettes (3,50 $ à 6 $) sont proposés jusqu'à midi (14 h, la fin de semaine) après quoi les mets principaux coûtent 8 $ et plus. Ouvert de 10 h à 22 h du lundi au vendredi, et de 10 h à minuit la fin de semaine.

■ Cuisine chinoise

Le Chinatown est évidemment le meilleur secteur pour trouver de bons restaurants chinois. Il faut se rappeler cependant que la partie Ouest du quartier chinois propose surtout des restaurants où la cuisine a été adaptée à la culture occidentale. Pour plus d'authenticité, c'est à l'extrémité Est du quartier qu'il faut aller.

Il y a de plus quelques autres bonnes adresses en dehors du Chinatown :

Yangtze Mandarin Restaurant (1542 Robson Street). Un des préférés des Vancouverois qui apprécient l'authenticité de sa cuisine. Un dîner pour deux coûte environ 17 $. Ouvert tous les jours.

Bill Key Restaurant (8 West Broadway, à l'intersection de la rue Ontario). Ici, le décor ne présente aucun intérêt, mais la nourriture est délicieuse, les portions bien garnies et les prix abordables (entre 7 $ et 10 $ incluant le thé chinois à volonté). Ouvert de 10 h 30 à 2 h, du dimanche au jeudi, et jusqu'à 3 h les vendredis et samedis (☎ 870-3222 ou 874-8522).

■ Cuisine amérindienne

Quillicum West Coast Indian Restaurant (1724 Davies Street). Une occasion unique de découvrir les spécialités amérindiennes comme le saumon fumé ou le caribou cuit sur charbon de bois. Compter 8 $ à 15 $ par personne. Ouvert de 17 h à 23 h tous les jours (☎ 681-7044).

■ Cuisine française

Le Crocodile (Thurlow Street, près de Robson). Une adresse *in* réputée pour la qualité de sa cuisine française et son ambiance intime. Les prix des repas commencent autour de 10 $. Ouvert de midi à 14 h et de 18 h à 22 h du lundi au vendredi, et de 18 h à minuit la fin de semaine.

■ **Pour le brunch**

English Bay Cafe (1795 Beach Avenue, à l'angle de la rue Denman, à English Bay). Ce resto est très achalandé toute la semaine, mais s'avère particulièrement apprécié pour le brunch du dimanche. En plus d'une nourriture savoureuse, les convives ont droit à une belle vue sur la plage et la baie. Ouvert de 11 h 30 à 14 h 30 et à partir de 18 h du lundi au samedi, et le dimanche de 10 h à 15 h pour le brunch de même qu'à partir de 18 h pour le dîner.

■ **Dîner à Gastown**

Brother's Restaurant (1 Water Street). Le décor de cet étrange restaurant rappelle un monastère : bois, brique, vitraux, chandeliers, murales représentant des moines. Les soupes sont excellentes (particulièrement la soupe de palourdes de Boston). Les serveurs arborent le sérieux et le costume qui conviennent à l'atmosphère de l'endroit. Il faut compter entre 4,50 $ et 9 $ par personne pour un repas complet. Ouvert à partir de 11 h 30 tous les jours.

The Old Spaghetti Factory (53 Water Street).Pour aussi peu que 6 $, on a ici droit à des assiettes gigantesques de spaghettis et de pâtes. En attendant une place, on peut admirer un véritable tramway datant de 1910. Le déjeuner coûte entre 6 $ et 8 $, et le dîner de 6 $ à 12 $. Ouvert à partir de 11 h 30 tous les jours.

■ **West Vancouver**

Salmon House On The Hill Restaurant (2229 Folkstone Way, à West Vancouver). Réputé pour son saumon cuit sur charbon de bois, ce restaurant offre un décor unique : objets d'art et d'artisanat amérindiens disposés un peu partout et vue imprenable sur West Vancouver, le parc Stanley et le centre-ville. Sa façade est enjolivée d'un magnifique jardin de rhododendrons dont la beauté atteint son zénith en mai. Il faut compter 8 $ par personne pour le déjeuner, et autour de 25 $

pour le dîner. Ouvert 11 h 30 à 14 h 30 et à partir de 17 h du lundi au samedi, et de 11 h 30 à 14 30 pour le brunch du dimanche. Réservations recommandées (☎ 926-3212).

 Vie nocturne

Toutes les formes de spectacles sont présentées à Vancouver. Pour savoir ce qui est à l'affiche et l'horaire des représentations, les hebdomadaires *Georgia Strait* et *West Ender*, de même que les quotidiens *The Province* et *The Vancouver Sun*, demeurent les meilleures sources.

■ Théâtre

Back Alley Theatre (751 Thurlow Street). Spectacles de variétés tous les soirs de la semaine.

Theatresports. Version vancouveroise du théâtre d'improvisation, ce jeu oppose deux équipes qui doivent se mériter la préférence du public pour marquer des points. L'assistance est appelée à participer et à donner des suggestions aux acteurs. Il en résulte des spectacles chaque soir différents. Représentations à 20 h et 23 h les vendredis et samedis. Réservations au ☎ 688-7013.

The Arts Club. Présentation de bonnes créations théâtrales dans trois salles différentes : le Arts Club Theatre Granville Island (rue Johnston sur l'île Granville), le Arts Club Review (tout juste à côté), et le Arts Club Theatre (rue Seymour). Réservations au ☎ 687-1644.

Queen Elizabeth Theatre (630 Hamilton Street, à l'intersection de Georgia street). La plus grande salle de spectacle de la ville où sont présentées des pièces de théâtre, des concerts, des opéras, et des spectacles de danse (☎ 665-3050).

Vancouver East Cultural Centre (1895 Venables Street). Pour du théâtre expérimental.

Robson Square Media Centre (800 Robson Street). Films, concerts, défilés de mode, et autres événements sont tour à tour à l'affiche de cette salle.

Comedy Punchlines Theatre (15 Water Street). Les meilleurs *stand-up comics* montent sur les planches de ce petit théâtre. Représentations à 21 h 30 et 23 h 30 tous les soirs, soirée d'amateurs le lundi à compter de 21 h 30 (☎ 684-3015).

Yuk Yuk's (1238 Davie Street). Un autre théâtre comique, il présente des spectacles les mercredis et jeudis à 21 h 30, et les vendredis et samedis à 20 h 30 et 23 h (☎ 687-5233).

■ **Musique**

Orpheum Theatre (Sur Granville Street). Concerts de musique classique et populaire (☎ 683-2311).

Hot Jazz Society (2120 Main Street). Concerts de musique jazz (☎ 873-4131).

Soft Rock Cafe (1935 West 4th Avenue). Spectacles rock, blues, folk, jazz et pop (☎ 736-8480).

Town Pump (66 Water Street). Spectacles et piste de danse (☎ 683-6695).

■ **Cinéma**

En plus des nombreuses salles de cinéma conventionnelles, il faut mentionner le **CN IMAX theatre** de Canada Place. Il s'agit d'un écran gigantesque, légèrement courbé, sur lequel on projette des images saisissantes qui donnent aux spectateurs l'impression de faire partie du film. Il en coûte 5,50 $ en matinée et 7,50 $

en soirée. Réservations au ☎ 280-4444, renseignements au ☎ 682-4629.

■ Pubs

Depuis l'époque de Gassy Jack Deighton, premier tenancier de pub de la région, Vancouver a su perpétuer la tradition. Ainsi, de nombreux pubs ont pignon sur rue aux quatre coins de la ville. Tout Vancouverois a son favori et il ne manquera pas de le suggérer aux visiteurs curieux qui lui demandent. En voici toutefois quelques-uns parmi les plus populaires :

Stamp's Landing (610 Stamp's Landing, à False Creek). Ce petit, mais toujours vivant, pub de quartier est l'un des plus appréciés. En plus de la bière et des boissons alcoolisées, on y sert des repas légers. On peut aussi assister à des représentations de musiciens, la fin de semaine, et y apprécier le spectacle toujours fascinant du coucher du soleil derrière le port.

Blarney Stone (215 Carrall Street). Dans cet endroit à l'atmosphère chaleureuse, il n'est pas rare, au moment où on s'y attend le moins, que des clients entonnent des chants irlandais.

Queens Cross Neighbourhood Pub (Intersection de Upper Lonsdale et Queens Road, à North Vancouver). Ce lieu est très populaire pour le déjeuner (6 $), le verre que l'on prend entre amis après le travail, l'apéro et le brunch du samedi (de 10 h à 13 h) ou du dimanche (11 h à 14 h). Ouvert tous les jours jusqu'à minuit.

Rusty Gull (Sur Lower Lonsdale, à North Vancouver). Un autre pub très populaire de North Vancouver.

Il est bon de noter que la plupart des pubs présentent des spectacles en soirée les vendredis et samedis.

LE SUD-OUEST

U ne fois prise la décision de quitter Vancouver, d'autres choix s'imposent. Cinq routes permettent d'échapper à la ville, laquelle choisir? Se diriger vers les plages? Foncer tout droit sur les montagnes? Opter plutôt pour les vallées, les rivières et les lacs? Faire un saut du côté de Victoria? On le voit, le problème est épineux...

La côte Sunshine

De Horseshoe Bay (à l'ouest de West Vancouver), il faut emprunter le traversier qui mène à Langdale. Puis, l'autoroute n°101 conduit à Earls Cove d'où part un second traversier vers Saltery Bay. L'autoroute n°101 poursuit alors son chemin vers le Nord-Ouest, longeant ainsi la côte Sunshine. Celle-ci s'étend sur 150 km le long du détroit de Georgia entre les baies de Howe, au sud, et de Desolation, au nord.

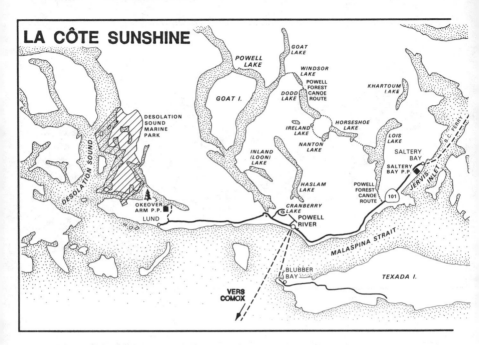

LA CÔTE SUNSHINE

On y trouve d'innombrables baies, des plages sablonneuses, de calmes lagunes, des caps s'avançant au-dessus de la mer, des parcs provinciaux, de magnifiques forêts et, en arrière-plan, les pics enneigés de la chaîne Côtière. C'est un paradis pour les cyclistes, les campeurs, les pêcheurs, les amateurs de plongée sous-marine, de randonnée pédestre et de navigation de plaisance.

L'économie de la région repose sur l'exploitation forestière, la pêche, de même que le tourisme, activité en pleine croissance (la population saisonnière augmente de 25% à chaque été...). La côte Sunshine jouit d'un étonnant microclimat caractérisé par des températures modérées en été et douces en hiver, et plus de 2 400 heures d'ensoleillement par année.

Pour ceux qui ne disposent pas de leur propre véhicule, la firme *Maverick Coach Lines* offre la possibilité d'accéder à la côte Sunshine par autobus (Vancouver à Gibsons : 11,50 $; à Sechelt : 14,40 $; à Powell River : 23,25 $, ☎ 255-1171). Une

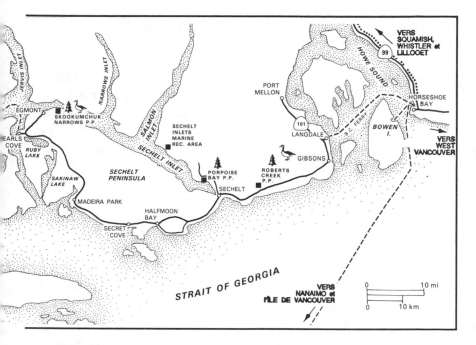

fois sur la côte, les minibus du Sunshine Coast Transit System permettent de se déplacer entre Gibsons, Langdale, Sechelt, Halmoon Bay et Redrooffs (☎ 885-3234).

■ De Gibsons à Powell River

Gibsons

Situé dans la baie de Howe, Gibsons fait figure de porte d'entrée de la côte Sunshine. Ce village est particulièrement apprécié des amateurs de pêche, de voile et de navigation de plaisance. La promenade nommée Gibsons Seawalk reliant la marina (illuminée en soirée) au quai Government est par ailleurs des plus agréables (10 min à pied).

C'est ici que l'on trouve le **Molly's Reach Cafe**, rendu célèbre dans la populaire émission de télévision canadienne *The Beachcombers*. Des tours guidés sont d'ailleurs organisés, en dehors des heures de tournage, sur le plateau situé sur Lower Marine Drive.

Le **musée Elphinstone Pioneer**, sur Winn Road, mérite également qu'on s'y arrête quelques instants. On y trouve divers objets remontant au début de la colonisation de la région et d'autres illustrant la culture des Indiens Salishs. De plus, ce musée possède sans doute la plus grande collection de coquillages au monde avec plus de 25 000 pièces!

D'autre part, on remarquera à Gower Point, situé à 4 km au sud-ouest de Gibsons, un cairn indiquant le premier endroit de cette partie de la côte visité par George Vancouver en 1792.

Pour plus de renseignements sur Gibsons et sur toute la région, le Gibsons Travel InfoCentre, ouvert tous les jours, se situe à l'intersection de Lower Marine Drive et Gower Point Road (☎ 886-2325).

Roberts Creek

Le petit village d'artistes de Roberts Creek se trouve à 9 km au nord-ouest de Gibsons. L'endroit est très fréquenté par les amateurs d'art et d'artisanat à la recherche de bonnes affaires. Un peu plus loin vers le nord-ouest, le parc provincial du même nom offre des sites pour le camping avec accès à des sentiers de randonnée pédestre, des chutes, un terrain de pique-nique et une plage de galets (8 $ par nuit).

En poursuivant encore un peu plus vers le nord-ouest, on rencontre bientôt **Wilson Creek**, une station balnéaire idéale pour la pêche, le camping et la voile.

Sechelt

Perché sur l'isthme séparant l'anse Sechelt et le détroit de Georgia, Sechelt est un centre culturel et administratif amérindien. L'industrie forestière, la pêche et le tourisme d'été sont les principales activités économiques de la ville. On peut y admirer des mâts totémiques et s'y procurer des objets d'artisanat autochtones : masques, paniers d'écorces de cèdre, bijoux faits de jade et de coquillages, etc. Par ailleurs, l'endroit est apprécié des amateurs de randonnée pédestre, de plongée-tuba et de voile.

Le bureau d'information touristique de Sechelt est situé au 5509 Shornecliffe Avenue (☎ 885-3100). Ouvert tous les jours de la mi-juin à la mi-septembre, en semaine seulement le reste de l'année.

Pender Harbour

Les amateurs de pêche sportive apprécieront les villages de **Madeira Park**, **Garden Bay** et **Irvines Landing** sur les côtes de Pender Harbour. Les lacs Ruby et Sakinaw, entre Madeira Park et Earl's Cove, constituent de véritables paradis pour la pêche à la truite, de même que la série de huit lacs s'étendant entre Garden Bay et Egmont. Par ailleurs, la majorité des épaulards que l'on retrouve dans les aquariums du monde entier proviennent de Pender Harbour.

Pour plus de renseignements sur cette partie de la côte, contacter le bureau d'information touristique de Pender Harbour / Madeira Park au 883-2561.

Le parc provincial Skookumchuck Narrows

En route pour Earls Cove, il vaut le coup de s'arrêter quelques moments au parc **Skookumchuck** pour y admirer de spectaculaires rapides pouvant atteindre jusqu'à 5 m de haut. C'est un bel endroit pour pique-niquer.

Une fois à **Earls Cove**, un service de traversier conduit à **Saltery Bay** en moins de 50 min.

Saltery Bay

On trouve, juste à l'ouest de Saltery Bay, un parc provincial où l'on peut camper (8 $ par nuit). En plus de posséder de belles plages, ce parc est un bon endroit pour pratiquer la plongée-tuba et pour observer des baleines ou des otaries.

■ Powell River

Située à 135 km de Vancouver, sur les bords du détroit de Malaspina, à mi-chemin entre l'anse Jervis et la baie de Desolation, la ville de Powell River est pratiquement entourée d'eau. Cette ville fut ainsi nommée en 1885 en l'honneur du Dr Israel Powell, commissaire aux affaires indiennes, qui dirigea le mouvement devant amener la Colombie-Britannique au sein de la Confédération canadienne en 1871.

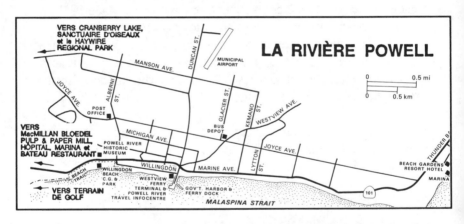

C'est au début du XXe siècle que débuta l'exploitation forestière autour des lacs Lois, Horseshoe et Nanton. Dès 1912, Powell River s'est avérée le premier centre de production de papier journal de l'Ouest du Canada. Aujourd'hui, Powell River est devenue un centre de pêche florissant (saumon, truite) et un agréable point de départ pour la pratique d'une foule d'activités de plein air (plongée-tuba, navigation de plaisance, canot, randonnée pédestre, etc.), en plus d'abriter l'une des plus importantes papeteries au monde.

Attraits touristiques

Le **musée de Powell River** permet de faire un saut dans le passé. Grâce à des archives photographiques impressionnantes (troisième en importance dans la province), il fait découvrir au visiteur ce que pouvaient bien avoir l'air les environs avant même l'établissement de la ville. Situé sur Marine Avenue, face à la plage Willingdon, ☎ 485-2222 (ouvert de 10 h à 18 h tous les jours du mois de mai au mois d'août, et de 10 h à 17 h du lundi au vendredi le reste de l'année; adultes 1 $, enfants 0,50 $).

Par ailleurs, on peut visiter la **papeterie MacMillan Bloedel**, l'une des plus grandes du monde. Des visites guidées de deux heures sont offertes tous les jours, en été, à 9 h, 10 h, 13 h et 14 h. Située au 6270 Yew Street, ☎ 483-3722 (les enfants de moins de 12 ans ne sont pas admis).

Hébergement

On trouve dans la région une vingtaine de terrains de camping. Le **Willingdon Beach Municipal Campground**, sur Marine Avenue, a l'avantage d'être localisé au centre-ville. Compter environ 12 $ l'emplacement pour une tente et près de 15 $ l'emplacement pour caravane. Les adeptes du canot opteront plutôt pour le **Haywire Bay Regional Park** (8 $, ☎ 483-3231), situé à l'extrémité de la route canotable Powell Forest, sur le lac Powell, à 7 km au nord de la ville.

Le **Beach Gardens Resort Hotel** (46 $ à 125 $, bp, ≈, ℜ, C, 7074 Westminster Avenue, ☎ 485-6267) plaira davantage à ceux qui recherchent confort et vue imprenable sur la marina.

Restaurants

Beverly Anne's Cafe (4715 Marine Avenue, près de la plage Willingdon). Repas légers.

Dutch Sandwich Shop (4480 Willingdon Avenue, près du quai de traversier Westview). Repas légers.

The Oriental (Au coin des rues Wharf et Westview). Pour de bons mets chinois à partir de 5,50 $.

The Seahouse (4448 Marine Avenue, ☎ 485-9151). Pour un repas plus raffiné dans un restaurant aménagé à l'intérieur d'une maison ancestrale offrant une belle vue sur la mer. Le brunch du dimanche est constitué de fruits de mer frais et de salades variées (ouvert pour le déjeuner à compter de 11 h 30, et pour le dîner dès 16 h 30).

Beach Gardens Resort Hotel (7074 Westminster Avenue, ☎ 485-6267). Le restaurant de cet hôtel est très apprécié pour ses fruits de mer et sa fine cuisine. En été, une terrasse surplombe les eaux du détroit de Malaspina.

■ Au-delà de Powell River

À quelque 28 km au nord de Powell River, le village de pêche de Lund constitue la porte d'entrée de la superbe région de la baie de Desolation (Desolation Sound).

Desolation Sound Marine Park

Englobant 8 256 ha de la péninsule Gifford, de même que les eaux adjacentes à la baie de Desolation et une série d'îles au large, le parc maritime Desolation Sound est le plus important de la Colombie-Britannique. Aucune route ne mène jusque-là et le territoire demeure totalement vierge : le paradis, diront certains...

Le capitaine Vancouver, qui baptisa l'endroit de ce curieux nom après l'avoir visité en 1792, ne fut de toute évidence que peu impressionné par ce qu'il découvrit alors. Aujourd'hui pourtant, cette région attire de nombreux adeptes de la navigation, du canotage et de la pêche grâce aux courants chauds qui font de ses eaux l'habitat d'une riche vie marine.

Sea to Sky Country

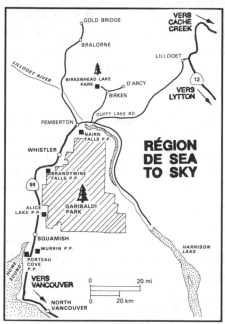

La spectaculaire route n°99 entre Horseshoe Bay et Whistler, surnommée *Sea to Sky Highway* (littéralement : l'autoroute reliant la mer et le ciel), est à voir absolument. Sur sa droite, on longe les montagnes de la chaîne Côtière presque entièrement couvertes d'arbres. Sur sa gauche, la baie de Howe et sa multitude d'îles, de même que les chemins de fer créent un magnifique décor.

Plusieurs services de transport public permettent d'explorer cette partie du Sud-Ouest de la Colombie-Britannique. On peut choisir l'autobus avec la firme *Maverick Coach Lines* (☎ 662-80-51 de Vancouver; ☎ 898-3914 de Squamish; ☎ 932-5031 de Whistler Village), ou encore le train avec *B.C. Rail* (☎ 631-3500 de North Vancouver; ☎ 898-2420 de Squamish; ☎ 932-4003 de Whistler Village). Au départ de Vancouver, des trains desservent quotidiennement le Sud-Ouest de la province jusqu'à Prince George.

Entre la mi-mai et la fin septembre, on peut également découvrir les environs à bord d'un train antique tiré par une locomotive à vapeur (☎ 631-3500) ou du majestueux navire MV Brittania (☎ 687-9558).

■ Squamish

Cette petite ville portuaire de 12 000 habitants jouit d'une localisation exceptionnelle, au bord de la baie de Howe, au pied de montagnes aux pics enneigés. C'est ici que l'expression *Sea to Sky Country* prend tout son sens. *Squamish* est par ailleurs un mot indien Salishs signifiant «mère du vent». L'endroit fait d'ailleurs les délices des amateurs de voile. Squamish constitue de plus la porte d'entrée de la région récréative de **Whistler** et le point de départ de la **Nugget Route** menant à **Lillooet**.

Les premiers Blancs à s'installer dans la vallée le firent en 1888. Ils vivaient alors de l'exploitation de la forêt environnante. Plus tard, la ville devint un important centre forestier et, pendant un certain temps, le terminus du chemin de fer du Pacific Great Eastern qui ne devait être prolongé jusqu'à Vancouver qu'en 1956. Aujourd'hui, bien que la forêt continue de faire vivre une bonne partie des gens de la région, l'activité touristique tend à prendre une place de plus en plus importante (c'est ici que s'arrêtent le train à vapeur et les bateaux en provenance de Vancouver avec leur foule de visiteurs en route pour Whistler).

Les amateurs d'escalade se donnent également rendez-vous à Squamish afin de conquérir le **Stawamus Chief**, dit *The Chief*, un monolithe de granit haut de 762 m, ce qui en fait le second en importance dans le Commonwealth britannique après le rocher de Gibraltar.

 Le parc provincial Garibaldi

Situé à seulement 64 km de Vancouver, ce magnifique parc de 195 000 ha renferme une nature vierge exceptionnelle. On y aperçoit entre autres les montagnes couvertes de neige de la chaîne Côtière où domine le mont Garibaldi (2 678 m), ainsi nommé en 1860 pour honorer la mémoire de Giuseppe Garibaldi, homme d'État italien du XIXe siècle. Parmi les autres attraits spectaculaires du parc, mentionnons la montagne Black Tusk

(2 315 m), les Gargoyles, une formation rocheuse érodée qu'un sentier de randonnée permet d'atteindre depuis l'entrée Sud du parc, et une coulée de lave s'étendant sur 1,5 km à l'ouest du lac Garibaldi.

Aucune route ne traverse ce parc. Tout au plus peut-on se rendre jusqu'aux abords de cette superbe réserve naturelle. La période de juillet à septembre est la meilleure pour explorer le parc Garibaldi et découvrir son épaisse forêt de cèdres et de sapins, ses lacs d'un bleu éclatant et ses glaciers géants. On pourra également y apercevoir des ours noirs, des chèvres de montagne et des chevreuils. Par ailleurs, du mois de novembre à la mi-juin, on peut y pratiquer le ski de fond.

Entre Squamish et Pemberton, l'autoroute n°99 permet de gagner les cinq entrées du parc : Diamond Head, Black Tusk/lac Garibaldi, lac Cheakamus, Signing Pass et lac Wedgemount. Ces cinq parties du parc peuvent accueillir les campeurs (emplacements pour tentes et toilettes).

Pour plus de renseignements sur le parc Garibaldi, il faut contacter le Garibaldi/Sunshine Coast District Office, Alice Lake Provincial Park, Brackendale (☎ 898-3678).

Whistler

Whistler est l'une des meilleures stations de ski en Amérique du Nord et l'une des plus connues à travers le monde. Les précipitations de neige y sont abondantes de novembre à mai faisant des deux monts (Whistler et Blackcomb), s'élevant à proximité, de véritables paradis pour les skieurs. Au mont Blackcomb, on peut même skier en plein été! Toutefois, l'endroit n'est pas exclusivement réservé aux adeptes de ce sport. Whistler a beaucoup plus à offrir, et ce tout au long de l'année : randonnée pédestre, vélo de montagne, pêche, canotage, descente de rivière, voile, équitation, golf...

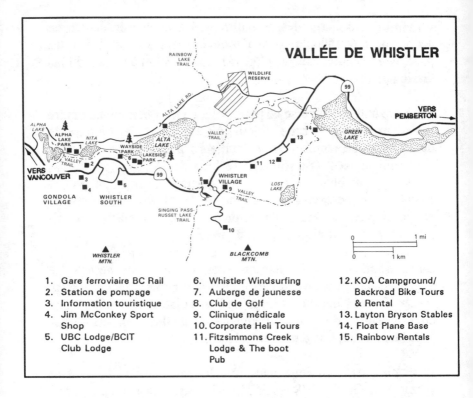

VALLÉE DE WHISTLER

1. Gare ferroviaire BC Rail
2. Station de pompage
3. Information touristique
4. Jim McConkey Sport Shop
5. UBC Lodge/BCIT Club Lodge
6. Whistler Windsurfing
7. Auberge de jeunesse
8. Club de Golf
9. Clinique médicale
10. Corporate Heli Tours
11. Fitzsimmons Creek Lodge & The boot Pub
12. KOA Campground/ Backroad Bike Tours & Rental
13. Layton Bryson Stables
14. Float Plane Base
15. Rainbow Rentals

Le village de Whistler est situé à moins de 90 km de Vancouver, à l'ombre du mont Blackcomb. On pénètre à l'intérieur de ses limites en arrivant à la hauteur du Whistler Archives and Museum (☎ 932-2019). Le bureau d'information touristique se trouve un peu plus loin, à droite sur la route Lake Placid.

 Le ski alpin

Les monts **Whistler** (2 176 m) et **Blackcomb** (2 284 m) sont reconnus mondialement pour les longues descentes qu'ils permettent (deux des plus longues en Amérique du Nord) de même que pour leurs spectaculaires pistes de ski de fond.

Le mont Whistler dispose de 85 pistes de ski alpin dont la plus longue fait 8 km. Le mont Blackcomb en contient tout autant et il représente de plus le plus long domaine skiable en Amérique du Nord (1 609 m de pente skiable). Entre 20% et 25% des pistes sont accessibles pour les débutants, 55% sont de calibre intermédiaire, et 20-25% sont réservés aux skieurs experts.

Ceux qui sont tentés par l'aventure de l'héli-ski (skieurs intermédiaires et experts) peuvent contacter *Tyax Heli-Skiing* (☎ 932-7007), *Whistler Heli Skiing* (☎ 932-4105) ou *Canada Heli-Sport* (☎ 932-3512 ou 932-2070).

 Le ski de fond

D'innombrables pistes de ski de fond réjouissent les amateurs de cet autre sport d'hiver. Par exemple, la piste cyclable Valley Trail se transforme en hiver en un des plus populaires sentiers de ski de fond. Le parc Lost Lake, tout juste au nord-est du village de Whistler, possède quant à lui quelque 15 km de pistes de tous les niveaux.

 Le ski en été !

Même en été, on peut skier au mont Blackcomb. Entre les mois de juin et octobre, chaque jour de 8 h à 15, le glacier Horstman reçoit en effet les skieurs alpins (☎ 932-3141).

 La randonnée pédestre

La randonnée pédestre s'avère bien sûr l'activité privilégiée en été. Quelques pistes sont particulièrement prisées comme, par exemple, le court sentier (1,5 km) menant du terrain de stationnement Est au parc Lost Lake. Il en est de même des sentiers de Singing Pass-lac Russet (21 km, 8 heures aller-retour depuis l'arrière du village, près des remonte-pentes) et du lac Rainbow (16 km, 6 heures aller-retour) au départ de Alta Lake Road, tout juste au nord de l'auberge de jeunesse.

Le vélo

La région de Whistler offre également d'intéressantes possibilités aux cyclistes. La piste baptisée Valley Trail permet de faire le tour complet de la vallée : elle passe par le village de Whistler, contourne les lacs Lost et Green, longe la rivière Golden Dreams et le club de golf, et rejoint les lacs Alta, Nita et Alpha. Les amateurs de vélo de montagne se donnent rendez-vous quant à eux au parc Lost Lake où même les experts peuvent dénicher des sentiers, constituant un défi à relever. Des tours guidés à bicyclette sont d'autre part offerts dans la région. Les personnes intéressées à ce type de service peuvent contacter *Whistler Backroads Mountain Bike Adventure* (☎ 932-3111), *Team McConkey* (☎ 932-1233), *Sea to Sky Cycling* (☎ 938-1233) ou *Sports West Bike Tours* (☎ 932-4484).

 Les activités nautiques

On peut aussi pratiquer de nombreuses activités nautiques dans la région. Ainsi, il est possible de louer un canot chez *Whistler Outdoor Adventure Company*, au parc Lakeside situé sur les berges du lac Alta, pour 10 $ l'heure. Des descentes de rivière en canot pneumatique sont par ailleurs organisées par *Whistler River Adventures* (☎ 932-3532) et *Whistler Outdoor Experience Company* (☎ 932-6623).

 Hébergement

De l'auberge de jeunesse à l'hôtel de grand luxe, Whistler peut satisfaire les besoins d'hébergement de tout type de clientèle. Il existe un bureau de réservation que l'on rejoint en composant le ☎ 932-4222.

Le **Fitzsimmons Creek Lodge** (45 $ à 85 $, ℜ, 7124, Nancy Green Drive, White Gold Estates, ☎ 932-3338), avec ses chambres confortables, présente un excellent rapport qualité-prix. On peut y déguster un bon repas (de 17 h à 22 h) au *Boot Pub*, le plus accueillant des pubs de Whistler.

L'auberge de jeunesse (12,50 $ pour les membres, 17,50 $ pour les non-membres, ℜ, côté Ouest du lac Alta, ☎ 932-5492) demeure un excellent choix. La vue qu'elle offre sur le lac et les montagnes est l'une des plus exceptionnelles de la province.

Finalement, mentionnons le **Whistler Koa Campground** (16 $ plus 2 $ à 5 $ pour l'électricité, ☎ 932-5181) qui satisfera tous les types de campeurs par sa gamme complète de services. Il est situé à quelques kilomètres au nord du village de Whistler, sur Mons Road.

 Restaurants

Encore une fois, Whistler demeure à la portée de toutes les bourses :

Jimmy D's (Situé dans l'hôtel Whistler Fairways, ☎ 932-4451). Pour les plus gros et les plus savoureux hamburgers en ville. Prix raisonnables.

The Keg (Whistler Village Inn, ☎ 932-5151). Steaks, fruits de mer, salades. Prix raisonnables. Endroit très populaire. Ouvert à partir de 17 h.

Boston Pizza (À Whistler Creek, ☎ 932-7070). Pâtes, côtes levées, et bien sûr pizzas.

Florentyna's (2129 Lake Placid Road, à Whistler Creek, ☎ 932-4424). Pour des mets un peu plus substantiels. Pâtes et fruits de mer. Réservations recommandées.

Vie nocturne

Tommy Africa's (Sur Gateway Drive, ☎ 932-6090). L'endroit le plus couru en ville. Très populaire auprès des plus jeunes. Musique reggae endiablée.

Buffalo Bill's (Situé dans le Timberline Lodge; accessible par la Golfer's Approach, ☎ 932-5211). Spectacles sur scène.

Longhorn Pub (Carleton Lodge, près de Mountain Square, ☎ 932-5999). Spectacles sur scène.

Savage Beagle Club (Situé sur Skier's Approach, ☎ 932-4540). Pour les amateurs de discothèques.

The Boot Pub (Situé dans le Fitzsimmons Lodge, ☎ 932-4246). Spectacles sur scène à l'occasion.

La route Gold Nugget

Il vaut mieux choisir une journée ensoleillée pour parcourir la route Gold Nugget menant de Whistler à Lillooet. C'est alors que l'on peut goûter pleinement au grandiose décor environnant. Cette route donne accès à plusieurs parcs provinciaux qui permettent de découvrir un peu plus cette nature remarquable. Ainsi, le **parc Nairn Falls**, aménagé le long de la rivière Green, propose un agréable sentier de randonnée en forêt menant jusqu'à une chute d'eau. Il vaut la peine de s'y arrêter pour admirer cette chute. On peut camper (8 $) entre les mois de mai et octobre.

Une fois à **Pemberton**, il est possible d'emprunter un raccourci à travers les montagnes menant à **Mount Currie**, puis à **Lillooet**. Mount Currie est une réserve indienne où, en mai, se tient l'un des plus importants rodéos dans la province. La route se poursuit vers Lilloet, à quelque 96 km de Mount Currie, en suivant en partie le chemin parcouru par les prospecteurs lors de la ruée vers l'or, entre 1862 et 1866.

■ **Lillooet**

Surnommée la «petite pépite» (Little Nugget) de la Colombie-Britannique, Lillooet constituait, dans les années 1860, la plus grande ville au nord de San Francisco et à l'ouest de Chicago. Située à la jonction de la rivière Cayoosh et du fleuve Fraser, elle représentait le point de départ de la route des Cariboo, construite en 1858, qui permettait d'atteindre Barkerville et Wells. Lillooet, en tant que plus importante ville de la région, joua ainsi un rôle important dans la ruée vers l'or du siècle dernier. Toutefois, c'est aujourd'hui une petite ville tranquille bien que chargée d'histoire.

En mai de chaque année, on peut revivre la belle époque de la ruée vers l'or grâce au festival *Only in Lillooet Days*. Pendant une semaine, le vieil Ouest est alors reconstitué. On peut aussi faire un saut au musée de Lillooet pour se familiariser avec cette histoire. Il est situé à l'angle de Main Street et de la 8th Avenue (ouvert tous les jours de la mi-mai à la mi-octobre). Il abrite également le bureau d'information touristique.

Hope et la vallée du Fraser

Deux options s'offrent aux voyageurs désireux de se diriger vers l'est depuis Vancouver : l'autoroute Transcanadienne (n°1), qui suit la rive Sud du Fraser, ou l'autoroute n°7, du côté Nord du fleuve. Toutes deux traversent une vallée agricole fertile, la vallée du Fraser.

Le long de l'autoroute Transcanadienne, la plus rapide des deux voies, les villes d'**Abbotsford** (spectacle aérien de calibre international en août) et de **Chilliwack**, ainsi que le **parc provincial Cultus Lake** (idéal pour la baignade ou pour un pique-nique) constituent autant de possibilités de haltes avant d'atteindre **Hope**.

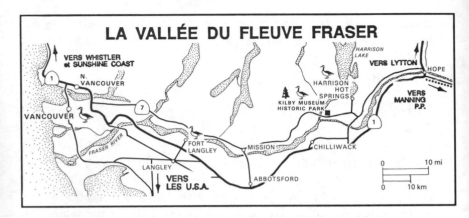

L'autoroute n°7, quant à elle, est plus lente, mais aussi plus pittoresque. On y croise la communauté de **Mission**, ainsi nommée suite à l'établissement en ces lieux d'une mission catholique en 1861, puis, **Harrison Hot Springs**, village touristique situé aux abords du **lac Harrison**, avant de rejoindre Hope.

Localisée au bord du fleuve Fraser, à l'embouchure de la rivière Coquihalla, la ville de Hope se trouve à 158 km de Vancouver. Les habitants de l'endroit prétendent que tous les chemins mènent à Hope, ce qui n'est pas loin d'être vrai : les autoroutes n°1 et n°7 (depuis Vancouver), n°5 (depuis Kamloops) et n°3 (depuis Princeton) se rencontrent toutes à Hope. Entourée de montagnes, de rivières (Fraser, Coquihalla, Nicolum et Silver Creek), de lacs et de parcs provinciaux, Hope est également un important centre récréatif.

C'est ici que s'arrêta Simon Fraser en 1808, lors de la première expédition qu'il conduisit à l'intérieur du canyon du fleuve qui porte aujourd'hui son nom. En 1848, la Compagnie de la Baie d'Hudson érigea ici un poste de traite de fourrure baptisé Fort Hope. Avec la découverte de filons d'or dans la région en 1858, Hope devint un important centre d'approvisionnement pour les prospecteurs.

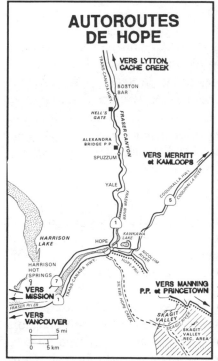

 Attraits touristiques

Le musée de Hope

Situé sur Water Street, le musée de Hope raconte l'histoire de la région. Plusieurs pièces datant de l'époque des pionniers y sont reconstituées avec force détails : une cuisine, une chambre à coucher, une salle de classe, etc. Des objets provenant du Fort Hope et de l'artisanat indien sont également exposés. Ouvert de 9 h à 17 h en mai et juin, et de 8 h à 20 h en juillet et août. À noter, on y trouve aussi le bureau d'information touristique.

Le jardin japonais

Au centre de Hope, tout près de l'hôtel de ville, il faut prendre le temps de découvrir le jardin japonais aménagé dans le Memorial Park. Il rappelle le tristement célèbre camp d'internement Tashme où furent cantonnés des Canadiens d'origine japonaise durant la Seconde Guerre mondiale. Ce camp se trouvait un peu à l'est de Hope. Le parc est aussi agrémenté de sculptures réalisées sur des troncs d'arbres dont un magnifique aigle tenant un saumon, œuvre d'un artiste local sculptant au moyen d'une scie à chaîne.

Les tunnels d'Othello

Les cinq tunnels géants du canyon de Coquihalla constituent une attraction hors de l'ordinaire. Ils furent creusés dans le granit afin de permettre le passage des trains du *Kettle Valley Railway* dès 1916. Cependant, le tronçon compris entre Vancouver et Nelson étant souvent enneigé, couvert de pierres suite à des éboulis, ou inondé, cette ligne de chemin de fer était plus souvent qu'autrement fermée. On l'abandonna finalement en 1961. Depuis lors, les voies et les quatre ponts en acier ont été démantelés.

On peut aujourd'hui parcourir à pied ces tunnels au départ de la Coquihalla Canyon Recreation Area, et se rendre jusqu'à un pont de bois surplombant la puissante rivière Coquihalla. Des films comme *First Blood* et *Shoot to Kill* ont été tournés dans ce décor impressionnant. Le point de départ de cette excursion est accessible en empruntant la rue Wallace, au centre-ville, jusqu'à la 6th Avenue où l'on doit tourner à droite. On se rend alors jusqu'à Kawkawa Lake Road où l'on tourne à gauche pour se rendre jusqu'à Othello Road, après avoir franchi un pont et une voie ferrée.

Le parc provincial du pont Alexandra

Ce parc se situe à une cinquantaine de kilomètres au nord de Hope. On y accède au moyen de l'autoroute Transcanadienne (n°1). Du pont Alexandra, érigé en 1863 et aujourd'hui abandonné, une vue hallucinante du puissant fleuve Fraser s'offre sous les pieds des visiteurs.

Hell's Gate

Un peu plus au nord, un arrêt à Hell's Gate s'impose. C'est ici que le fleuve Fraser force son chemin dans une étroite gorge de 34 m de largeur. Lorsque Simon Fraser arriva à cette hauteur en 1808, il surnomma l'endroit «les portes de l'enfer» (*the gates of Hell*), appellation qui demeura jusqu'à aujourd'hui. En 1914, un glissement de terrain rétrécit ce passage à un tel point que la population de saumons, qui jusque-là était très importante dans les eaux du fleuve Fraser, vint presque à disparaître, le courant trop violent empêchant ces poissons de rejoindre leur lieu de frai. En 1944, on remédia à la situation en construisant des échelles permettant de ralentir le débit d'eau et, ainsi, de permettre à nouveau le passage des poissons.

Pour mieux découvrir ce spectaculaire site, il est possible de monter à bord du téléphérique de Hell's Gate qui plonge littéralement dans la gorge avant de rejoindre l'autre rive (adultes 6,75 $, enfants 3,75 $).

Le parc provincial Manning

L'autoroute n°3 permet de quitter Hope en direction du splendide parc Manning. D'une superficie de 71 400 ha, celui-ci est aménagé dans les monts Cascade. L'autoroute formant un «U» à l'intérieur du parc, il est possible de le traverser sans s'y arrêter. Mais ce serait une erreur... Mieux vaut prévoir quelques heures pour bien apprécier l'endroit.

En été, une route revêtue de 15 km permet d'atteindre la cascade Lookout, un point d'observation remarquable. Par ailleurs, à l'extrémité occidentale du parc, des sentiers permettent de découvrir quantité de magnifiques rhododendrons sauvages. Un saut au lac Lightning, dominé par de hautes montagnes, s'impose également. En hiver, on peut pratiquer le ski alpin ou le ski de fond à **Gibson Pass** alors que 157 km de pistes sont accessibles.

Un centre de villégiature, situé aux abords de l'autoroute à mi-chemin entre Hope et Princeton, permet un séjour prolongé. On peut y louer une chambre entièrement équipée (54 $ à 70 $) ou un chalet avec cuisinette (109 $ à 149 $). Pour information : ☎ 840-8822.

Finalement, le parc renferme plusieurs terrains de camping (Coldspring, lac Lightning, Hampton, Mule Deer). Il en coûte entre 8 $ et 13 $ pour un emplacement. On peut également pratiquer le camping sauvage à plusieurs endroits dans le parc. Pour plus de détails, il faut contacter le bureau d'information (☎ 840-8836).

 Hébergement

On trouve plusieurs terrains de camping à proximité de Hope, notamment près du lac Kawkawa et des tunnels d'Othello. Les emplacements coûtent généralement entre 8 $ et 17 $.

De plus, d'innombrables motels bordent la route Hope-Princeton (35 $ à 58 $).

 Restaurants

Kan Yon Restaurant (Situé dans le Mid Town Shopping Plaza, sur la 3ᵉ avenue). Mets chinois (5 $ à 9 $) et canadiens (7,50 $ à 10 $).

Lee's Kettle Valley Restaurant (Situé au 293 Wallace Street). Réputé pour son buffet du petit déjeuner.

The Home Restaurant (Situé sur la rue Fraser). Pour de copieuses portions à bon prix.

OKANAGAN-SIMILKAMEEN

Cette petite région comprend deux très belles vallées : celle de la rivière Similkameen et celle de l'Okanagan. Il s'agit d'une région fertile jouissant d'un climat des plus favorables. On la surnomme d'ailleurs la «vallée des plages, des pêches, du soleil et du vin».

Avec les villes de **Penticton, Kelowna** et **Vernon**, la vallée de l'Okanagan constitue par ailleurs le secteur le plus peuplé de l'intérieur de la province. De plus, les lacs de la région attirent de nombreux vacanciers qui font doubler la population de mai à octobre.

Le développement de la vallée de l'Okanagan commença lorsque Charles Pandosy, un oblat français, établit une mission près de Kelowna en 1859. Dès le début, il introduisit avec succès la culture de la pomme. Bientôt, les terres furent exploitées pour la

culture d'autres fruits, si bien qu'aujourd'hui les vallées de l'Okanagan et de la Similkameen fournissent 30 % des pommes canadiennes, 60 % des cerises, 20 % des pêches, 50 % des prunes et des poires et pratiquement la totalité des abricots.

Princeton

La ville de Princeton, charmante, grâce, entre autres, à son centre-ville récemment restauré, s'étend au pied de basses collines au confluent des rivières Similkameen et Tulameen. Le bureau d'information touristique est localisé à l'entrée Ouest de la ville. On peut également trouver de l'information à la chambre de commerce locale située au 195 Bridge Street (☎ 295-3103), la rue principale de Princeton.

 Attraits touristiques

Le Princeton And District Pioneer Museum

Parmi les pièces maîtresses du musée de Princeton, mentionnons des éléments provenant de villes voisines aujourd'hui abandonnées (Granit City) et rappelant l'époque de la ruée vers l'or. On y remarque également des objets chinois et amérindiens (les Salishss de l'intérieur) et une impressionnante collection de fossiles. Situé au 167 Vermilion Avenue.

Le Castle Park

Situé au nord-est de la ville, ce parc a la particularité d'être dominé par les ruines d'une fabrique de béton vieille de 75 ans. L'intérieur comme l'extérieur de cette superbe structure en pierre sont envahis d'arbres, de roses sauvages et de lilas. L'ensemble fait aujourd'hui partie d'un terrain de camping pour caravanes (12 $ par nuit). Pour s'y rendre depuis Princeton, il faut traverser le pont situé à l'extrémité Nord de Bridge Street, tourner à droite sur Old Headley Road, aller au-delà de l'autoroute n°5 jusqu'à 5 Mile Road, puis tourner à gauche sur cette dernière route.

 Hébergement

Le **Riverside Motel** (30 $ à 36 $, bp, **R**, **C**, angle Thomas et Bridge, près de la rivière), construit en 1934, s'avère un choix intéressant. Chacune de ses cabines a jalousement conservé son cachet des années trente.

Osoyoos

Depuis Princeton, il suffit d'emprunter l'autoroute n°3 pour se rendre dans l'étrange région désertique d'Osoyoos. Sable, cactus, lézards, serpents... tout y est comme dans les grands déserts du Mexique, ce qui a de quoi surprendre en plein cœur du Canada. L'architecture de la ville d'Osoyoos rappelle davantage le Mexique que la Colombie-Britannique.

Osoyoos est située près de la frontière américaine, sur les bords du lac portant le même nom. Ce dernier attire chaque été une horde de vacanciers qui pratiquent la navigation de plaisance ou le ski nautique sur ses eaux, et qui profitent de sa jolie plage.

Le bureau d'information touristique se trouve à l'intersection des autoroutes n°3 et n°97 (☎ 495-7142).

 Attraits touristiques

Okanagan Game Farm

La route n°3A conduit à Penticton, vers le nord. Un peu avant d'atteindre cette ville, il peut être intéressant de s'arrêter à l'Okanagan Game Farm pour y admirer quelque 700 animaux de tous les coins du monde. Ouvert tous les jours de 8 h à la tombée du jour; adultes 8 $, enfants 6 $.

Penticton

Penticton est coincée entre la pointe Sud du lac Okanagan et l'extrémité Nord du lac Skaha. Cet important centre touristique qui compte une population d'environ 25 000 âmes, se trouve à 390 km de Vancouver. Son nom serait une déformation du mot Salish *Pen-Tak-Tin* qui signifie «l'endroit où l'on reste pour toujours». En 1886, Thomas Ellis s'établit ici et développa le premier verger. Aujourd'hui, la région de Penticton est réputée pour les fruits qu'elle produit, notamment pour ses délicieuses pêches.

On ne peut passer outre le gigantesque bureau d'information touristique, au 185 Lakeshore Drive (☎ 493-4055).

 Attraits touristiques

Le SS Sicamous

Il est possible de visiter le SS Sicamous, un bateau à aubes (transformé en musée) qui patrouilla les eaux du grand lac Okanagan (120 km de long) entre 1914 et 1951. On l'aperçoit tout au bout de la grande plage du lac Okanagan, vers l'ouest (ouvert du lundi au samedi, de 7 h à 15 h; entrée 1 $). De beaux jardins de roses sont également à découvrir dans ces parages.

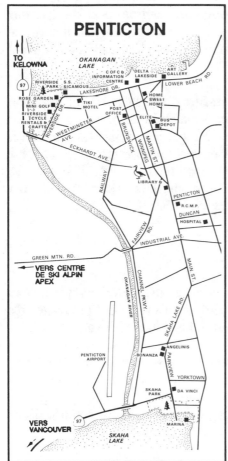

Le musée de Penticton

Ce musée possède une grande collection d'objets relatant l'histoire de l'Ouest canadien : la vie des Indiens, l'époque de la traite des fourrures, le chemin de fer, la contribution de la communauté d'origine chinoise, etc. Une importante section est consacrée à la taxidermie. Il faut compter près de deux heures pour parcourir cet intéressant musée. Il est situé au 785 Main Street, ☎ 492-6025 (ouvert de 10 h à 17 h du lundi au samedi l'été, en semaine seulement l'hiver; entrée gratuite).

L'Art Gallery of South Okanagan

Les amateurs d'art ne devraient pas manquer ce joli musée. Sa boutique d'artisanat permet de faire de bons achats (magnifiques foulards en soie). Il est situé sur le bord du lac, au 11 Ellis Street, ☎ 493-2928 (ouvert de 10 h à 17 h du mardi au vendredi, de 13 h à 17 h la fin de semaine; entrée gratuite).

Autres attraits

Parmi les autres activités dignes de mention dans la région de Penticton, la visite des vignobles des environs peut s'avérer fort agréable. Chaque jour, des tournées sont organisées. Il suffit de réserver à la chambre de commerce, dont les bureaux se trouvent sur Lakeshore Drive.

Par ailleurs, la vague des glissades d'eau a déferlé sur la région de Penticton. Plusieurs parcs aquatiques de ce genre y ont en effet été aménagés, dont l'un à l'intérieur d'un hôtel (le Travel Lodge). Le **Wonderful Waterworld** en est un autre, extérieur celui-là, et particulièrement bien tenu. Il est situé au 225 Yorkton Avenue, à l'angle de Skaha Lake Road, ☎ 493-8121 (ouvert tous les jours; adultes 10,50 $, enfants 7 $).

 Hébergement

Penticton étant un lieu de vacances privilégié, on y trouvera toutes les formes d'hébergement, depuis le camping sauvage près du lac jusqu'à la suite dans un hôtel de grand luxe.

Le **Ti-Ki Shores Motel** (49 $ à 54 $, 914 Lakeshore Drive, ☎ 492-8769) représente l'une des options les plus économiques compte tenu de son avantageuse localisation à deux pas du lac. Il faut compter 10 $ de plus pour une chambre équipée d'une cuisinette.

Pour ceux qui recherchent un hôtel offrant tous les services, le **Coast Lakeside Resort** (95 $ à 160 $, bp, ≈, ℜ, 21 Lakeshore Drive West, ☎ 493-8221) se révèle le meilleur choix. Il donne directement sur le lac. Le **Penticton Inn** (89 $, ℜ, 333 Martin Street, ☎ 492-3600) peut également être classé dans cette catégorie. On y retrouve, entre autres, un centre de santé.

Restaurants

Angelinis (Situé sur Skaha Lake Road, face au Skaha Centre). Pour une délicieuse cuisine grecque. Plats principaux à partir de 6 $ le midi, un peu plus cher en soirée. Petite terrasse. Ouvert tous les jours de 11 h jusqu'à tard en soirée.

Elite (Situé sur Main Street, près de Wade Street). Délicieuse cuisine familiale à bon prix. Repas complet pour 7 $ à 8 $. Ouvert tous les jours jusqu'à minuit.

Galileo's (Situé sur Skaha Lake Road, angle Yorkton Avenue). Mets italiens et fruits de mer.

Theo's Restaurant (Situé au 687 Main Street, ☎ 492-4019). Cuisine grecque dans une atmosphère confortable. Endroit très populaire. Réservation nécessaire la fin de semaine.

Bonanza Restaurant (Situé sur Skaha Lake Road, entre Waterford Street et Green Avenue). Restaurant familial avec bar à salades géant. Déjeuner à 6 $; dîner entre 7 $ et 12 $.

Chinese Laundry (Situé au 53 Front Street). Authentique cuisine chinoise.

Mr. Mike's (Situé au 2150 Main Street). Pour un bon steak.

Kelowna

Avec ses 74 000 habitants, la ville de Kelowna est sans conteste la métropole de la vallée de l'Okanagan. Son nom signifie *grizzly* en langue amérindienne. On pénètre dans la ville grâce à un étonnant pont flottant de 1 400 m, construit en 1958 sur une série de pontons lui permettant de s'adapter au niveau des eaux du lac Okanagan. Le bureau d'information touristique apparaît quatre rues passé ce pont, sur la gauche, au 544 Harvey Avenue (☎ 861-1515).

 Attraits touristiques

Le bord du lac

Un magnifique parc linéaire de 14 ha, le **City Park**, longe le bord du lac Okanagan. Il s'agit du plus grand parc de cette ville

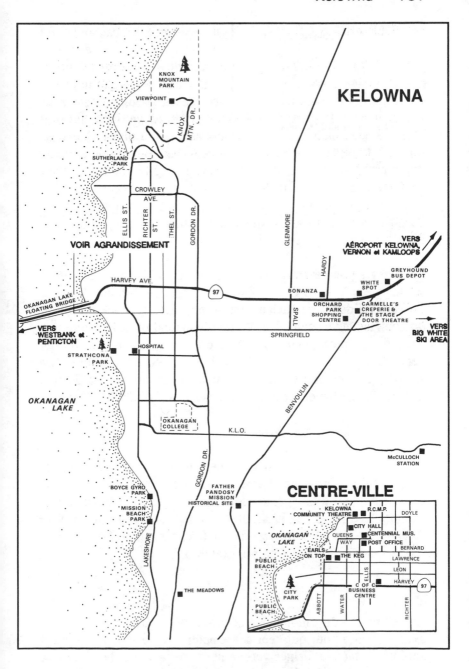

KELOWNA

1. Hollywood On Top
2. The Keg
3. Hôtel de ville
4. Kelowna Community Theatre
5. G.R.C.
6. Centennial Museum
7. Bureau de poste
8. Mr. Mike's

qui en compte beaucoup. En plus de grands arbres, de fleurs et de belles pelouses, on y trouve une plage publique. À l'entrée du parc, on remarque la réplique d'Ogopogo, le gentil monstre qui, selon la légende, vivait dans le **lac Okanagan**.

En maint endroit, tout le long du parc, on peut louer de l'équipement pour la pratique de sports nautiques. Les amateurs de planche à voile optent quant à eux pour les plages **Gyro** et **Mission**, dans la partie Sud de la ville.

Pour une agréable croisière sur le lac, il suffit de s'embarquer sur le bateau à aubes **Fintry Queen**, au bout de Bernard Avenue. En été, des départs ont lieu le dimanche à 14 h et à 17 h 30, et du lundi au vendredi à 19 h 30; adultes 8 $, enfants 5 $. On peut également opter pour un dîner-croisière, du dimanche au vendredi à 19 h 30 ou 21 h 30; adultes 25 $, enfants 11 $. Le samedi, une croisière au clair de lune est offerte de 21 h à minuit. Pour plus de détails, contacter le ☎ 763-2780.

Le Centennial Museum

On trouve un peu de tout dans ce musée, depuis des fossiles jusqu'à de l'artisanat amérindien, en passant par les reconstitutions d'un poste de traite de fourrures et d'une habitation d'hiver Salishs. Il est situé au 470 Queensway Avenue, ☎ 763-2417 (ouvert du lundi au samedi de 10 h à 17 h, fermé le lundi en hiver; entrée gratuite).

Le mont Knox

Le sommet du mont Knox est un point d'observation extraordinaire pour qui veut contempler la ville et le lac. Pour y accéder, il faut se diriger vers le nord en suivant le bord du lac, puis emprunter le Knox Mountain Drive jusqu'au **Crown**

Viewpoint. On peut aussi pratiquer la randonnée pédestre sur ce mont, de nombreuses pistes étant aménagées.

La mission du père Pandosy

Il ne faut pas oublier de faire un saut à ce site historique provincial. C'est là que le père Pandosy, un oblat français, établit une mission catholique en 1859, comprenant une église, une école et une ferme. Il y vécut jusqu'à sa mort en 1891. Il s'agissait alors du premier établissement de Blancs à voir le jour dans la vallée de l'Okanagan et de la première mission catholique romaine de l'intérieur de la Colombie-Britannique. Le père Pandosy introduisit également la culture d'arbres fruitiers dans la région. Pour s'y rendre, on doit emprunter Pandosy Street vers le sud, depuis le centre-ville, tourner à gauche sur K.L.O. Road, puis à droite sur la route rurale Benvoulin (ouvert tous les jours de 8 h à la tombée de la nuit; entrée 2 $).

Visite de vignobles

Voici quelques-uns des nombreux producteurs de vin de la région qui permettent de visiter leurs installations et de déguster leurs produits :

Calona Wines (Situé au 1125 Richter Street, ☎ 762-9144). Visites guidées de la fabrique à toutes les 30 min (ouvert tous les jours de 9 h à 16 h).

Gray Monks Cellars. Sur Camp Road, à 22,5 km au nord de la ville par l'autoroute n°97, ☎ 766-3168 (ouvert tous les jours de 11 h à 16 h).

Hiram Walker & Sons (Emprunter l'autoroute n°97 Nord, aller vers l'est sur Beaver Lake Road, puis vers le sud sur Jim Bailey Road, ☎ 766-2431 ou ☎ 766-4922). Dégustations de whiskey canadien, vodka, gin, rhum et liqueurs.

Hébergement

La plupart des terrains de camping de la région sont établis sur la rive Ouest du lac Okanagan, à Westbank. Toutefois, le plus rapproché de Kelowna est le **Hiawatha RV Park** (18 $ à 21 $, 3787 Lakeshore Road, ☎ 762-3412), à environ 5 km au sud de la ville.

L'autoroute n°97, permettant de quitter Kelowna vers le nord, est bordée d'hôtels et de motels. Parmi ceux-ci, mentionnons le **Wayside Motor Inn** (25 $), le **Budget Western Inn** (25 $) et le **Thrift Inn** (45 $, 2592 autoroute n°97 Nord, ☎ 762-8222).

Pour obtenir des renseignements concernant l'hébergement de type *bed and breakfast*, contacter le *Bed and Breakfast Network* au 868-2700.

Le **Capri Hotel** (92 $ à 170 $, bp, ≈, ℜ, ☻, 1171 Harvey Avenue, ☎ 860-6060) et le **Lodge Motor Inn** (69 $ à 140 $, bp, ≈, ℜ, ☻, 2170 Harvey Avenue, ☎ 860-9711) procurent davantage de confort. Le **Okanagan Resort** (100 $ à 165 $, bp, ≈, ℜ, C, sur Westside Road, ☎ 769-3511) bien qu'à 17 km de la ville, est également fort apprécié. On y trouve des courts de tennis, un terrain de golf, une marina, et on peut y pratiquer l'équitation.

 Restaurants

Earl's On Top Restaurant (211 Bernard Avenue, angle Abbot Street, ☎ 763-2777). On sert une cuisine variée dans ce très populaire restaurant : hamburgers, poulet, fruits de mer, pâtes, steaks, etc. Le décor noir et blanc agrémenté de néons de toutes sortes a de quoi surprendre. La musique des années soixante donne du rythme à cette atmosphère hors du commun. Déjeuner entre 6 $ et 9 $, dîner de 6 $ à 20 $. Terrasse sur le toit.

Carmelle's Creperie (1862 Benvoulin Road, ☎ 762-6350). Pour les crêpes, bien sûr, mais aussi pour l'atmosphère détendue de l'endroit. Les crêpes coûtent entre 10 $ et 16 $. Table d'hôte à 8 $ en soirée.

The Keg (274 Lawrence Avenue). Steaks et fruits de mer ainsi qu'un gigantesque comptoir à salades. Plats principaux entre 7 $ et 18 $.

Bonanza Restaurant (À l'angle des rues Hardy et Harvey). Dans la même veine que le précédent. Il faut compter entre 6 $ et 12 $.

Talos Greek Restaurant (1570 Water Street (☎ 763-1656). Fine cuisine grecque.

White Spot Restaurant (À l'intersection de Harvey Avenue et Dillworth Drive). Cuisine canadienne familiale. Repas entre 6 $ et 12 $.

Vernon

La jolie ville de Vernon se situe à l'extrémité Nord du lac Okanagan, à proximité des lacs Kalamalka et Swan. Bien qu'elle compte aujourd'hui une population de 20 400 personnes, cette agglomération a connu de modestes débuts. En effet, Cornelius O'Keefe établit ici un simple ranch dans les années 1860. Dans les décennies qui suivirent, d'autres ranchs virent le jour et, en 1890, les troupeaux de la région totalisaient plus de 4 000 têtes de bovins.

Parallèlement, quelques mineurs venus chercher de l'or dans la région décidèrent plutôt de se tourner vers l'agriculture. Un dénommé Forbes George Vernon fut l'un de ceux-ci, et la ville emprunta son nom dès 1887. Vernon est ainsi la plus vieille ville de l'intérieur de la Colombie-Britannique et la cinquième plus ancienne de la province.

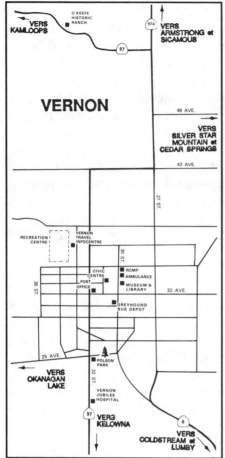

Aujourd'hui, d'innombrables vergers couvrent les environs de Vernon qui, de plus, est devenue un populaire lieu de vacances. Le bureau d'information touristique se trouve au 6326 autoroute n°97 Nord (☎ 542-1415).

 Attraits touristiques

Le musée de Vernon

Pour en savoir davantage sur l'histoire de la ville, il suffit de faire un saut à ce petit musée qui présente, grâce entre autres à des photos d'archives, la vie des pionniers de la région. Une galerie d'art et une librairie logent sous le même toit que le musée. Il est situé au 3009 32nd Avenue, ☎ 542-3142 (ouvert du lundi au samedi de 10 h à 17 h 30; entrée gratuite).

Le parc Polson

Ce superbe parc mérite qu'on s'y attarde pour sa magnifique horloge florale de 9 m de diamètre. Celle-ci est formée de plus de 3 500 fleurs. Le parc dispose également d'un beau jardin japonais et d'une maison de thé. Situé près de l'intersection de l'autoroute n°97 et de la 25th Avenue.

O'Keefe Ranch

L'attraction principale de Vernon demeure toutefois le vieux ranch de Cornelius O'Keefe. On y découvre un opulent manoir dont le mobilier remonte au début du XIXᵉ siècle. La visite des lieux permet également de voir **St. Ann's Church**, la première église catholique de l'intérieur de la Colombie-Britannique (1889). Cette église accueille toujours des fidèles. Il faut prévoir au moins deux heures pour faire le tour du ranch et de ses diverses dépendances. On accède à ce domaine localisé à 13 km de Vernon en empruntant l'autoroute n°97 Nord en direction de Kamloops (☎ 542-7868). Ouvert tous les jours de la mi-mai au début d'octobre, de 10 h à 20 h; adultes 4,50 $, enfants 2,50 $.

 Hébergement

Les amateurs de camping désireux de séjourner dans la région peuvent se diriger en toute confiance vers le **Cedar Falls Campground** (10 $, sur Tillicum Road en direction de la station de ski Silver Star Mountain, ☎ 545-2888). Un petit sentier de randonnée (15 min) permet de rejoindre une belle chute d'eau.

Pour ceux qui veulent tenter une expérience, il y a l'étonnant hôtel **Windmill House** (40 $, 5672 Learmouth Road, dans la petite communauté de Coldstream, ☎ 549-2804) aménagé dans un ancien moulin à vent. Le prix inclut le petit déjeuner. Pour se rendre à Coldstream, il faut emprunter la route n°6 jusqu'à Learmouth Road où l'on tourne à droite.

 Restaurants

Sundowner (2501 53rd Avenue, ☎ 542-5142). Parmi les restaurants favoris des résidants de Vernon; on y sert des steaks, des fruits de mer et des pâtes. Repas entre 7 $ et 33 $. Brunch le dimanche, de 10 h 30 à 14 h (8,50 $).

Bonanza Family Restaurant (5601 27th Street, (☎ 545-7877). Restaurant familial servant des steaks et des fruits de mer. Entre 5 $ et 10 $.

Kelly O'Bryan's Restaurant (2905 29th Street, ☎ 549-2112). Steaks, fruits de mer et pâtes. Repas entre 10 $ et 16 $. Ouvert tous les jours de 11 h à minuit.

The Courtyard Restaurant (À l'intérieur du Vernon Lodge, au 3914 32nd Street, ☎ 545-3385). Pour des mets plus raffinés. Cuisine continentale.

KOOTENAY BOUNDARY

La région Kootenay Boundary, au sud-est de la province, est montagneuse et boisée. On y découvre de superbes lacs, des pics enneigés et de profondes vallées. De pittoresques bourgades ainsi que des villages fantômes, héritage de l'époque de l'exploitation des mines d'or et d'argent, s'alignent en bordure des lacs ou se blottissent dans les montagnes, alors que de remarquables sites naturels sont préservés dans les limites de nombreux parcs. La vie économique dans cette région s'organise autour des activités minières, forestières, hydro-électriques et touristiques.

Localisée tout juste à l'ouest des montagnes Rocheuses, dans le Sud-Est de la Colombie-Britannique, cette région est constituée de luxuriantes vallées que découpent les **chaînes de montagnes Purcell, Selkirk** et **Monashee**. Les très beaux et très longs **lacs Kootenay, Upper Arrow** et **Lower Arrow** s'étendent au cœur

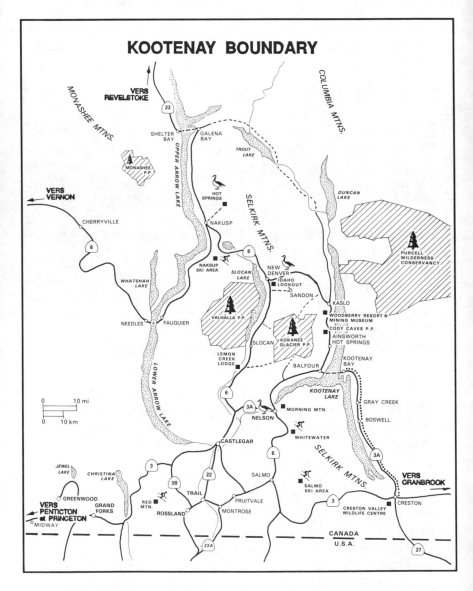

de ces vallées, à l'instar d'innombrables lacs de dimensions plus modestes.

L'autoroute n°6 permet de sillonner la région Kootenay Boundary au départ de Vernon. Après un premier arrêt à Nakusp

(200 km), on se dirige vers Nelson en parcourant la vallée du Slocan ou en longeant le lac Kootenay, puis l'on poursuit sa route vers l'est et les montagnes Rocheuses.

Nakusp

Cette petite ville, qui prit naissance lors du boom minier de la fin du siècle dernier, s'étend au pied des montagnes Selkirk, sur les berges du lac Upper Arrow. Elle est aujourd'hui devenue un centre de pêche fort apprécié (truite, saumon). On trouve de plus, à proximité de Nakusp, des sources thermales.

Le bureau d'information de la ville a été aménagé à l'intérieur d'un bateau à aubes accessible par 6th Avenue West.

 Attraits touristiques

Le musée de Nakusp

Le musée municipal se situe tout juste à côté du bureau d'information touristique. On y découvre avec étonnement une suite d'objets hétéroclites comme, par exemple, un ancien fauteuil de barbier. Adultes 1 $, gratuit pour les enfants.

Les sources thermales

L'autoroute n°23 Nord est le chemin à prendre lorsqu'on se dirige vers les sources thermales de Nakusp. Après avoir fait environ 1 km, il ne s'agit plus que de suivre les indications. Les sources sont à environ 12 km de là.

Le parc environnant est sillonné de sentiers de randonnée pédestre se transformant en pistes de ski de fond, l'hiver. On y trouve de plus deux piscines extérieures. Ouvert de 9 h 30 à 22 h entre juin et septembre, de 10 h 30 à 21 h d'octobre à mai; adultes 5,35 $, enfants 4 $, ☎ 352-4033.

Une partie de ce parc, extrêmement populaire en été, est réservé aux campeurs (6 $). On y loue également des chalets (41 $ à 52 $, C, ☎ 265-4505) à la journée ou à la semaine.

New Denver

L'autoroute n°6 relie Nakusp et New Denver (48 km plus au sud), traversant de vertes prairies et côtoyant de nombreux lacs. Sur la route, on peut camper au parc provincial Rosebery Lake ou s'arrêter pour une partie de golf au Slocan Lake Golf Course.

Le village historique de New Denver fut d'abord baptisé Eldorado avant de prendre son nom actuel, d'après la ville américaine de Denver, au Colorado. Dans les années 1890, il servait de porte d'entrée à ce que l'on appelait alors le *Silver Country* (pays de l'argent). L'activité minière y fut très importante pendant environ 20 ans.

 Attraits touristiques

Le Silvery Slocan Museum

Après s'être baladé sur la rue principale de New Denver, bordée de vieux commerces cachés derrière leur façade western traditionnelle, un arrêt au Silvery Slocan Museum permet d'en apprendre un peu plus sur l'époque glorieuse de l'exploitation des mines d'argent dans la région. Il est situé à l'angle de la 6th street et de Marine Drive, ☎ 358-2201. Ouvert de juillet à septembre.

Le mont Idaho

Plusieurs profitent de leur passage à New Denver pour s'adonner à la randonnée pédestre. Ainsi, il est possible de gravir le mont Idaho (2 280 m) au moyen d'une piste dont la pente est toutefois assez raide. L'effort en vaut toutefois la peine, car l'escalade permet la découverte d'un superbe lac, de spectaculaires pics enneigés et d'une magnifique vue panoramique embrassant toute la région.

Vers Nelson

Depuis New Denver, deux choix s'offrent aux excursionnistes désireux de se diriger vers Nelson. Tout d'abord, l'autoroute n°6 traverse directement la riche vallée du Slocan jusqu'à Castlegar et Nelson. L'autoroute n°31A, moins achalandée, constitue le second choix. Elle permet de découvrir le village fantôme de Sandon, les très beaux lacs Kaslo et Kootenay et les monts Selkirk, avant d'atteindre Nelson.

■ Sandon

Ceux que les villages fantômes fascinent ne manqueront pas de faire halte à Sandon, à quelque 13 km de New Denver, que l'on rejoint au moyen d'une route non revêtue. Au moment de l'exploitation massive des mines d'argent dans la région, dans les années 1890, Sandon comptait non moins de 24 hôtels, et 23 commerces incluant des saloons, des magasins généraux, des banques, etc. Entre 1895 et 1900, sa population s'élevait à 5 000 personnes. Sandon prospéra jusqu'à la grande dépression de 1929. Finalement, au printemps de 1955, une inondation laissa la cité dans l'état où on la trouve aujourd'hui : une ville fantôme...

Une visite au musée de l'endroit permet d'en connaître un peu plus sur l'histoire de la ville.

■ Le parc provincial Kokanee Glacier

Ce superbe parc de 25 600 ha s'étend à l'ouest de l'autoroute n°31A. Il comblera les amateurs d'activités de plein air avec ses 30 lacs, ses nombreux glaciers, ses sentiers de randonnée longs de 3 à 11 km, et ses pistes de ski de fond.

Il n'y a pas de terrains de camping dans le parc. On peut toutefois camper dans quelques zones désignées. Sur les trois abris construits dans les limites du parc, deux sont gratuits. Le troisième, le **Slocan Chief Cabin**, coûte 10 $ la nuit.

Depuis l'autoroute n°31A, deux routes permettent d'accéder au parc. La première est à 5 km au nord de Kaslo. Il s'agit d'une route non revêtue de 24 km. La seconde se situe à 21 km au nord-est de Nelson. Encore là, c'est une route non revêtue longue cette fois de 16 km.

■ Kaslo

Située à 42 km de Sandon, la charmante ville de Kaslo s'étend du côté Ouest du lac Kootenay. Avec ses belles demeures de la fin du XIXe siècle et du début du XXe, ses jardins et ses grands arbres, les jolies vues qu'elle permet sur le lac et les montagnes, Kaslo se révèle un paradis pour les amateurs de photographie. Elle fut fondée en 1889 et, bien sûr, elle connut des jours florissants lors du boom d'exploitation des mines d'argent, dans les années 1890. Construit en 1898, l'hôtel de ville est l'un des deux seuls bâtiments de bois du pays où siègent encore aujourd'hui des élus du peuple.

Le magnifique bateau à aubes rouge et blanc **SS Moyie** est stationné au bord du lac. Faisant 50 m de long, ce navire fut le dernier à transporter des passagers sur le lac Kootenay pour le compte du CPR, tâche qu'il accomplit jusqu'en 1957. On l'a aujourd'hui transformé en musée historique. Le bureau d'information touristique local se trouve à quelques mètres de là.

■ Balfour

Le prochain arrêt du circuit devrait se faire à Balfour, un agréable port de pêche situé à la jonction des bras Nord, Sud et Ouest du lac Kootenay. On peut se prélasser à l'un des cafés près du quai du traversier ou, pourquoi pas, emprunter ce traversier pour un aller-retour sur le lac (départ à toutes les deux heures). Cette excursion rappelle l'époque où des bateaux à aubes transportaient des voyageurs et des prospecteurs jusque dans de petites localités isolées. Le développement du chemin de fer, au début du XX° siècle, fit cependant baisser la demande pour ce type de moyen de transport.

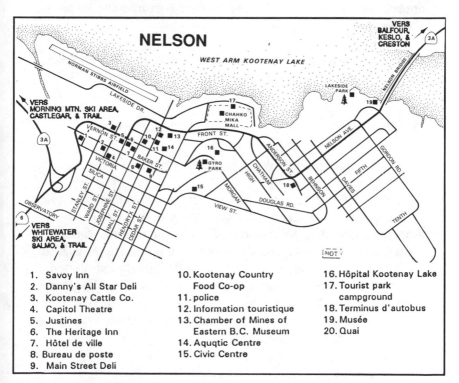

1. Savoy Inn
2. Danny's All Star Deli
3. Kootenay Cattle Co.
4. Capitol Theatre
5. Justines
6. The Heritage Inn
7. Hôtel de ville
8. Bureau de poste
9. Main Street Deli
10. Kootenay Country Food Co-op
11. police
12. Information touristique
13. Chamber of Mines of Eastern B.C. Museum
14. Aquqtic Centre
15. Civic Centre
16. Hôpital Kootenay Lake
17. Tourist park campground
18. Terminus d'autobus
19. Musée
20. Quai

Nelson

Nichée au cœur des monts Selkirk, sur la rive Sud du lac Kootenay, l'élégante ville minière de Nelson mérite bien sa réputation de «capitale du patrimoine des Kootenays». En effet, les rues de cette petite ville de 8 134 habitants sont bordées par plus de 350 magnifiques demeures classées, datant du tournant du siècle.

En pénétrant dans la ville par l'autoroute n°3A, on aperçoit une longue série de motels et de restaurants. Pour rejoindre le quartier historique, il faut alors poursuivre son chemin jusqu'au bout de Nelson Avenue, emplacement du musée local, tourner à droite sur Anderson Street qui devient bientôt Front Street et, après avoir croisé Cedar Street, tourner à gauche sur l'une des six rues suivantes.

Le bureau d'information touristique se trouve au 225 Hall Street, dans les locaux de la chambre de commerce locale (☎ 352-3433).

 Attraits touristiques

Le patrimoine architectural

Exception faite de Victoria, Nelson est la ville comptant le plus de bâtiments historiques *per capita* en Colombie-Britannique. Aussi, marcher dans les rues de son vieux quartier représente ici l'attraction par excellence. Ressemblant à une sorte de château de pierre et de brique, l'**hôtel de ville** (1902) est l'un des édifices qui attirent le plus de regards. Il est situé à l'angle des rues Vernon et Ward. Le long des **rues Baker** et **Ward**, on remarque une belle concentration d'édifices anciens restaurés, la plupart construits autour de 1912.

Les parcs Gyro et Lakeside

Le joli parc Gyro est agrémenté d'un point d'observation qui permet une vue imprenable sur Nelson, de même que sur le bras occidental du lac Kootenay et le pont qui relie cette ville à la rive Nord.

Localisé tout juste à la sortie du pont, le parc Lakeside, quant à lui, possède une grande plage sablonneuse et accueille de nombreux amateurs de planche à voile.

Le musée de Nelson

Ce musée retrace la riche histoire de la ville en s'attardant plus particulièrement sur la vie des explorateurs et des mineurs de jadis, de même que sur les communautés autochtones de la région et les Doukhobors, un groupe religieux venu de Russie à la toute fin du siècle dernier. Il est situé au 402 Anderson Street, ☎ 352-9813 (Ouvert tous les jours de l'été de 13 h à 18 h, et du lundi au samedi entre 13 h et 16 h le reste de l'année; adultes 1 $, enfants 0,50 $).

 Hébergement

On trouve un terrain de camping en plein cœur de Nelson. Il s'agit du **City Tourist Park** (8 $ à 10 $), situé à l'angle des rues High et Willow. Il est en opération de la mi-mai au mois de septembre (☎ 352-9031).

Mentionnons également le **Duhamel Motel and Campground** (34 $ à 46 $, C, ☎ 825-4645), à 8 km de la ville, aux abords de l'autoroute n°3A, face au lac Kootenay. Les locataires de maisonnettes ont accès à une jolie plage sablonneuse. On peut aussi y louer un emplacement de camping (10 $ à 12 $).

Ceux qui préfèrent la formule du *bed and breakfast* opteront pour le **Heritage Inn** (48 $ à 66 $, 422 Vernon Street, ☎ 352-5331), localisé en plein centre-ville. Ses adorables chambres ont toutes été remises à neuf récemment.

Bien qu'un peu éloigné de Nelson (11 km au sud), le **Whitewater Inn** (30 $ à 55 $ incluant le petit déjeuner, bp, ℜ, autoroute n°6, ☎ 352-9150) est l'endroit par excellence pour qui veut résider dans la région. Certaines chambres sont équipées d'un bain sauna. En saison, des pistes de ski de fond sont tracées (il est possible de louer des skis à l'hôtel). De plus, cet hôtel se situe à moins de 10 km du centre de ski Whitewater Hill.

Restaurants

Danny's All Star Deli (358 Baker Street, ☎ 352-2828). Très populaire pour le déjeuner. Les sandwichs y sont délicieux. Ouvert en semaine de 8 h à 17 h 30, et le samedi de 8 h à 16 h.

Lone's Bakery and Deli (1109 Lakeside à l'intérieur du mail Chahko-Mika). Soupes et sandwichs. Idéal pour un repas sur le pouce.

Main Street Diner (616 Baker Street). Cuisine grecque, steaks, fruits de mer et hamburgers.

Kootenay Cattle Co. (303 Vernon Street). Salades, steaks et fruits de mer à déguster dans le décor rustique d'une ancienne manufacture où l'on a recréé l'atmosphère du Far West. Entre 6 $ et 8 $ pour le déjeuner, et de 9 $ à 29 $ pour le dîner.

General Store Restaurant (422 Vernon Street). Idéal pour le brunch du dimanche, servi entre 11 h et 14 h (8,50 $). Également ouvert le reste de la semaine pour le déjeuner (7 $) et le dîner (8 $ à 15 $).

 Vie nocturne

Boiler Room (422 Vernon Street). Bar et discothèque avec écrans vidéo, fort prisé des amateurs de musique pop et rock. Ouvert du mercredi au samedi de 20 h à 2 h.

The Library (422 Vernon Street). Pour ceux qui recherchent un endroit beaucoup plus tranquille. Ici, on peut s'installer près du feu, lire un bon bouquin ou converser entre amis.

Kipps (198 Baker Street). Spectacles sur scène la fin de semaine, discothèque en semaine.

Castlegar

Ne possédant pas de centre-ville à proprement parler, Castlegar s'étend à la jonction des rivières Columbia et Kootenay. Les autoroutes n°3 depuis l'est et l'ouest, n°3A depuis le nord, et n°22 depuis le sud, convergent toutes vers cette petite ville de 7 200 habitants.

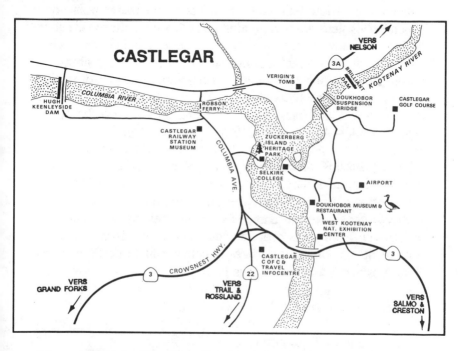

Les premiers à s'installer dans la région furent les Doukhobors qui, victimes de persécutions religieuses, quittèrent la Russie et l'Ukraine à la fin du siècle dernier pour s'établir au Canada. Plusieurs de leurs descendants vivent toujours dans la région de Castlegar.

Aujourd'hui, l'économie locale repose principalement sur l'exploitation forestière et minière, la production d'hydro-électricité et le tourisme. Le bureau d'information touristique de la chambre de commerce locale est au bout de la 20th Street.

Attraits touristiques

Le musée historique Doukhobor

Voilà la meilleure façon d'en apprendre davantage sur les us et coutumes des Doukhobors. Un descendant doukhobor guide les visiteurs à l'intérieur du bâtiment principal, puis des dépendances, leur permettant ainsi de mieux connaître ce qu'était la vie quotidienne des membres de cette communauté. Une collection de photographies anciennes rend compte des premiers jours de l'établissement des Doukhobors en Colombie-Britannique et en Saskatchewan. Ce musée se situe près de l'aéroport de Castlegar. (ouvert du mercredi au dimanche de 9h à 17 h; adultes 4 $, enfants 3 $).

Le West Kootenay National Exhibition Centre

Ce centre d'art présente presque toujours des expositions intéressantes, souvent composées d'œuvres appartenant aux collections des musées nationaux du pays. L'artisanat local y est également à l'honneur. Le West Kootenay National Exhibition Centre est situé tout juste après le musée Doukhobor (ouvert en été, du mardi au vendredi entre 10 h 30 et 16 h 30, et la fin de semaine de midi à 16 h 30 ☎ 365-3337).

Le pont Doukhobor

Ce vieux pont de béton suspendu, datant de la première moitié du siècle, constitue une curiosité qui mérite un coup d'œil. On l'aperçoit depuis l'autoroute menant vers Nelson. De l'autre côté du pont, à **Brilliant**, on remarque le tombeau de Piotr Verigin, le leader spirituel des Doukhobors, entouré d'un remarquable jardin floral.

Hébergement

Le **Cozy Pines** (32 $ à 38 $, C, 2100 Crestview Crescent, à l'entrée Ouest de la ville, ☎ 365-5613) est un motel des plus confortables et hospitaliers. On y offre gracieusement le thé et le café.

Trail et Rossland

■ Trail

À 27 km au sud-ouest de Castlegar s'étend la ville de Trail sur les deux rives de la rivière Columbia. Contrairement à la plupart des villes minières de la région, Trail fut d'abord un port pour les bateaux à aubes. Ce n'est qu'en 1896 que fut construite ici une fonderie. Plusieurs immigrants italiens venus dans la région pour travailler dans les mines au XIXe siècle, puis à la construction du chemin de fer au début du XXe siècle, s'installèrent à Trail pour travailler à la fonderie. On trouve donc aujourd'hui une importante communauté italienne à Trail.

Aujourd'hui, Trail est devenue une importante ville industrielle où la **société métallurgique Cominco** emploie une bonne partie de la population. On peut d'ailleurs visiter son gigantesque complexe (☎ 368-3144). Le bureau d'information touristique se trouve quant à lui au 843 Rossland Avenue.

■ Rossland

Bien installée sur un volcan éteint, Rossland est située à moins de 6 km de Trail. On la surnomme *Golden City*, car sa fondation est due à la découverte dans la région d'un important gisement duquel furent extraits 6 millions de tonnes d'or.

Pour en savoir un peu plus sur ces jours glorieux, un arrêt au **Rossland Historical Museum**, à la jonction des autoroutes n° 22 et n°3B, s'impose. Il est ouvert tous les jours de la mi-mai au mois de septembre, entre 9 h et 17 h (☎ 362-7722).

Par ailleurs, les amateurs de ski visiteront avec enchantement le **Ski Hall of Fame** où l'on retrace entre autres les grandes étapes de la carrière de la skieuse canadienne Nancy Greene, originaire de Rossland. Cette championne fut médaillée d'or aux Jeux olympiques de 1968 à Grenoble. Coïncidence étonnante, la gagnante de la médaille d'or en descente féminine aux Jeux d'Albertville en 1992, Kerrin Lee-Gartner, est également née dans ce tout petit village de la Colombie-Britannique. Ouvert tous les jours de 9 h à 17 h de la mi-mai au mois d'octobre; adultes 6 $, enfants 3 $.

À deux pas de ces musées, la **mine d'or Le Roi** accueille les visiteurs. On peut se balader dans les tunnels de cette ancienne mine et ainsi goûter à l'atmosphère des années 1890. Des pièces de machinerie employées dans les mines sont également exposées. De plus, une visite de la mine est l'occasion de se familiariser avec la géologie locale (adultes 4 $, enfants 3 $).

Creston

Après ces découvertes, on choisira de retourner vers l'est, en direction de Creston. En chemin, le charmant village de **Salmo** représente une halte agréable. Par la suite, l'**autoroute Crowsnest** traverse les monts Selkirk à une altitude de 1 774 m. C'est la route revêtue la plus élevée de tout le pays. On croise alors le **parc provincial Stagleap**, d'une superficie de 1 133 ha. Les vues panoramiques sur le lac Kootenay sont ici à couper le souffle.

Une fois à Creston, on peut visiter le **Creston Valley Museum**, ouvert tous les jours de 10 h à 16 h, et s'arrêter quelques instants devant le superbe mur peint sur 11th Street que les habitants de Creston affirment être la plus belle murale du Canada.

■ **Le Creston Wildlife Centre**

Située à 11 km à l'ouest de Creston, cette réserve faunique permet d'apprendre à connaître la riche faune de la région au moyen de visites guidées, à pied ou en canot, de conférences et de présentations audiovisuelles. Ouvert tous les jours de 9 h à 17 h de la mi-mai au mois d'octobre (☎ 428-3259).

LES ROCHEUSES

Les Rocheuses canadiennes n'ont plus besoin de présentation... il s'agit de rien de moins que l'une des plus belles régions de la planète. Ces paysages de montagnes, de glaciers, de lacs émeraude, de prairies alpines et de rivières sillonnant vallées et canyons, sont de l'avis de tous parmi les plus spectaculaires du monde. De célèbres stations de ski ajoutent à la fascination que suscitent les montagnes Rocheuses, à l'instar de nombreux parcs peuplés d'une faune abondante.

La région des Rocheuses s'étend entre la région de Kootenay, à l'ouest, et la province de l'Alberta, à l'est; elle englobe les monts Purcell (2 000 m à 3 162 m d'altitude), les abords des montagnes Rocheuses et les Rocheuses elles-mêmes (2 000 m à 3 954 m). Au nord, cette région est délimitée par le lac Kinbasket et, au sud, par la frontière américaine.

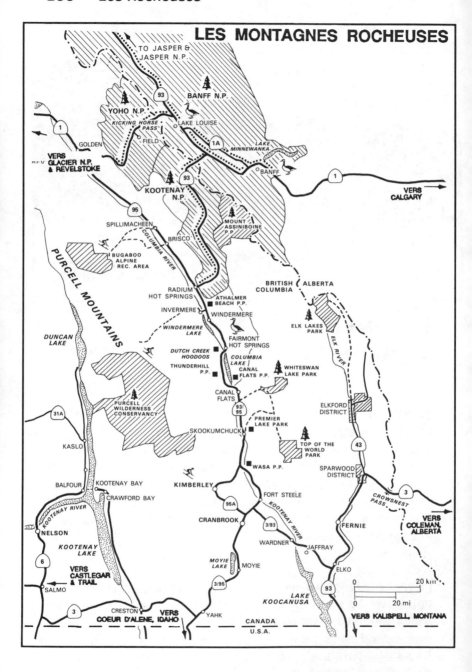

LES MONTAGNES ROCHEUSES

L'autoroute n°93/95 parcourt le secteur situé entre les deux chaînes de montagnes de la région en suivant, la plupart du temps, la rivière Columbia. Elle relie **Cranbrook** et **Kimberley** au **lac Louise,** dans le parc national de Banff, et permet d'aller jusqu'à **Golden,** à l'extrême Nord-Ouest.

Un peu d'histoire

Les Indiens Kootenays vivent dans la région depuis plus de 2 000 ans. Jadis, ils traversaient les Rocheuses à cheval pour aller chasser le bison dans les plaines albertaines. En 1807, David Thompson, un explorateur travaillant pour le compte de la North West Company, établit un poste de traite de fourrures à la pointe Nord du **lac Windermere.**

Pendant les 50 années qui suivirent, la région fut fréquentée par des prospecteurs, des trappeurs et des missionnaires. Des colons ne s'amenèrent dans la région qu'en 1863 lors de la découverte de gisements d'or le long de la petite rivière Wild Horse. **Fisherville** vit alors le jour, de même que Galbraith's Ferry qui fut rebaptisée **Fort Steele** en 1888.

En 1893, la North Star Mine commença l'exploitation de mines de zinc, de plomb et d'argent à **Kimberley.** Puis, suite à la construction du chemin de fer jusqu'à **Cranbrook** en 1898, Fort Steele laissa graduellement le rôle de centre commercial à Cranbrook qui demeure encore aujourd'hui la plus importante ville de la région.

Cranbrook

Depuis Creston, l'autoroute n°93/95 conduit à Cranbrook en passant par les petites villes de **Yahk** et **Moyie**, près desquelles on trouve des parcs provinciaux accueillant les campeurs entre les mois de mai et octobre (8 $).

La ville de Cranbrook fut officiellement incorporée en 1905 peu après la construction du chemin de fer qui devait éventuellement

CRANBROOK

1. Heritage Estate Motel
2. Heritage Rose Dinning House
3. Bureau de poste
4. Cinéma
5. G.R.C. (R.C.M.P.)
6. Baker Park/city campground
7. Hôpital
8. Bibliothèque
9. Cranbrook Mall
10. Kootenay Cattle Co.
11. Just Platter Restaurant
12. Apollo Ristorante
13. Mr. Mike's
14. Terminus d'autobus Greyhound
15. Tamarack Mall
16. Bonanza Restaurant

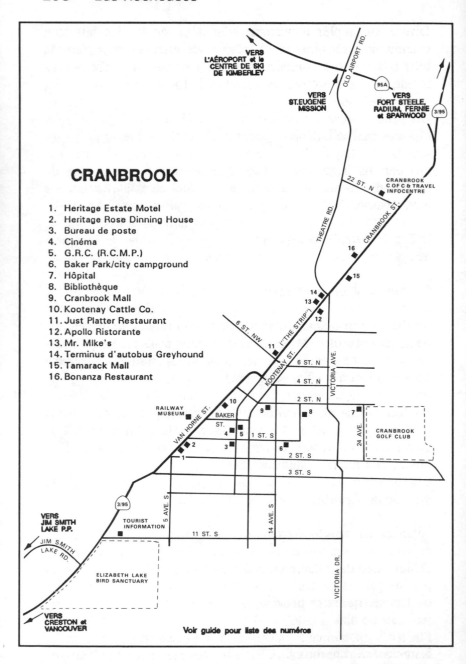

faire d'elle la plus importante ville de la région. Son site était originellement habité par les Indiens Kootenays. Aujourd'hui, la ville compte 16 500 habitants et son économie est basée sur la foresterie, l'activité minière, l'élevage et le tourisme.

On pénètre dans Cranbrook par Van Horn Street qui devient bientôt Cranbrook Street, surnommée *the Strip*. Plusieurs hôtels, motels et restaurants s'alignent le long de cette rue. On atteint le quartier historique en prenant à droite sur Baker Street. Le bureau d'information touristique est situé au 2279 Cranbrook Street North.

 Attraits touristiques

Le Railway Museum

L'attraction principale de la ville est son musée ferroviaire. On peut y admirer des locomotives et wagons anciens. Parmi ceux-ci, on remarque les wagons de luxe de la Trans-Canada Limited dont les trains, dans les années trente, jouissaient d'une renommée dépassant les frontières du pays. Le musée est situé sur Van Horne Street (autoroute n°93/95), ☎ 489-3918. Ouvert tous les jours de 10 h à 18 h en été, et de 12 h à 17 h en hiver; entrée 2,25 $. Un supplément de 1,50 $ donne droit à une visite guidée de l'intérieur des trains.

Le Cranbrook Public Art Gallery

Attenant au musée ferroviaire, ce centre d'art présente des expositions d'œuvres d'artistes locaux. Ouvert de 9 h à 20 h en été, et selon des heures variables en hiver (☎ 426-8324).

Le quartier historique

Plusieurs monuments intéressants s'élèvent dans le quartier historique de Cranbrook. C'est par exemple le cas de la **Rotary Clock Tower** au square Cranbrook. Il s'agit en fait d'une reproduction exacte de la tour qui flanquait un ancien bureau de poste. Celui-ci se trouvait à l'intersection de Baker Street et de 10th Avenue avant sa démolition, en 1971, qui provoqua la colère des défenseurs du patrimoine. L'horloge du bâtiment original fut récupérée et incorporée à la reproduction.

On peut également visiter la **maison du Colonel Baker**, fondateur de la ville, dans le parc Baker près de 1st Street South. Ouvert tous les jours de 9h à 17 h.

De nombreux autres édifices méritent un coup d'œil dans ce quartier. La plupart d'entre eux se dressent à l'intérieur du quadrilatère compris entre 10th et 13th Avenues, et entre 1st et 4th Streets South.

Le Wildlife Museum

Ce musée doit son existence à la East Kootenay Hunter's Association. On y présente des reconstitutions de paysages naturels permettant de faire connaissance avec la faune locale. Le musée est situé à l'intérieur de l'édifice abritant la chambre de commerce, au 2279 Cranbrook Street North. Ouvert tout au long de l'année selon des horaires variables; entrée 2 $.

 Hébergement

Le **camping du parc provincial Jimsmith Lake** (8 $), ouvert de mai à octobre, est l'un des plus agréables de la région. Il est localisé à moins de 4 km au sud de la ville.

En plein cœur de la ville, le **Cranbrook Municipal Tourist Park** (8,75 $ à 10,75 $) constitue l'autre choix pour les amateurs de camping. Il est situé à l'intérieur du parc Baker, près d'une chute d'eau, à l'angle de 14th Avenue et de 1st Street.

Le populaire **Heritage Estate Motel** (33 $ à 38 $, 362 Van Horne Street, ☎ 426-3862) offre des chambres confortables à bon prix.

Ceux qui recherchent un lieu d'hébergement plus luxueux devraient se diriger vers le **Inn Of The South** (69 $ à 72 $, bp, ≈, ℜ, ●, 803 Cranbrook Street, ☎ 489-4301).

 Restaurants

Jug And Platter (611 Cranbrook Street, ☎ 489-5515). Idéal pour le petit déjeuner (3 $ à 5 $) ou pour un bon sandwich (4 $ à 6 $). On y sert également quelques spécialités ukrainiennes et canadiennes. Ouvert tous les jours de 6 h 30 à 22 h 30.

Kootenay Cattle Co. Steakhouse (40 Van Horne Street North, ☎ 489-5515). Excellents steaks et bar à salades bien garni. Un repas coûte entre 5 $ et 8 $ pour le déjeuner et de 14 $ à 18 $ pour le dîner.

Bonanza (Situé sur Cranbrook Street, ☎ 498-1888). Steaks, poulet et fruits de mer à prix raisonnables.

Apollo Ristorante and Steak House (Situé au 1012 Cranbrook Street, ☎ 426-8313). Mets italiens incluant 25 types de pizzas. Déjeuner à 5,25 $, dîner à 10,75 $.

Mr. Mike's (1225 Cranbrook Street North, ☎ 426-8313). Hamburgers, salades et steaks. Entre 3,50 $ et 9 $.

The Heritage Rose Dining House (356 Van Horne Street South, ☎ 426-3454). Aménagé à l'intérieur d'une demeure construite en 1907, ce restaurant propose une cuisine raffinée. Au menu, canard à l'orange, fruits de mer et steaks. Il faut compter entre 10 $ et 26 $ par personne pour le dîner. Ouvert du lundi au samedi à partir de 17 h. Réservations recommandées.

Vie nocturne

Cactus Parrot Nightclub (À l'intérieur du Inn Of The South sur Cranbrook Street). Musique du Top-40.

Misty's (Situé dans le Town And Country Motor Inn sur Cranbrook Street). Très populaire les jeudis, vendredis et samedis soirs.

Yuk Yuk's Comedy Club. Spectacles de comédiens et fantaisistes les vendredis et samedis soirs.

The Byng Hotel (Situé sur Cranbrook Street). Musique *Country.*

Aux environs de Cranbrook

■ **Fort Steele**

Dans les années 1860, les chercheurs d'or passaient par ici, prenant le traversier à ce qui s'appelait alors Galbraith's Ferry afin de franchir la rivière Kootenay en direction des richesses de la rivière Wild Horse. Ils payaient alors jusqu'à 5 $ par personne et 10 $ par animal chargé pour la traversée. Le premier pont ne fut construit qu'en 1888. L'année précédente, la Police Montée avait établi un quartier général à Galbraith's Ferry qui empruntera un peu plus tard le nom du chef de police Sam Steele. Ce dernier, avec l'aide de ses 75 hommes, contribua à mettre de l'ordre dans les nombreux conflits opposant les Indiens et les éleveurs blancs quant à la propriété des terres de la région.

Suite à la découverte de gisements d'argent et de plomb en 1890, Fort Steele se développa rapidement en un centre administratif et social pour toute la région. C'était alors le principal lieu d'approvisionnement et la circulation de bateaux à aubes devint très importante entre Fort Steele et les raffineries où étaient traités les minerais extraits du sol. La ville déclina cependant lorsque le parcours du chemin de fer la contourna au profit de

Cranbrook en 1898 et, dès 1905, on n'y comptait plus que 500 habitants.

Toutefois, Fort Steele est encore bien vivante aujourd'hui. C'est maintenant un parc historique provincial où l'on a rénové ou reconstruit une soixantaine de bâtiments de l'époque. Parmi ceux-ci, on note le palais de justice, la prison, l'hôtel, le magasin général, la clinique d'un dentiste, l'imprimerie, etc.

Durant l'été, les employés du parc revêtent des costumes d'époque et font ainsi revivre Fort Steele. On peut aussi assister à un spectacle ou à un film muet au **Wild Horse Theatre** (☎ 426-5682), de même qu'à la prestation de chanteurs à l'**Opera House**. Le **Tearoom** (☎ 426-5195), situé à l'étage supérieur du musée, sert des repas légers (4 $ à 5 $).

Fort Steele se trouve à 16 km au nord-est de Cranbrook. On s'y rend en empruntant l'autoroute n°95 Nord en direction d'Invermere et de Radium. On croisera alors le terrain de camping de Fort Steele (11 $ la nuit, ☎ 426-5117) et le parc provincial Norbury Lake où l'on peut camper (6 $).

Le parc historique provincial Fort Steele reste ouvert toute l'année. C'est en été toutefois qu'il y a le plus d'activités alors que le parc est ouvert de 9 h 30 à 17 h 30 (de la mi-juin à septembre); adultes 5 $, enfants 1 $ (☎ 426-6923).

Kimberley

Nichée à 1 117 m au-dessus du niveau de la mer, au sein des monts Purcell, à quelque 32 km de Cranbrook, Kimberley est la ville située à la plus haute altitude au Canada. Aussi est-elle littéralement entourée de montagnes aux pics enneigés comme les **monts North Star ou Sullivan**. Elle fut fondée en 1892 après la découverte de mines de plomb et d'argent.

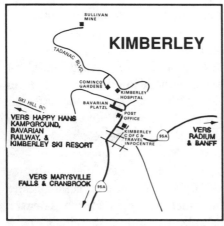

Les maisons et les commerces du centre de la ville présentent un étonnant aspect «bavarois» avec leurs fioritures en bois foncé, leur toit triangulaire à pente prononcée, leur balcon décoré, leurs volets peints de couleurs vives et leurs boîtes à fleurs aux fenêtres. Le centre commercial, baptisé **The Bavarian Platzl**, complète le décor. On y trouve par ailleurs la plus grande horloge coucou au monde.

Cette étonnante architecture fut l'idée d'un groupe de gens d'affaires de la ville qui cherchait, dans les années soixante-dix, une façon d'assurer la prospérité de leur localité malgré la fermeture éventuelle des mines environnantes. Les résultats furent spectaculaires : de nombreux touristes visitent aujourd'hui Kimberley, et les mines sont toujours en opération... On raconte que le cachet que l'on a tenté de recréer est à ce point réussi que de nombreux Européens ont été charmés et ont décidé de se joindre aux quelque 7 000 habitants de la ville contribuant ainsi à l'établissement d'une série de restaurants servant d'authentiques cuisines étrangères.

Le bureau d'information touristique de Kimberley se trouve au 350 Ross Street (☎ 427-3666).

 Attraits touristiques

Les chutes Marysville

Peu avant d'entrer à Kimberley par le sud, on croise la petite communauté de Marysville. Il vaut la peine de s'y arrêter quelques instants afin d'admirer une série de cascades, puis une grande chute d'eau. On accède aux abords des cascades après une courte randonnée dans la forêt.

Le Kimberley Heritage Museum

À l'une des extrémités de la Bavarian Platzl se trouve le musée de la ville qui, entre autres, raconte l'histoire locale et rend hommage au skieur né à Kimberley, Gerry Sorensen, champion du monde de descente en 1982. Ouvert du lundi au samedi de 9 h à 16 h 30 en été, et de 13 h à 16 h en hiver. Situé au 105 Spokane Street (☎ 427-7510).

Le Kimberley International Art School and Centre

Ce centre d'art présente une impressionnante collection de sculptures et d'œuvres d'artistes renommés, provenant d'un peu partout à travers le monde. Ouvert tous les jours de 11 h à 18 h. Situé au 49 Deer Park (☎ 427-5160).

La mine Sullivan

Exploitée par la Cominco, la mine Sullivan est l'une des plus importantes mines de plomb et de zinc du monde. Une bonne façon de découvrir ce secteur consiste à monter à bord du train de la Bavarian City Mining Railway (2 $) au terrain de camping Happy Hans, situé à 2 km de Kimberley sur Gerry Sorensen Way. Son tracé de 2,5 km permet, outre de jolies vues sur la montagne et le centre de ski, d'accéder à l'entrée de la mine Sullivan que l'on peut visiter en semaine.

Le Kimberley Ski and Summer Resort

On peut dévaler les pentes du mont North Star dans ce centre de ski où les remonte-pentes sont en opération douze mois par année. En plus du ski alpin, on peut y pratiquer le ski de fond, le tennis (intérieur et extérieur) et la randonnée pédestre. Situé à 4 km du centre-ville de Kimberley par Gerry Sorensen Way, puis Ski Hill Road (☎ 427-4881).

 Hébergement

Le vaste **Happy Hans Kampground** (13 $ à 15 $, ☎ 427-2929), à 2 km au nord de la ville sur la route menant au centre de ski, offre de beaux sites sous les arbres.

On trouve également plusieurs auberges au pied des pentes du centre de ski. En ville, quelques motels et auberges offrent des chambres à partir de 32 $.

 Restaurants

Kimberley City Bakery (À l'intérieur de la Platzl). Boulangerie suisse et café. Ouvert tous les jours en été.

Gasthaus am Platzl (À l'intérieur de la Platzl). Spécialités allemandes telles que *bratwurst, rheinischer sauerbraten, wienerschnitzel* et *kassler rippchen*, entre 9 $ et 14 $.

The Greenhouse Tea Garden (À proximité des jardins Kimberley, près de l'hôpital, ☎ 427-4885). Véritable serre garnie de plantes et de fleurs. Idéal pour le thé de l'après-midi.

Alpenrose (À l'extérieur de la Platzl).Hamburgers, pizzas, pâtes, steaks, fruits de mer, poulet, etc.

The Old Baurenhaus (280 Norton Avenue (☎ 427-5133). Spécialités et atmosphère bavaroises.

De Kimberley à Radium

Les autoroutes n°95A et n°93/95, qui relient Kimberley et Radium en passant dans la vallée entre les montagnes Rocheuses et les monts Purcell, réservent comme on peut s'en douter de magnifiques panoramas aux voyageurs. Elles donnent de plus accès à toute une série de parcs provinciaux.

Le premier sur la liste est le **parc provincial Wasa**, d'une superficie de 144 ha. On peut y camper de mai à octobre (8 $). Après avoir longé la rivière Kootenay pendant un bon moment, on atteint le **parc provincial Premier Lake** juste au nord de la petite communauté de Skookumchuck. On y pratique la pêche, la baignade, la randonnée pédestre, le ski de fond et le camping (8 $ la nuit, de mai à octobre).

Un peu plus loin, une route non revêtue mène aux parcs provinciaux **Whiteswan** (994 ha) et **Top Of The World** (8 791 ha). Cette région est couverte de lacs où la truite abonde.

Par la suite, c'est le **parc provincial Canal Flats** que désigne le panneau de signalisation suivant. À proximité, le village de Canal Flats s'étend entre la rivière Kootenay et le lac Columbia. C'est en 1889 que ces deux voies d'eau furent reliées par un canal. Cependant, le passage était à ce point étroit que seulement deux navires s'aventurèrent à l'emprunter, l'un en 1894, l'autre en 1902...

La route se poursuit alors jusqu'au **parc provincial Thunder Hill**, un site des plus agréables, niché au sommet d'une colline d'où la vue sur le lac Columbia est superbe. On peut aussi y camper (6 $ la nuit, de mai à octobre).

■ **Fairmont Hot Springs**

À l'approche de Fairmount Hot Springs, on aperçoit l'aéroport de Fairmount. C'est l'occasion idéale de découvrir cette merveilleuse région depuis les airs. Des tours de petits avions sont organisés par la firme *Adventure Glacier Sightseeing*.

La ville de Fairmount Hot Springs comme telle fut fondée en 1922. C'est aujourd'hui une petite station de villégiature où l'on remarque entre autres le Spruce Grove Resort, à l'entrée Sud de la ville, qui offre de beaux emplacements de camping au bord de la rivière Columbia (9 $ à 13 $ par nuit) et des chambres confortables (45 $ à 58 $).

Les sources d'eau chaude, à l'origine du nom de la ville, sont situées à proximité. Les bassins, où l'on peut se prélasser en regardant le soleil se coucher, sont accessibles tous les jours de 8 h à 22 h; adultes 4 $, enfants 3 $. Il y a un terrain de camping à deux pas (de 12 $ à 18 $ la nuit). Des chambres de luxe sont également disponibles sur le même site (108 $ à 145 $, ☎ 345-6311).

■ Windermere et Invermere

Les deux prochaines étapes sur cette route sont Windermere, une petite localité située près du populaire lac du même nom, et Invermere, là où l'explorateur David Thompson installa le poste de traite Kootenay House en 1807.

Invermere est aujourd'hui le centre administratif de la vallée. On y trouve un peu de tout : cafés, restaurants, hôtels, marinas, etc. De plus, on remarque à proximité une importante station de ski, de même que la réserve faunique des monts Purcell que sillonne un sentier de randonnée long de 61 km, à quelque 2 256 m d'altitude.

Radium Hot Springs

Le petit village de Radium Hot Springs s'étend au pied des montagnes Rocheuses, à 72 km au nord de Cranbrook et à 134 km à l'ouest de Banff. Les sources d'eau chaude se trouvent à l'est de la ville, à l'entrée du parc national Kootenay qui fait partie du patrimoine mondial.

D'apparence modeste, Radium n'en demeure pas moins un site stratégique pour les milliers d'amateurs d'activités de plein air qui se donnent rendez-vous dans la région année après année. Il y a bien sûr le **parc national Kootenay**, tout près, mais aussi le **parc provincial du mont Assiniboine**, accessible seulement par sentiers pédestres, les rivières canotables **Kootenay, Vermilion** et **Kicking Horse**, le **lac Windermere** pour la pratique d'activités nautiques de tout genre et de nombreux terrains de golf. De plus, le **centre de ski Panorama** (☎ 342-6941) accueille les skieurs alpins et les skieurs de fond en hiver.

Le bureau d'information touristique se situe à l'intersection des autoroutes n°95 et n°93.

 Hébergement

On rencontre le long de l'autoroute n°95, au sud de la ville, à la jonction des autoroutes n°95 et n°93, et le long de cette dernière en direction du parc Kootenay, une foule d'hôtels, de motels et d'auberges où l'on peut dénicher des chambres à des prix allant de 30 $ à 100 $.

Une autre option consiste à camper au **Canyon Camp** (10,50 $ à 16 $), situé sur Sinclair Creek Loop Road (☎ 347-9564).

Le **Skyway Motel and Campground**, sur l'autoroute n°95 au nord de Radium, dispose d'emplacements de camping accessibles entre mai et octobre (8 $ la nuit) et de petites chambres confortables (20 $, ☎ 347-9698).

Le **Radium Hot Springs Resort** (95 $ à 145 $, ☎ 347-9311 ou 1-800-665-3585), avec ses chambres de grand luxe, s'inscrit à l'autre extrémité de l'échelle des prix. On y offre également des appartements de une à trois pièces (140 $ à 170 $).

Restaurants

Husky House Restaurant (À la jonction des autoroutes n°93 et n°95, ☎ 347-9811). Cuisine familiale. Ouvert tous les jours de 7 h à 23 h.

Karp's Kountry Kitchen (Situé sur l'autoroute n°93/95). Petit déjeuner à 3,50 $, hamburgers et sandwichs à partir de 4 $ et dîners à 7 $.

Silver Springs Restaurant (Situé du côté gauche de l'autoroute n°93 en direction du parc Kootenay). Délicieuse cuisine chinoise à partir de 6 $.

Radium Hot Springs Resort. Pour un grand dîner dans un beau décor. Il est recommandé de réserver (☎ 349-9311).

■ **De Radium Hot Springs à Golden**

Entre Radium Hot Springs et Golden (à 107 km plus au nord), l'autoroute n°95 file entre les montagnes Rocheuses et la rivière Columbia.

À Brisco et à Spillimacheen, des routes non revêtues mènent au **parc provincial Bugaboo Glacier**, à 45 km vers l'ouest. Ce refuge de 25 274 ha plaira aux amateurs de randonnée pédestre qui découvriront avec joie de magnifiques glaciers. À l'entrée du parc, le **Bugaboo Lodge** (☎ 1-403-346-3366), seul établissement commercial offrant le gîte dans la région, accueille les visiteurs.

 Le parc national Kootenay

L'autoroute n°93 traverse le spectaculaire parc national Kootenay sur une distance de 105 km. Au programme : montagnes majestueuses, canyons de marbre façonnés par les rivières Kootenay, Vermilion et Simpson, rapides et cascades, lacs glacés

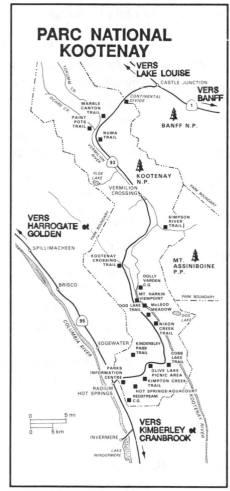

et sources d'eau chaude, prairies verdoyantes couvertes de fleurs sauvages en été, chèvres de montagne, orignaux, écureuils, etc.

Les Indiens Kootenays furent les premiers à s'établir dans cette région. Les sources thermales constituaient pour eux un lieu de ralliement. Ils y trouvaient entre autres l'argile ocrée et l'oxyde de fer dont ils avaient besoin pour peindre leurs tatouages. Au XIXᵉ siècle, les premiers explorateurs s'amenèrent dans la région à la recherche de passages dans les montagnes. David Thompson fut le premier de ceux-ci.

En 1905, Randolph Bruce, homme d'affaires d'Invermere, convainquit le gouvernement canadien et le Canadien Pacifique de la nécessité d'aménager une route entre Banff et Wildermere pour favoriser l'expédition des produits de l'Ouest jusque dans les Prairies. On commença en 1911 la construction de cette route qui devait traverser trois chaînes de montagnes. L'argent vint cependant à manquer après seulement 22 km de route. Afin de compléter le projet, la province de Colombie-Britannique accepta de céder au gouvernement fédéral une bande de 8 km de large de part et d'autre de la fameuse route. Ce territoire devint le parc national Kootenay, alors appelé

Highway Park, dès l'année suivante, et la route fut terminée en 1922.

Ce parc de 140 600 ha s'étend sur le versant Ouest des Rocheuses, entre les parcs du mont Assiniboine, au sud, de Banff, à l'est, et de Yoho, au nord. À l'entrée du parc, tous les véhicules doivent s'arrêter afin que leurs occupants se procurent un permis au coût de 4,25 $ pour un jour, 9,50 $ pour quatre jours, ou 26,75 $ pour un permis annuel donnant accès à tous les parcs nationaux du pays. À noter que les cyclistes et les marcheurs n'ont pas à défrayer ces droits de passage.

Il y a deux bureaux d'information à l'intérieur des limites du parc où l'on peut se procurer des dépliants spécialisés, cartes topographiques, permis de pêche, etc. Le premier, le **West Gate Information Centre**, est situé à l'entrée Ouest du parc et est ouvert tous les jours en été, soit de la mi-juin au début septembre, de 8 h à 20 h, et durant la fin de semaine le reste de l'année. Le second se trouve à l'extrémité Nord-Est du parc et porte le nom de **Marble Canyon Information Centre**; il est ouvert tous les jours de 8 h à 17 h, de la mi-juin au mois de septembre. On peut également obtenir des renseignements avant le départ à l'adresse suivante :

> Kootenay National Park
> Box 220
> Radium Hot Springs, B.C.
> V0A 1M0
> ☎ 347-9615

 Attraits touristiques

Le canyon du Sinclair

Les premiers panneaux annonçant une piste de randonnée, une fois passé la station thermale de Radium Hot Springs, indiquent l'accès au **sentier Redstreak** qui longe la rivière du même nom.

La route suit alors la **rivière Kimpton**, bordée en été par de jolies fleurs sauvages. Une piste de randonnée de 5,5 km permet de se rapprocher du cours d'eau pour mieux l'apprécier. On atteint ensuite la rivière Sinclair où l'on peut pique-niquer ou entreprendre une autre randonnée de 10,1 km sur le **sentier Kindersley Pass** et revenir pour compléter la boucle par le **Sinclair Creek Trail** (6,4 km). Par la suite, des haltes sont recommandées aux lacs Olive et Cobb.

La vallée de la Kootenay

On atteint bientôt un extraordinaire poste d'observation qui permet d'embrasser du regard toute la vallée de la Kootenay, dite la «vallée des parcs nationaux». Les amateurs de photographies s'en donneront à cœur joie dans ces parages. Par la suite, on croise **Nixon Creek** avant de rejoindre le **terrain de camping McLeod Meadows** (voir section Hébergement p. 225) où l'on peut accéder au sentier de 3,4 km menant au **lac Dog**. À cette hauteur, on aperçoit le magnifique **mont Harkin**. Non loin de là, le terrain de pique-nique Dolly Varden est l'occasion d'un autre arrêt des plus agréables.

Kootenay Crossing

C'est à Kootenay Crossing que fut coupé le ruban d'inauguration de la fameuse route reliant Banff à Wildermere en 1923. Une plaque commémore d'ailleurs l'événement. Encore ici, des pistes de randonnée et de ski de fond sont accessibles.

De Wardle Creek à Vermilion Crossing

Wardle Creek est un autre endroit idéal pour les pique-niques. Ce lieu est aussi fréquenté par de nombreux écureuils et, en été, par des chèvres de montagne. Plus loin, on remarquera le **monument Simpson** dédié à Sir George Simpson, explorateur de la Compagnie de la Baie d'Hudson dans les années 1840.

On peut alors emprunter le sentier Simpson River (32 km) en direction du **parc provincial du mont Assiniboine**. Le sentier débute au confluent des rivières Vermilion et Simpson et longe cette dernière sur 8,5 km avant de rejoindre Surprise Creek. De là, la piste se sépare en deux sentiers (20 et 32 km) conduisant au **lac Magog**. Le parc du mont Assiniboine (3 618 m d'altitude) s'étend sur 39 052 ha entre les parcs nationaux Kootenay et Banff. On peut camper ou loger dans des abris dans la partie Sud de Magog Creek (☎ 422-3212). Il est aussi possible de séjourner au **Mount Assiniboine Lodge**, près du lac Magog.

De retour sur la route, la prochaine halte devrait se faire à **Vermilion Crossing**, une toute petite communauté estivale, point de départ des **sentiers Verdant Creek** (11,6 km) et **Verendrye Creek** (3,9 km).

Paint Pots

Le prochain site digne de mention est Paint Pots, où une courte piste (1 km) mène à trois bassins colorés de rouge, d'orange et de jaune par une eau ferrugineuse. C'est ici que les Indiens Kootenay se donnaient jadis rendez-vous. Lorsqu'ils découvrirent l'endroit, les Blancs utilisèrent l'ocre que l'on y trouve dans la fabrication de peinture et baptisèrent ce lieu de son nom actuel (pots de peinture). D'ici, on peut entreprendre plusieurs autres randonnées sur les pistes **Goodsir**, **Ottertail**, **Tumbling** et **Helmet Creek**.

Marble Canyon

Il ne faut surtout pas omettre de s'arrêter au Marble Canyon (canyon de marbre). Un court sentier conduit à cet extraordinaire site. Des plaques disposées le long du parcours font remonter le visiteur 500 000 000 d'années en arrière en racontant la formation de cette gorge de 37 m de hauteur façonnée par le **torrent Tokumm**. D'autres sentiers permettent de se rapprocher de ce torrent ou de se diriger vers le superbe **lac Kaufmann**.

L'entrée Nord-Est du parc

À l'approche de l'entrée Nord-Est du parc, on croise le sentier menant au **glacier Stanley** (4,8 km) et au **Vermilion Pass Burn**. Ce dernier secteur, comme son nom l'indique, fut le théâtre d'un important feu de forêt en 1968. La renaissance de la nature en ces lieux dévastés constitue un spectacle réjouissant et fascinant.

Plus loin, la ligne de partage des eaux des montagnes Rocheuses délimite la frontière entre la Colombie-Britannique et l'Alberta. À l'ouest de cette ligne, toutes les rivières coulent vers le Pacifique alors qu'à l'est, les eaux se dirigent vers l'océan Atlantique.

 Hébergement

Les possibilités d'hébergement à l'intérieur du parc se limitent à quelques terrains de camping. Tout d'abord, mentionnons le **camping Redstreak** (11,75 $ à 16 $), situé au sud de Radium Hot Springs, le seul à posséder l'équipement nécessaire pour accueillir les caravanes.

On peut également camper à McLeod Meadows et Marble Canyon de la mi-juin au début septembre (9,50 $). D'autres sites de camping sauvage sont disséminés çà et là dans le parc. Il faut toutefois se procurer un permis à l'entrée (gratuit) pour passer la nuit dans le parc.

 Le parc national de Banff

L'arrivée du chemin de fer transcontinental en Alberta marqua les débuts d'une politique visant à former un réseau de parcs nationaux canadiens. Dès 1883, les autorités du Canadian Pacific réalisèrent que le tourisme pouvait grandement contribuer à l'augmentation de l'utilisation des trains. Elles suggérèrent alors la préservation de certaines régions propices à l'activité

touristique. En 1885, le gouvernement canadien décréta la zone entourant les sources d'eau chaude Cave et Basin, réserve protégée. Deux ans plus tard, cette réserve devint le parc national des montagnes Rocheuses, devenu aujourd'hui celui de Banff. Il s'agit donc du premier parc national canadien.

Ce parc s'étend aujourd'hui sur une superficie de 6 641 km^2. Plus de 3 millions de visiteurs en découvrent la beauté à chaque année, n'altérant toutefois en rien sa sauvage splendeur. Une expédition dans le parc national de Banff permet de découvrir avec ravissement une série de **sources thermales (Cave, Basin et Upper)**, le **canyon Johnston**, les spectaculaires **Ink Pots** (sept sources de couleurs différentes), les monts **Castle** (2 728 m) et

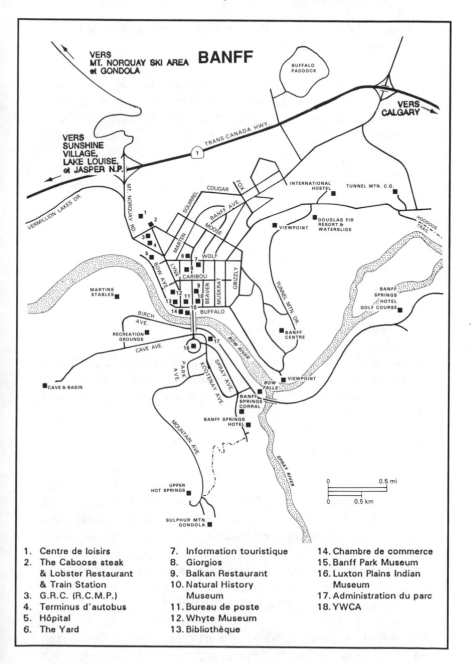

1. Centre de loisirs
2. The Caboose steak
   & Lobster Restaurant
   & Train Station
3. G.R.C. (R.C.M.P.)
4. Terminus d'autobus
5. Hôpital
6. The Yard
7. Information touristique
8. Giorgios
9. Balkan Restaurant
10. Natural History
    Museum
11. Bureau de poste
12. Whyte Museum
13. Bibliothèque
14. Chambre de commerce
15. Banff Park Museum
16. Luxton Plains Indian
    Museum
17. Administration du parc
18. YWCA

Rundle (2 949 m), la célèbre **station touristique Banff** et la charmante communauté du **lac Louise**.

Le bureau d'information du parc se trouve au 224 Banff Avenue, la rue principale du village de Banff. Il est ouvert tous les jours de 10 h à 18 h, de 8 h à 22 h en été (☎ 762-4256). On peut également obtenir des renseignements à l'adresse postale suivante :

> Banff National Park
> Box 900
> Banff, Alberta
> T0L 0C0
> ☎ 403-762-3324

■ Banff

Scintillant petit village, Banff est composé de larges avenues baptisées de noms tels que Bear (ours), Buffalo (bison), Muskrat (rat musqué) ou Moose (orignal) le long desquelles s'alignent des bâtiments rustiques faits de pierres et de rondins. Il est entouré d'un des plus beaux parcs du monde, et se trouve à moins d'une heure et demie de route de Calgary.

 Attraits touristiques

Une visite de Banff devrait débuter au **Central Park**, près de la rivière Bow à l'extrémité Sud de Banff Avenue. L'endroit est idéal pour un pique-nique en famille.

À deux pas de là se dresse le **musée du parc national de Banff**, véritable centre d'interprétation de la faune de ce parc. Ouvert tous les jours de 10 h à 18 h; l'entrée est gratuite.

Son voisin, le **musée d'histoire naturelle**, explore l'évolution géologique des Rocheuses. On y apprend une foule de choses sur les forêts et les montagnes du parc, la flore de ses vallées, la légende de Bigfoot, etc. Ouvert tous les jours, de 10 h à 18 h en hiver et jusqu'à 20 h en été; adultes 2 $, enfants 1 $.

De son côté, le **Whyte Museum of the Canadian Rockies**, situé sur Bear Street, raconte le développement touristique des Rocheuses et rend compte des explorations récentes menées en ces lieux. On y organise de plus des visites guidées visant à faire découvrir quelques édifices historiques des alentours. Ouvert tous les jours de 13 h à 17 h en hiver, et de 10 h à 18 h en été; adultes 2 $.

On trouvera le **bureau d'information de Parc Canada** sur Banff Avenue, entre les rues Caribou et Wolf. C'est là que l'on obtiendra tous les renseignements désirés sur le parc national de Banff. On y présente également un montage audiovisuel sur le parc.

Il ne faut pas manquer de faire un saut du côté des **sources d'eau chaude Cave et Basin**, découvertes en 1883. C'est là que sont nés les parcs nationaux canadiens. Le bassin extérieur, contenant une eau turquoise dont la température s'élève à 34°C, est accessible de la mi-juin au mois de septembre, de 10 h à 16 h; adultes 2 $, enfants 1,25 $. On s'y rend en franchissant le pont de la rivière Bow pour ensuite emprunter la Cave Avenue jusqu'au bout.

D'autre part, un **téléphérique** permet d'atteindre le sommet du mont Sulphur, à près de 2 450 m d'altitude, en 8 min. De là, des vues spectaculaires s'offrent aux visiteurs. Un petit restaurant, ouvert de 9 h à 19 h 30, y a été aménagé. Le quai d'embarquement se situe tout au bout de Mountain Avenue. Ouvert tous les jours de 8 h 30 à 20 h; adultes 8 $, enfants 3,50 $.

À proximité de là, on peut aller tremper ses pieds dans les **Upper Hot Springs**, des sources thermales dont la température de l'eau atteint 40°C; adultes 2 $, enfants 1,25 $.

Hébergement

Le **Banff International Hostel** (14 $ à 19 $, sur Tunnel Mountain Road à 3 km au nord du centre-ville, ☎ 403-762-4122) est en fait l'auberge de jeunesse de Banff. On peut y accéder rapidement en sautant à bord du Happy Bus, un service d'autobus desservant tous les hôtels de la ville. On descend alors au Douglas Fir Resort (2 $).

Tout près de là est établi le **Tunnel Mountain Campground and Trailer Park** (14 $ à 16 $), administré par les autorités du parc national. Un peu plus loin sur cette même route menant en direction de Calgary, on croisera le **Two Jack Campground** (9,50 $).

Le **YWCA** (16 $, 102 Spray Avenue, ☎ 403-762-3560) représente un autre choix économique. Outre les chambres régulières, on y offre des chambres avec lavabo à partir de 35 $ et des chambres familiales à compter de 60 $. Réservations recommandées. Au rez-de-chaussée, le Spray Cafe sert une excellente nourriture à bon prix entre 7 h et 21 h.

À l'autre extrémité de l'échelle de prix, mentionnons le **Banff Springs Hotel** (200 $, au bout de Spray Avenue), un élégant palace de pierres grises visible de partout.

 Restaurants

Bien que l'hébergement soit dispendieux à Banff, il en est tout autrement de la restauration. On peut en effet y dénicher de nombreux endroits où l'on mange bien à prix raisonnables.

The Yard Restaurant (137 Banff Avenue). Un des favoris des habitants du coin. Hamburgers, fruits de mer, steaks et cuisine *Tex-Mex*. Déjeuner de 4 $ à 6 $, dîner de 8 $ à 16 $. Ouvert de 11 h à 23 h.

Balkan Restaurant (120 Banff Avenue). Délicieuse cuisine grecque. Décor reproduisant l'atmosphère des îles grecques. Gigantesque salade à 4,95 $. Déjeuner de 5 $ à 9 $, dîner de 8 $ à 16 $. Ouvert de 11 h à 23 h.

Georgio's (219 Banff Avenue). Deux restaurants en un : pâtes et pizzas pour les petits budgets, fine cuisine du Nord de l'Italie pour ceux qui recherchent quelque chose d'un peu plus sophistiqué.

The Caboose Steak and Lobster Restaurant. Restaurant aménagé dans le bâtiment historique ayant servi de gare à la compagnie de chemin de fer de Banff. Soupe et salade à 7,95 $, repas de steak et homard à 24,95 $.

 Vie nocturne

Banff Springs Hotel. Ce prestigieux hôtel abrite de nombreux bars et une boîte de nuit.

Le centre-ville possède d'autre part une grande quantité de pubs où des musiciens présentent des spectacles en soirée, surtout les fins de semaine.

■ Le lac Louise

Depuis Banff, les voyageurs désireux de se diriger vers le célèbre lac Louise peuvent opter pour l'autoroute Transcanadienne (n° 1), longeant le côté Ouest de la rivière Bow, ou encore la route secondaire Bow Valley Parkway sur l'autre rive. Les deux choix se valent quant à la distance à parcourir (60 km) et à la beauté du paysage.

Surnommé le «joyau des Rocheuses», le lac Louise a été «découvert» en 1882 par Tom Wilson, un travailleur du Canadian Pacific. C'est un Indien qui l'avait guidé jusqu'au lac et Wilson baptisa ce dernier le lac d'Émeraude. Plus tard, on en changea le nom pour honorer la princesse Louise Caroline Alberta, fille de la reine Victoria et épouse du gouverneur général du Canada de l'époque. En 1890, un premier château (hôtel) fut construit aux abords du lac. On dut cependant le reconstruire suite à un incendie survenu en 1924. Le château actuel est une pure merveille architecturale qui semble sortir tout droit d'un conte de fées.

 Attraits touristiques

Le petit village Lake Louise n'était à l'origine qu'une toute petite gare de chemin de fer. Aujourd'hui, la gare est toujours là et le village est demeuré modeste malgré son infrastructure touristique. Du village, une route de 4,5 km et les pistes de randonnée **Louise Creek Trail** (2,7 km) et **Tramline Trail** (4,5 km) permettent d'accéder au lac.

Le **bureau d'information de Parc Canada** se trouve sur Village Road près du centre commercial Samson. Il est ouvert à l'année (☎ 522-3833).

L'endroit est un véritable paradis pour les amateurs de randonnée. L'une des pistes les plus populaires est la **Louise Lakeshore Trail** (3 km) qui longe le côté Nord-Ouest du lac. On peut ensuite compléter cette randonnée en empruntant la **Plain of Six Glaciers Trail** de laquelle on aura des vues remarquables sur le **glacier Victoria**, le **passage Abbot** et l'énorme gorge **Death Trap**.

Le téléphérique du lac Louise, l'un des plus longs au Canada, est un autre attrait fort prisé des visiteurs. En 20 min, il gravit le mont Whitehorn jusqu'à plus de 2 000 m d'altitude, offrant à ses passagers des panoramas à couper le souffle. Ouvert du début juin à la mi-septembre de 9 h à 18 h; adultes 7,50 $, enfants 3,75 $.

Hébergement

La plupart des lieux d'hébergement de la région sont situés dans le village Lake Louise et les prix demandés sont assez élevés à l'exception des campings. Ainsi, le **Campground for tents** (10,50 $) possède de superbes emplacements. Pour y accéder, il faut emprunter Fairview Road que l'on atteint par Lake Louise Drive, et suivre les indications. Situé un peu plus loin sur Fairview Road, le **RV Campground** dispose d'emplacements pour caravanes et est ouvert toute l'année.

Le **Chateau Lake Louise** (150 $ à 550 $) conviendra parfaitement à ceux qui veulent faire la grande vie quelques jours. Cet hôtel de prestige s'élève dans toute sa magnificence au bord du lac.

 Restaurants

Laggan's Mountain Bakery and Delicatessen (Situé dans le centre commercial Samson). Sandwichs, café et succulents muffins, carrés aux dattes et aux cerises, tartes et biscuits.

Pour les gens à la recherche de mets plus substantiels, le **Deer Lodge**, le **Post Hotel** et, bien sûr, le **Chateau Lake Louise** disposent de salles à manger servant une cuisine raffinée.

 Le parc national de Jasper

Ce n'est qu'au début du XIXᵉ siècle que des explorateurs (dont plusieurs Canadiens français) cherchèrent à découvrir un passage à travers les montagnes permettant de rejoindre le Pacifique. C'est à cette époque que David Thompson partit de Fort Edmonton et suivit la rivière Athabasca jusque dans les montagnes, ce qui correspond aujourd'hui à l'autoroute n°16 Est. À l'hiver 1810-1811, lui et ses hommes s'installèrent dans

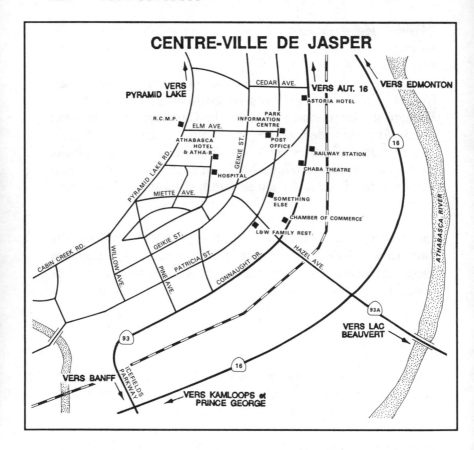

la vallée où les eaux de la rivière Miette se jettent dans celles de la rivière Athabasca. Cela marqua la naissance du village de Jasper, ainsi nommé en l'honneur d'un trappeur émérite de la Compagnie du Nord-Ouest, Jasper Hawes.

L'équipe de Thompson poursuivit ensuite sa route par les rivières Athabasca, puis Whirlpool, et ce jusqu'en Colombie-Britannique. Cette route sera alors utilisée pendant 50 ans par les brigades de la Compagnie du Nord-Ouest et celles de la Compagnie de la Baie d'Hudson.

En 1907, le chemin de fer arriva à Jasper et le parc de la forêt de Jasper, comme on l'appelait à l'époque, vit le jour cette même année. Aujourd'hui, le parc national de Jasper est le plus nordique et le plus grand des parcs des montagnes Rocheuses (10 878 km²). On y remarque tout particulièrement des montagnes parmi les plus vieilles et les plus hautes des Rocheuses, dont le **mont Edith Cavell** (3 363 m), et le plus grand champ de glace de l'Amérique du Nord subarctique intérieure, le **Columbia Icefield** (325 km²), duquel se détache le **glacier Athabasca** que l'on peut rejoindre via une route.

On trouve deux bureaux d'information à l'intérieur du parc national de Jasper. Le premier, au 500 Connaught Drive (☎ 403-852-6176), en plein cœur du village de Jasper, est ouvert toute l'année. Le second, le Columbia Icefield Centre, ne demeure en opération que du mois de juin au mois d'octobre. On peut également écrire à l'adresse suivante :

Jasper National Park
Box 10
Jasper, Alberta
T0E 1E0
☎ 403-852-6161

 Attraits touristiques

Le Icefields Parkway

L'autoroute n°93 relie les villages de Lake Louise et Jasper en longeant les magnifiques champs de glace qui enfourchent le Continental Divide (ligne de partage des eaux entre les océans Pacifique et Atlantique). Voilà pourquoi on appelle aussi cette route longue de 230 km le Icefields Parkway. Pour parcourir cette route, il faut se procurer un permis disponible dans les bureaux d'information. Il faut de plus se rappeler que stations d'essence, lieux d'hébergement et autres services ne se trouvent qu'en quelques points dans le parc.

Tout le long de la route, des panneaux indiquent les points d'intérêt accessibles habituellement grâce à de courts sentiers pédestres. C'est le cas par exemple de **Bow Summit** (2 088 m), où l'on peut marcher jusqu'à un intéressant point d'observation, et du **Canyon Mistaya**, à 71 km au nord de Lake Louise, qui peut être observé suite à une promenade à pied d'une dizaine de minutes. On croisera ensuite, à **Saskatchewan River Crossing**, un premier centre de services (hébergement, restaurant, magasins, essence).

Les attraits les plus populaires demeurent toutefois les trois grands glaciers visibles depuis la route : **Athabasca**, **Dome** et **Stutfield**, tous se détachant du champ de glace Columbia. Un arrêt au **Icefield Centre**, ouvert de mai à octobre, permet aux visiteurs de se familiariser avec ces splendides formations au moyen d'une présentation audiovisuelle. On y explique de plus le système de cavernes sous ces glaces, les **Castlegar Caves**, qui constitueraient l'un des plus importants réseaux du genre au pays. Tout près de là, le Columbia Icefield Chalet offre le gîte, la nourriture, les souvenirs et l'essence.

Diverses excursions sont organisées pour les intrépides qui désirent explorer plus à fond le glacier Athabasca. Pour y prendre part, on se procure des billets au Icefields Chalet ou encore au bureau de réservation de Jasper situé au 218 Connaught Drive (☎ 403-852-5665).

Les **chutes Sunwapta** forment le prochain point d'intérêt de l'itinéraire. Une petite route permet d'atteindre un pont piétonnier d'où la vue sur la rivière et les chutes est imprenable. Une vingtaine de kilomètres plus loin, un spectacle tout aussi sensationnel attend les visiteurs aux **chutes Athabasca**. Par la suite, on peut emprunter la Cavell Road depuis l'autoroute n°93A qui conduit à Jasper, afin de rejoindre la base du **mont Edith Cavell**.

Jasper

S'étendant à 1 063 m au-dessus du niveau de la mer à la jonction des rivières Miette, Maligne et Athabasca, Jasper est le centre du parc national qui porte son nom. On compte environ 4 000 habitants dans cette station populaire l'hiver comme l'été. Le bureau d'information touristique de Jasper se trouve au 622 Connaught Drive (☎ 403-852-4242).

Afin de jouir d'une incroyable vue de la région, il est recommandé de sauter à bord du **Jasper Tramway** qui mène au sommet du **mont Whistlers**, à quelque 2 277 m d'altitude. Les départs se font à 7 km au sud du village, mais il est possible d'attraper le tramway aux hôtels du village. L'ascension en elle-même ne dure que 10 min. Cette balade est offerte tous les jours d'avril à octobre, de 8 h à 21 h; adultes 9,50 $, enfants 4,50 $.

Depuis Jasper, quelques excursions aux alentours méritent qu'on s'y attarde tout particulièrement. Ainsi, un saut du côté du **canyon Maligne**, profond de 23 m, et du **lac Maligne**, le plus grand (22 km de long) et le plus profond (97 m) lac alimenté par des glaciers du parc, s'impose. Ces lieux sont accessibles par l'autoroute n°16 Est, à 48 km au sud-est de Jasper.

Une autre excursion populaire est celle ayant pour destination la station thermale **Miette Hot Springs**, à 61 km au nord-est de Jasper.

L'endroit le plus près du village pour pratiquer le ski de fond ou le ski alpin (du début décembre à la fin avril) est le **mont Marmot**, à 19 km au sud-ouest par l'autoroute n°93A. On peut obtenir plus de renseignements en composant le ☎ 403-852-3316.

Hébergement

Le terrain de camping le plus près de Jasper est le **Whistlers Campground** (11,75 $ à 16 $), situé à 2 km au sud du village par l'autoroute n°93, sortie Whistlers Mountain Road. L'auberge de jeunesse **Whistlers Hostel** est située à 2 km au sud de la ville par l'autoroute n°93A (6 $ à 10 $, sur Whistlers Road, ☎ 403-439-3089).

Le **Jasper Park Lodge** (250 $, ≈, lac Beauvert, ☎ 403-852-3301) offre quant à lui tout le luxe qu'on peut espérer trouver incluant un terrain de golf et les équipements nécessaires à la pratique d'une multitude de sports tels que l'équitation, la bicyclette et le ski de fond.

 Restaurants

Something Else Greek Taverna (621 Patricia Street). Spécialités grecques. Repas de 8 $ à 12 $. Ouvert de 11 h à 1 h.

L & W Family Restaurant (À l'angle des rues Hazel et Patricia). Spécialités grecques, pâtes, fruits de mer et salades. Endroit très populaire. Une salle à manger est installée dans un jardin intérieur, une autre sur la terrasse extérieure. 8 $ à 18 $. Ouvert de 11 h à 1 h.

Mountain Foods Cafe (Situé sur Connaught Drive). Cuisine végétarienne.

 Vie nocturne

The Atha-B (À l'intérieur de l'Athabasca Hotel, sur Patricia Street). La boîte *in* pour la musique en direct, la danse et les rencontres.

Astoria Hotel (Situé sur Connaught Drive). Cet hôtel renferme un agréable café où l'on peut écouter de la musique et jouer aux dards tranquillement.

 Le parc national Yoho

Les Indiens Kootenays et Shuswaps furent les premiers à s'installer dans la vallée du Yoho. Les hommes y laissaient leur famille pendant qu'ils franchissaient les Rocheuses pour aller chasser le bison. Ce mode de vie ne survécut pas longtemps à l'arrivée des Blancs qui établirent des postes de traite et contribuèrent ainsi à la quasi-disparition de cet animal vers les années 1880.

Le premier Européen à explorer la vallée de la rivière Kicking Horse, que traverse aujourd'hui la principale route du parc national Yoho, fut le Dr James Hector, géologue, en 1858. La venue du chemin de fer, en 1884, rendit le site plus accessible. C'est à cette époque qu'un terrain de 26 km^2 situé à la base du **mont Stephen**, près de Field, fut converti en parc par le gouvernement fédéral. Puis, en 1927, on construisit un bout de route qui suivait en partie le tracé du chemin de fer, et qui devint plus tard un tronçon de l'autoroute Transcanadienne. De nos jours, le parc national Yoho couvre une superficie totale de 1 313 km^2, s'étendant sur le versant Ouest des montagnes Rocheuses. Il est bordé par le parc de Banff à l'est, et le parc Kootenay au sud.

Par ailleurs, c'est en 1909 que Charles Walcott découvrit l'exceptionnel regroupement de fossiles marins de **Burgess Shale**. Plus de 120 espèces remontant à 530 millions d'années y ont été identifiées. Aujourd'hui le site est protégé et reconnu pour son apport unique au Patrimoine naturel mondial.

Quant au village de **Field**, il fut un petit centre d'entretien du Canadian Pacific entre 1886 et 1918. Pour encourager le développement touristique, on y a par la suite construit le

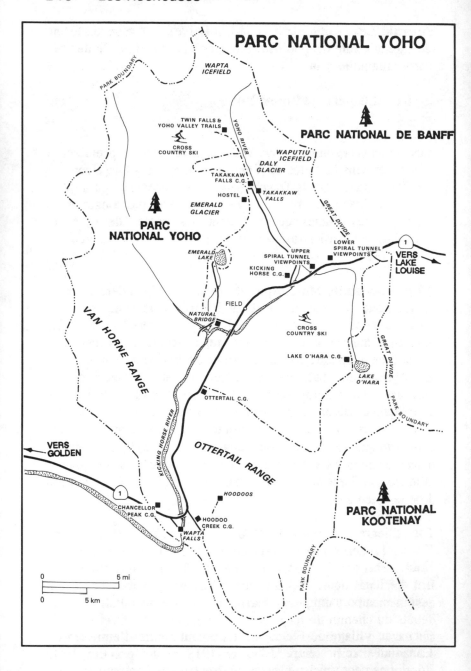

Emerald Lake Lodge (1902), le **Lake O'Hara Lodge** (1913) et le **Wapta Lodge Bungalow Camp** (1921). De plus, le bureau d'information du parc Yoho se trouve sur la Transcanadienne, à l'intérieur des limites de Field. Outre les renseignements et services habituels, on pourra s'y procurer le permis nécessaire pour accéder au parc aux coûts de 4,25 $ pour un jour, 9,50 $ pour quatre jours, ou 26,75 $ pour l'année. Pour obtenir plus de renseignements, on peut également écrire à l'adresse suivante :

Yoho National Park
Box 99
Field, B.C.
V0A 1G0
☎ (604) 343-6324

 Attraits touristiques

Parcourir l'autoroute qui traverse le parc est en soi une expérience touristique. Il faut garder l'œil ouvert afin de repérer les divers panneaux d'interprétation, les indications pour les pistes de randonnée pédestre et les représentants de la faune qui s'aventurent occasionnellement sur la route.

Près de l'entrée du parc, en venant de l'est, on remarque une borne désignant la ligne continentale de partage des eaux. D'ailleurs, à proximité, un ruisseau se sépare en deux bras, l'un dont les eaux se dirigent vers le Pacifique et l'autre vers la baie d'Hudson.

Le Siral Tunnel Viewpoint

Il ne faut pas manquer de s'arrêter à ce point d'observation où des panneaux didactiques racontent les temps héroïques des débuts du chemin de fer avec tous les désastres qui ont marqué ces pages d'histoire, notamment les nombreux déraillements dus aux pentes trop raides du secteur du pont **The Big Hill**, aujourd'hui désaffecté. C'est par la construction de deux tunnels en spirale, dans les **monts Cathedral** et **Ogden**, qu'on a réussi à amoindrir ces pentes, ralentissant ainsi les trains engagés dans la descente vertigineuse du **passage Kicking Horse**. Les visiteurs qui ont la chance de se trouver au point d'observation au moment où un train pénètre dans un des tunnels, sont toujours étonnés de voir réapparaître la locomotive à la sortie avant même que le dernier wagon n'ait franchi l'entrée...

La vallée du Yoho

Le prochain secteur à explorer se trouve au nord de l'autoroute, le long de Yoho Valley Road que l'on rejoint en suivant les indications pour le **Kicking Horse Campground**. En effet, à 13 km passé celui-ci, on aperçoit les **chutes Takakkaw**. Par la suite, des postes d'observation permettent d'apprécier les **monts Stephen** (3 199 m), **Cathedral** (3 189 m) et **Field** (2 638 m), le **tunnel Upper Spiral**, de même que le point de rencontre du **fleuve Yoho** et de la **rivière Kicking Horse**.

Puis, près du **Whiskey Jack Hostel**, des sentiers de randonnée facilitent les expéditions du côté des **Hidden Lakes** (1,4 km), du **lac Yoho** (4,1 km), du **lac Emerald** (12,1 km) et du village de **Field** (18,4 km).

Les chutes Takakkaw

C'est tout au bout de la route que s'étend le terrain de stationnement des chutes Takakkaw. C'est également près d'ici que prend naissance un sentier conduisant aux **chutes Point Lace** (2,7 km), **Angel Staircase** (2,7 km), **Laughing** (4,8 km) et **Twin**, de même qu'au poste d'observation du **glacier Yoho**.

Les chutes Takakkaw, dont le nom signifie «magnifique» dans la langue des Cris, comptent quant à elles parmi les plus hautes du Canada (380 m). Ses eaux proviennent du **glacier Daly**, à 350 m en amont, lui-même approvisionné par le **champ de glace Waputik**.

Field

De retour sur l'autoroute principale, on parvient bientôt au village de Field, tout juste de l'autre côté de la rivière Kicking Horse. On y trouvera les services essentiels et le bureau d'information du parc.

À 3 km à l'ouest de Field, on pourra emprunter la route conduisant au splendide lac Emerald après avoir franchi un étonnant pont naturel façonné par les eaux de la rivière Kicking Horse.

Le lac Emerald

Ce superbe lac se situe à une altitude de 1 302 m. Du terrain de stationnement qui y donne accès, des pistes de randonnée conduisent au **Emerald Basin Junction** (2,1 km), au **passage** (7,3 km) et au **lac Yoho** (8 km), ou permettent de faire le tour du lac (5,3 km).

L'extrémité Ouest du parc

Après être revenu sur la Transcanadienne, les principaux sites dignes de mention en se dirigeant vers l'extrémité Ouest du parc sont le **lac Faeder**, endroit idéal pour un pique-nique, et les **chutes Wapta** que l'on rejoint grâce à un sentier de 2,3 km.

La ville de **Golden** est la première que l'on rencontre une fois sorti des limites du parc. Plusieurs la choisissent comme pied-à-terre leur permettant de faire des excursions dans les parcs nationaux environnants (Yoho, du Glacier). On y trouve une vingtaine d'hôtels et de motels, de même que quelques bons restaurants.

Hébergement

Le parc est parsemé de terrains de camping dont les prix varient de 6,50 $ à 11,75 $ la nuit. Il est également possible de pratiquer le camping sauvage gratuitement à condition de s'être préalablement procuré un permis (gratuit) au bureau d'information.

Parmi les terrains de camping organisés, mentionnons celui du lac O'Hara (6,75 $), à 14 km à l'est de Field, le **Kicking Horse Campground** (9,50 $ à 11,75 $), sur Yoho Valley Road à 5 km à l'est de Field, le **Takakkaw Falls Campground** (6,50 $), le **Hoodoo Creek Campground** (9 $), à 23 km à l'ouest de Field, et le **Chancellor Peak Campground** (6,50 $), à 28 km à l'ouest de Field.

On peut par ailleurs louer un chalet rustique à deux pas des chutes Takakkaw aux **Cathedral Mountain Chalets** (35 $ à 60 $, ☎ 343-6442 ou 343-6385).

De plus, l'auberge de jeunesse **Whiskey Jack Hostel** est également située en bordure des chutes Takakkaw et offre une très belle vue sur celles-ci.

Finalement, la réponse du parc national Yoho aux prestigieux hôtels du lac Louise (le Chateau Lake Louise) et de Banff (le Banff Spring Hotel), est le **Emerald Lake Lodge** (200 $ à 265 $, bp, ℜ, ✷, ☎ 1-800-663-6336 ou 343-6321), constitué de luxueux chalets avec véranda et d'un bâtiment principal construit en 1902 par le Canadian Pacific.

THOMPSON COUNTRY

Voilà une région de la Colombie-Britannique qui n'est rien de moins qu'un paradis naturel. Ses paysages sont extrêmement variés, depuis les montagnes jusqu'aux glaciers, en passant par les forêts denses et les prairies alpines couvertes de fleurs sauvages.

Les parcs nationaux **du Glacier** et **Mount Revelstoke** comptent parmi les attraits à ne pas manquer dans Thompson Country. Il en est de même des villes de **Salmon Arm** et de **Kamloops** et des parcs provinciaux **Wells Gray** et **Mount Robson**.

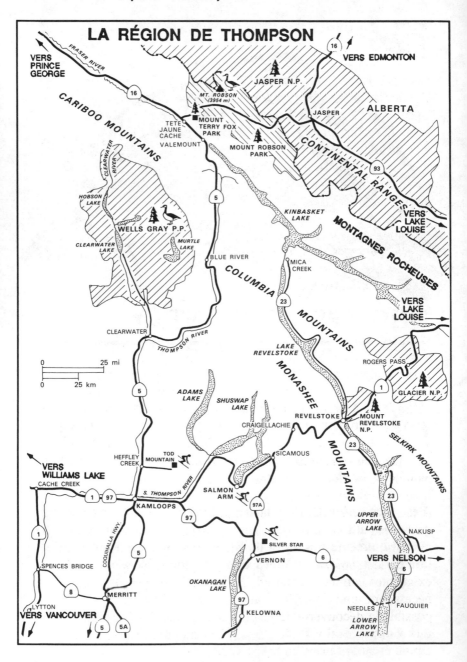

LA RÉGION DE THOMPSON

Le parc national du Glacier

Localisé juste à l'ouest des Rocheuses, dans les montagnes Columbia, le parc national du Glacier s'étend sur un territoire de 1 350 km². Il fut créé en 1886. L'autoroute Transcanadienne (n° 1) le traverse grâce au spectaculaire **col Rogers**. Il se situe à une altitude variant de 853 m dans la **vallée de la rivière Beaver**, à 3 390 m au sommet du **mont Dawson**. On y compte pas moins de 400 glaciers et 14% de sa superficie est couverte de neige en permanence.

Le bureau d'information du parc est à 1,2 km à l'est du col Rogers (☎ 837-6274). Il demeure en opération toute l'année.

 Attraits touristiques

Plusieurs choisissent de traverser le parc en voiture et ne s'arrêtent qu'à quelques endroits stratégiques. Parmi ces lieux, il faut mentionner le poste d'observation **Summit Monument** (1 330 m), à 1,2 km du bureau d'information touristique, qui permet une vue sur **plusieurs glaciers : Illecillewaet, Asulkan et Swiss**.

D'autres opteront plutôt pour une visite plus en profondeur au moyen d'une ou plusieurs des quelque 21 pistes de randonnée du parc totalisant environ 140 km de sentiers. Certaines sont courtes et faciles comme l'**Abandoned Rails Trail** (30 min; départ près du bureau d'information) ou la **Meeting of the Waters Trail** (30 min; départ derrière le Illecillewaet Campground, à 4 km à l'ouest du bureau d'information). Quelques-unes sont plus exigeantes comme les sentiers **Abbott Ridge** et **Avalanche**, qui nécessitent une journée complète de marche, mais rendent possible la découverte de magnifiques glaciers. Finalement, il y a la **Copper Stain Trail** (16 km) qui donne accès à la toundra alpine et aux prairies du **mont Bald**.

Hébergement

Le parc renferme deux terrains de camping. Chacun d'eux dispose d'emplacements à 9,50 $ la nuit et les réservations ne sont pas acceptées. Il s'agit du **Loop Brook Campground**, à 6,4 km à l'ouest du bureau d'information touristique, qui n'est ouvert qu'en été, et du **Illecillewaet Campground**, à 3,4 km à l'ouest du bureau d'information, qui, lui, demeure ouvert toute l'année.

Par ailleurs, on peut choisir de loger au **Best Western Glacier Park Lodge** (95 $, ℜ, ☎ 837-2126), situé au sommet du col Rogers. Une station d'essence se trouve à quelques pas de là.

 Le parc national Mount Revelstoke

Plus loin vers le sud-ouest, la Transcanadienne pénètre dans le parc national Mount Revelstoke (fondé en 1914) qui couvre une superficie de 260 km². Sa partie centrale est dominée par l'impressionnant **champ de glace Clachnacudainn**. Le point le plus élevé du parc est le sommet du **mont Coursier** (2 646 m), et le plus bas se situe dans la **vallée de la rivière Columbia** (460 m).

On peut obtenir des renseignements au quartier général du parc, logé au 313 3rd Street West, à Revelstoke, ☎ 837-5155. Le bureau est ouvert en semaine, de 9 h à 17 h. De plus, il y a le bureau d'information de la chambre de commerce de la ville de Revelstoke, à l'intersection de la Transcanadienne et de l'autoroute n°23 Nord, ☎ 837-5345.

 Attraits touristiques

L'une des meilleures façons d'apprécier les beautés naturelles de ce parc national consiste à emprunter la **Summit Road**, longue

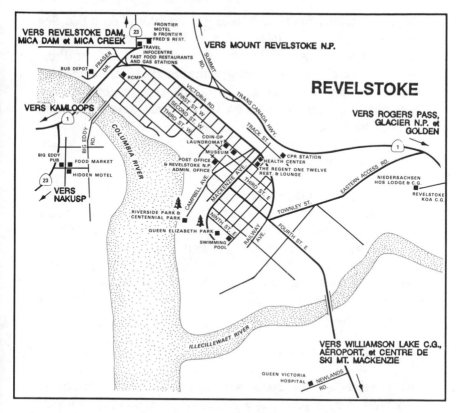

de 26 km, qui mène jusqu'au sommet du mont Revelstoke (1 938 km). Le panorama qui s'offre alors aux yeux des visiteurs comprend la ville de Revelstoke, la rivière Columbia, la vallée de la rivière Illecillewaet, de même que les montagnes Monashee.

Revelstoke

La ville de Revelstoke est localisée en bordure du parc national portant le même nom, à l'endroit où se rencontrent les eaux des rivières Columbia et Illecillewaet. Elle est entourée de collines boisées, et de lointains pics enneigés font office de décor d'arrière-plan.

On y visitera avec intérêt le **musée local**, aménagé dans l'édifice du bureau de poste, à l'intersection de Boyle Avenue et de First Street. Ce musée raconte l'histoire de la ville au moyen d'une intéressante collection de photographies et relate la vie de Lord Revelstoke qui contribua au financement du chemin de fer transcanadien. On y présente également des expositions temporaires d'œuvres d'artistes locaux.

Le barrage de Revelstoke

Outre le parc lui-même, l'attrait principal de la région est le barrage hydro-électrique de Revelstoke. Pour s'y rendre, il faut emprunter l'autoroute n°23 Nord en direction de Mica Creek pour environ 8 km. Un poste d'accueil des visiteurs est ouvert en semaine, de 9 h à 17 h (8 h à 20 h en été), et ce toute l'année. Un ascenseur conduit au sommet du barrage où la vue est superbe. La visite complète des installations nécessite près d'une heure et demie.

Le mont Mackenzie

Les amateurs de ski, quant à eux, lorgneront du côté de la station du mont Mackenzie, à moins de 6 km du centre-ville de Revelstoke. La saison de ski s'étend généralement de la mi-décembre à la fin mars. Pour plus de renseignements, il faut composer le ☎ 837-9489.

 Hébergement

Il n'y a aucun terrain de camping à l'intérieur des limites du parc Mount Revelstoke. Il est cependant permis de pratiquer le camping sauvage, et ce gratuitement. Il faut alors s'enregistrer, à des fins de sécurité, au quartier général du parc, à Revelstoke.

Par contre, à l'extérieur du parc, tout près de la ville de Revelstoke, quelques terrains particulièrement bien tenus sont à signaler. C'est le cas du **Revelstoke KOA** (15,50 $,

☎ 837-2085), à 6 km à l'est de la ville, et du **Williamson Lake Campground** (13 $, ☎ 837-5512), à 7 km au sud de la ville, sur Airport Way.

Deux établissements de type motel peuvent également être recommandés à Revelstoke. Il s'agit tout d'abord du **Hidden Motel** (27 $ à 37 $, 1855 Big Eddy Road, ☎ 837-4240), un endroit calme et décoré avec goût. Puis, il y a le **Frontier Motel** (32 $ à 35 $, à la jonction de la Transcanadienne et de l'autoroute n°23 Nord, ☎ 837-5119), qui jouit d'une excellente localisation.

 Restaurants

Frontier Fred's Restaurant (À l'intersection de la Transcanadienne et de l'autoroute n°23 Nord, ☎ 837-5119). Décor de style western avec murs de bois, chapeau et bottes de cow-boy. Petit déjeuner géant à 4,85 $, déjeuner à 6 $ et dîner entre 11 $ et 14 $. Ouvert tous les jours de 6 h à 21 h.

The One Twelve Restaurant (À l'intérieur du Regent Inn de Revelstoke, au 112 Victoria Road, ☎ 837-2107). Pour un repas plus raffiné. Ouvert du lundi au samedi pour le déjeuner et le dîner.

 Vie nocturne

Grizzli Plaza Bandshell. Spectacles gratuits en soirée durant les mois de juillet et d'août (chanteurs, danseurs, comédiens, magiciens, etc.).

Big Eddy Inn (2108 Big Eddy Road, à Revelstoke). Musique de danse.

Speeders Pub (201 Second Street West, à Revelstoke). Discothèque.

Dapper Dan's (À l'intérieur du Regent Inn, au 112 First Street East, à Revelstoke). Discothèque.

King Edward Hotel Pub (112 Second Street East, à Revelstoke). Musique *Country* et *danse*.

Salmon Arm

Salmon Arm s'étend à l'extrémité d'un des bras du grand et profond **lac Shuswap**. C'est une station touristique particulièrement appréciée des amateurs d'activités nautiques. En entrant dans la ville en venant de l'est, on remarque d'ailleurs une bonne quantité d'hôtels, de motels et de restaurants.

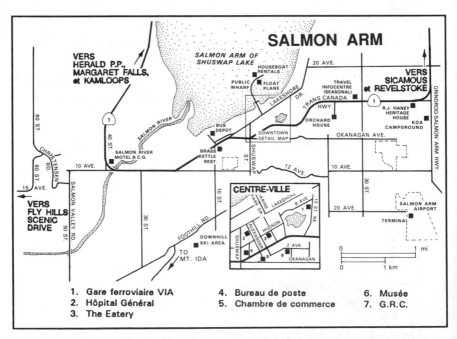

1. Gare ferroviaire VIA   4. Bureau de poste   6. Musée
2. Hôpital Général   5. Chambre de commerce 7. G.R.C.
3. The Eatery

Le long de l'autoroute Transcanadienne, on trouvera le bureau d'information touristique de Salmon Arm, ouvert toute l'année de 8 h 30 à 17 h. De plus, un comptoir saisonnier, un peu à l'est du centre-ville, accueille les visiteurs durant l'été, tous les jours de 8 h 30 et 20 h.

Attraits touristiques

Le **Marine Park**, avec ses aires gazonnées propices aux piqueniques, est un endroit fort agréable. Il donne accès au **Salmon Arm Wharf**, d'où l'on peut observer les activités de la marina.

Pour ceux qui désirent en connaître davantage sur l'histoire de la région, une visite s'impose au **Salmon Arm Museum and Heritage Society**. Ouvert du lundi au samedi, de 10 h à 20 h. Situé sur 3rd Street Southeast.

 Hébergement

Le **Salmon Arm KOA** (16 $, ☎ 832-6489) est un terrain de camping offrant toutes sortes de services et d'activités, notamment un golf miniature et un petit zoo où vivent des animaux de ferme. Il est situé sur l'autoroute n°97B.

Autre endroit à signaler, le **Salmon River Motel and Campground** (910 40th Street Southwest, ☎ 832-3065) propose, comme son nom l'indique, des emplacements de camping (10 $) et des chambres de motel (39 $).

 Restaurants

The Eatery (Situé sur Alexander Street Northeast, au centreville). Soupes et sandwichs à déguster à l'intérieur ou sur la terrasse extérieure.

The Brass Kettle (Situé sur la Transcanadienne, à l'extrémité Ouest de la ville). Cuisine familiale.

The Orchard House (Situé sur 22nd Street). Fine cuisine. Repas à partir de 12 $.

Kamloops

Fondée en 1812 par la Compagnie du Nord-Ouest afin de servir de poste de traite, la ville de Kamloops se trouve à la jonction des bras Nord et Sud de la rivière Thompson, tout près de l'endroit où se forme l'étroit lac Kamloops. Son nom, dans la langue des Indiens Shuswaps, signifie justement «la rencontre des eaux». Kamloops est devenue aujourd'hui la cinquième plus grande ville de la Colombie-Britannique avec ses 65 000 habitants. Les industries forestière, minière et touristique, de même que l'élevage des bêtes à cornes et des brebis, emploient la plus grande part de la population.

Le bureau d'information touristique de la ville est localisé au 10, 10th Avenue, ☎ 374-3377. Il y a également un comptoir saisonnier à l'intersection de l'autoroute Yellowhead Nord et de Halston Avenue.

 Attraits touristiques

On peut facilement consacrer une heure ou deux au **Kamloops Museum** qui relate l'histoire de la ville et aborde, entre autres, la vie des communautés amérindiennes locales. Le même édifice abrite le **Kamloops Art Gallery**, qui présente des expositions d'art contemporain. Ouvert tous les jours de 10 h à 21 h en été, et du mardi au samedi de 10 h à 17 h le reste de l'année. Situé au 207 Seymour Street, ☎ 828-3576.

On peut par ailleurs s'offrir une croisière sur la rivière Thompson à bord d'une reconstitution d'un bateau à aubes baptisé le **Wanda Sue**. Des départs ont lieu tous les jours de mai à septembre; adultes 9 $, enfants 5 $., ☎ 374-1505 ou 374-7447. Le bateau attend ses passagers au **Old Yacht Club Public Wharf**, sur River Street.

Le **Secwepemc Museum**, quant à lui, est entièrement consacré aux Indiens Shuswaps, à leur histoire, à leur mythologie, à leurs

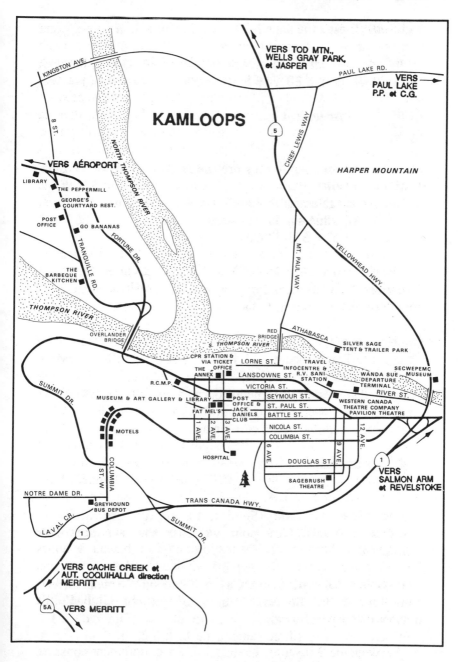

traditions. Il est situé dans la réserve indienne de Kamloops que l'on rejoint en empruntant l'autoroute n°5 Nord, puis en suivant les indications pour le **Kamloops Indian Band**. Ouvert du lundi au vendredi, de 8 h 30 à 16 h 30; entrée gratuite, ☎ 374-0616.

 Hébergement

Le terrain de camping le plus près de la ville est le **Silver Sage Tent and Trailer Park**, au 771 Athabasca East, ☎ 372-9644. Mentionnons également le **Kamloops Waterslide and RV Park** (8 $ à 12 $), situé sur la Transcanadienne à environ 26 km à l'est de la ville, ☎ 573-3789.

Le **parc provincial Paul Lake** (8 $) dispose lui aussi d'emplacements de camping. De plus, un sentier mène à la populaire plage longeant le lac Paul.

On remarquera par ailleurs de nombreux motels le long de l'autoroute Transcanadienne à l'entrée Est de la ville, de même que sur Columbia Street West, à l'autre extrémité. Le prix d'une chambre dans ces établissements tourne habituellement autour de 35 $. Parmi ceux-ci, le **Thrift Inn** (25,95 $ à 37,95 $, ≈, 2459 Transcanadienne Est) est à recommander.

 Restaurants

Annex Sidewalk Cafe (Situé à l'angle de 3rd Street et Lansdowne Street). Idéal pour un repas sur le pouce. Très achalandé.

Fat Mel's Does Italian and Cajun (Situé sur Seymour Street, entre 2nd et 3rd Streets). Pour ceux qui ont un peu plus d'appétit. Soupe et sandwich à partir de 4 $. Dîner de 7 $ à 15 $. Ouvert du mardi au samedi, de 11 h à 23 h.

Peppermill Restaurant (755 Tranquille Road, à l'angle de Renfrew Avenue, ☎ 376-7344). Buffet à 9,95 $. Ouvert tous les jours à partir de 6 h 30.

George's Courtyard Restaurant (501 Tranquille Road, ☎ 376-1500). Cuisine méditerranéenne. Terrasse extérieure en saison. Déjeuner de 5,50 $ à 8,50 $, dîner de 6,50 $ à 18 $ (spécialités grecques et italiennes, ou repas de steak ou de homard).

The Barbecue Kitchen (273 Tranquille Road, ☎ 376-0333). Excellente cuisine chinoise. Repas de 4,50 $ à 10 $.

 Vie nocturne

Go Bananas (348 Tranquille Road, ☎ 376-1292). Boîte de nuit très fréquentée par les collégiens. Spectacles de comédiens et de musiciens. Piste de danse.

Loonies Pub (À l'intérieur du Place Inn, au 1285 Transcanadienne Ouest). Pub à la mode.

 Le parc provincial Wells Gray

Pics enneigés, volcans éteints, nombreuses chutes d'eau spectaculaires, forêt subalpine, prairies couvertes de fleurs, lacs et rivières, constituent le menu du parc provincial Wells Gray qui s'étend sur 5 200 km².

L'autoroute Yellowhead (n°5) conduit de Kamloops à ce magnifique parc. La petite ville de **Clearwater**, avec ses quelque motels et restaurants, peut servir de base pour l'exploration du parc, tout proche.

Le bureau d'information touristique s'élève à l'intersection de l'autoroute Yellowhead et de la route secondaire menant à

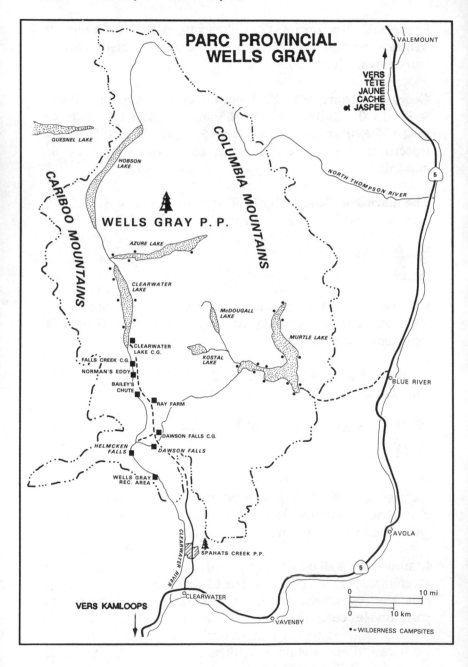

PARC PROVINCIAL WELLS GRAY

VALEMOUNT

VERS
TÊTE
JAUNE
CACHE
et JASPER

COLUMBIA MOUNTAINS

QUESNEL LAKE

HOBSON LAKE

NORTH THOMPSON RIVER

5

CARIBOO MOUNTAINS

WELLS GRAY P. P.

AZURE LAKE

CLEARWATER LAKE

McDOUGALL LAKE

MURTLE LAKE

CLEARWATER LAKE C.G.

KOSTAL LAKE

FALLS CREEK C.G.

NORMAN'S EDDY

BAILEY'S CHUTE

BLUE RIVER

RAY FARM

DAWSON FALLS C.G.

HELMCKEN FALLS

DAWSON FALLS

WELLS GRAY REC. AREA

AVOLA

CLEARWATER RIVER

SPAHATS CREEK P.P.

5

VERS KAMLOOPS

CLEARWATER

VAVENBY

0   10 mi
0   10 km

● = WILDERNESS CAMPSITES

l'entrée du parc Wells Gray. Celle-ci est revêtue sur 47 km et devient une route de gravier pour les 16 km suivants.

 Attraits touristiques

Déjà, le long de la route d'accès au parc, certains attraits méritent qu'on s'y attarde quelque peu. C'est le cas du **parc national Spahats Creek**, à peine à 10 km de Clearwater, où un sentier conduit à une plate-forme d'observation permettant de contempler les **chutes Spahats Creek**.

Plus loin sur la route, on est frappé, en été, par la blancheur des champs. Bien sûr, il ne s'agit pas de neige mais plutôt de marguerites. On rejoint bientôt le **mont Green**, à 36 km de Clearwater, où s'élève une tour d'observation de 10 m, la **Green Viewing Tower**. C'est l'endroit idéal pour apprécier le spectacle offert par le cône volcanique du **mont Pyramid** et par le plus haut sommet du parc, le **Garnet Peak**.

Par la suite, il faut s'arrêter aux **chutes Dawson**, sorte de chutes du Niagara en miniature (91 m de largeur, 18 m de haut). Un peu plus loin sur la route principale, on pourra jeter un coup d'œil au **Mush Bowl**, aussi appelé **Devil's Punchbowl**, où d'énormes trous ont été creusés par l'eau dans le roc du lit de la rivière.

Le prochain site d'intérêt, à 47 km de Clearwater, est celui des quatrièmes plus importantes chutes de la Colombie-Britannique, les **chutes Helmcken**. Hautes de 137 m, elles sont formées par la précipitation en cascades des eaux de la rivière Murtle dans celles de la rivière Clearwater.

Plus loin, un sentier mène, en moins de 15 m, à la **ferme abandonnée de John Bunyon Ray**, le premier pionnier à s'installer dans la région avec sa famille, en 1912.

La route continue alors jusqu'au **lac Clearwater**, long de 25 km. Des croisières menant jusqu'au **lac Azure** y sont organisées (adultes 32 $, enfants 22 $).

 Hébergement

Parmi les motels situés à Clearwater, le meilleur est le **Jasper Way Inn** (32 $ à 38 $, 57 Old Thompson Highway East, ☎ 674-3345), près du lac Dutch.

Sur la route menant au parc, il faut signaler le **Wells Gray Guest Ranch** (20 $ à 60 $, ☎ 674-2774 ou 674-2792) qui offre des maisonnettes, de même que des emplacements pour les tentes (10 $).

Aux limites du parc, le **Helmcken Falls Lodge** (59 $ à 89 $, ℜ, 674-3657) est un bon choix. Des sites de camping sont également disponibles (10 $ à 14 $).

À l'intérieur du parc, on rencontre plusieurs terrains de camping. Parmi ceux-ci, mentionnons le **Dawson Falls Campground** (8 $), le **Falls Creek Campground** (8 $) et le **Clearwater Lake Campground** (8 $).

 Le parc provincial Mount Robson

En poursuivant sur l'autoroute n°5, on croisera de petites communautés comme **Blue River**, **Valemount** et **Tete Jaune Cache**. À la jonction de cette voie avec l'autoroute n°16 se trouve le **Mount Terry Fox Viewpoint**. Cette montagne fut ainsi nommée en 1981 en l'honneur de Terry Fox, un jeune homme originaire de la Colombie-Britannique qui, après avoir perdu une jambe à cause d'un cancer qui le rongeait, entreprit un marathon de 5 375 km à travers le Canada afin d'amasser des fonds destinés à la recherche sur cette maladie.

Après avoir franchi la rivière Robson, on pénètre dans le spectaculaire parc provincial du même nom. Niché dans les Rocheuses, ce parc de 217 200 ha est bordé à l'est par le parc national de Jasper. Son point central est le mont Robson, le plus haut sommet des montagnes Rocheuses (3 954 m).

Le bureau d'information du parc, à l'ombre du mont Robson, est ouvert du mois de juin à la fin septembre.

 Attraits touristiques

Depuis l'autoroute, de nombreux sentiers de randonnée donnent accès aux principaux sites d'intérêt du parc. C'est le cas par exemple de la piste menant au splendide **lac Berg** (22 km), dont le tracé longe la rivière Robson jusqu'au **lac Kinney** avant d'entrer dans la **vallée des Mille Chutes**, puis dans la **vallée Whitehorn**. Le lac Berg est dominé par le mont Robson et son magnifique glacier, ce qui en fait l'une des perles des Rocheuses.

De même, en traversant le parc d'est en ouest, on aura le loisir de découvrir les **chutes Overlander** et le **lac Moose**. Puis, la route longe le **lac Yellowhead** avec, en arrière-plan, le **mont Yellowhead** (2 458 m). De l'autre côté de la route, un sentier permet d'atteindre le **mont Fitzwilliam**.

Finalement, un arrêt s'impose au **lac Portal** où une courte piste de randonnée, du côté Est du lac, mène à des champs de roses sauvages.

 Hébergement

Bien sûr, c'est le camping qui est ici à l'honneur. On compte deux terrains près de la bordure occidentale du parc, le **Robson Meadows Campground** (8 $) et le **Robson River Campground** (8 $). Un troisième terrain, le **Lucerne Campground** (8$), se situe à 10 km de la limite Est du parc.

Mentionnons de plus le **Mount Robson Ranch** (59 $ à 69 $, sur Hargreaves Road, ☎ 566-4370) où l'on peut louer une chambre ou camper (10 $).

CARIBOO

S' étendant des monts Cariboo à l'est à la chaîne Côtière à l'ouest, la région Cariboo est celle des ranchs, des chevaux, des cow-boys et des mines d'or, aussi bien que des vastes forêts et des lacs poissonneux. Elle englobe les plateaux intérieurs et Fraser de même que le **parc provincial Tweedsmuir** près de **Bella Coola**. Ses villes les plus importantes sont **Williams Lake** et **Quesnel**.

L'histoire de la région fut marquée par la ruée vers l'or qui débuta en 1858. Les chercheurs d'or ratissèrent tout d'abord les rives du fleuve Fraser avant de se déplacer vers celles de la rivière Williams, ce qui fit naître **Barkerville**. Bientôt le développement de moyens de transport rapides et efficaces devint une nécessité afin de relier les nombreux sites d'extraction. C'est ainsi que furent mis à contribution les fameux bateaux à aubes qui patrouillaient le fleuve Fraser et les diligences, devenues une

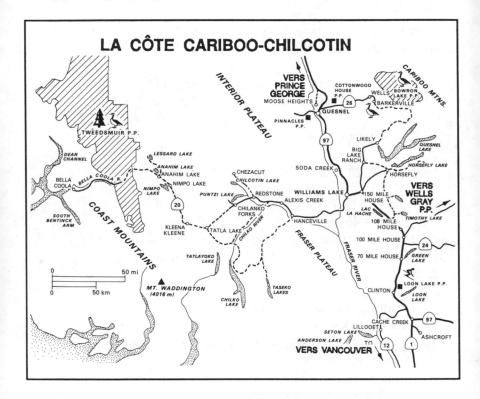

LA CÔTE CARIBOO-CHILCOTIN

sorte de symbole de ces jours héroïques. Puis, vint le chemin de fer en 1885.

Le Sud de la région

Attraits touristiques

Cache Creek

À l'époque de la traite des fourrures, les négociants «cachaient» ici leurs peaux, leurs vivres et leurs monnaies d'échange. De nos jours, Cache Creek est devenue une halte importante (motels, terrains de camping, restaurants et stations d'essence) à la jonction des autoroutes n°1 venant de Vancouver au sud, n°1/97 de Kamloops à l'est, et n°97 de Prince George au nord. Son climat et son paysage désertiques lui valent le surnom d'«Arizona du Canada».

Le bureau d'information touristique est situé en bordure de l'autoroute n°97, au nord-ouest de la ville.

Clinton

Originellement appelé *47 Mile House*, ce qui signifiait que ce point de la Wagon Road (route qu'utilisaient les diligences) se trouvait à 47 milles du point zéro situé à Lillooet, Clinton est une petite ville au charme vieillot. On ne manquera pas de s'arrêter un moment au **Cariboo Lodge** (35 $, ☎ 459-7992), une immense structure de rondins, pour y prendre un verre ou un repas.

Le **Clinton Museum** fait, quant à lui, revivre l'époque des pionniers dans ce qui fut une école. Ouvert de mai à août, de 10 h à 18 h, ☎ 459-2442. Le même édifice, s'élevant au bord de l'autoroute, abrite le bureau d'information touristique.

■ De Clinton à Williams Lake

Par la suite, la route continue vers le nord et croise le **parc provincial Big Bar Lake**, sur le plateau Fraser, puis le gigantesque **ranch Gang** (en opération de puis 1860) qu'il est possible de visiter. Ensuite, on parvient à la hauteur du **parc provincial Green Lake**.

En poursuivant sa route vers le nord, on apercevra des voies donnant accès à plusieurs sites naturels (le **parc provincial Canim Beach**, les **chutes Manhood**, le **parc provincial Lac La Hache**, le **lac Quesnel**) et centres d'activités sportives (les stations de ski de **99 Mile** et du **mont Timothy**, le **108 Mile Recreational Ranch**).

Williams Lake

Au plus fort de la ruée vers l'or, dans les années 1860, Williams Lake fut choisie pour abriter les quartiers généraux du *gold commissioner* et le centre postal régional. Puis, en 1919, l'arrivée du chemin de fer donna un second souffle à la ville. Un rodéo fut organisé pour célébrer l'événement. Ce fut le premier *Stampede* de Williams Lake qui se proclame aujourd'hui la «capitale du Stampede en Colombie-Britannique». En effet, chaque année vers la fin du mois de juin ou au début du mois de juillet, un gigantesque rodéo, l'un des plus importants au pays, y est tenu.

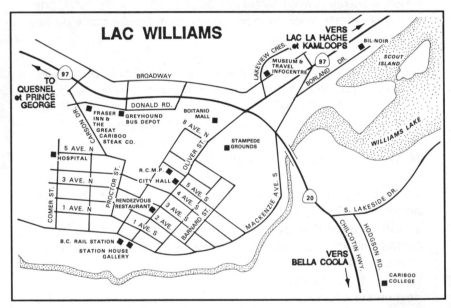

Le bureau d'information touristique est au 1148 South Broadway, au sud de la ville, ☎ 392-5025. Il est ouvert toute l'année.

Attraits touristiques

Il ne faut pas rater le **Williams Lake Historic Museum**. C'est là l'occasion rêvée de se retremper dans l'atmosphère unique de la ruée vers l'or. Il est situé au 113 North Fourth Avenue, face au poste de pompiers.

Tout au bout de la rue Oliver, on trouvera la **Station House Gallery**. Aménagé dans une ancienne gare, ce musée fait place aux artistes locaux. On y dénichera de plus des pièces d'artisanat telles que des poteries, des photographies, des peintures, des bijoux et autres. Ce musée est ouvert du lundi au samedi de 10 h à 17 h (fermé le lundi en hiver). Situé au 1 Mackenzie Avenue North, ☎ 392-6113.

On peut également se procurer des œuvres artisanales à l'**Image Gallery**. Ouverte du mardi au samedi de 10 h à 17 h. Située au 3-85 3rd Avenue South, ☎ 392-6360.

De son côté, le **Scout Island Ecological Conservancy** explique l'écosystème propre à l'Ouest canadien. De plus, une tour favorise l'observation des oiseaux et des autres représentants de la faune. Ouvert du lundi au vendredi de 9 h à 17 h, et le dimanche de 13 h 30 à 14 h 30. Situé à l'extrémité Sud-Est de la ville. Prendre l'autoroute n°97 direction sud, tourner à droite sur Mackenzie Avenue, puis à gauche sur Scout Island Road.

 Hébergement

Le meilleur terrain de camping de la région est le **Wildwood Mobile Home and R.V. Park** (11 $ à 14 $, ☎ 989-4711), à environ 13 km au nord de la ville. Mentionnons également le **Chief Will-yum Campsite** (12 $, ☎ 296-4544), qui est exploité au sud de la ville par la communauté amérindienne de Williams Lake.

Les motels les moins chers bordent l'autoroute Cariboo aux entrées Sud et Nord de la ville. Cependant, il convient de noter le **Slumber Lodge** (49 $, ≈, ℜ, 27 7th Avenue South, ☎ 392-7116) qui, lui, jouit d'une localisation centrale. Au nord de la ville, le **Fraser Inn** (50 $ à 62 $, ≈, ℜ, 285 Donald Road, ☎ 398-7055) est également un bon choix. Certaines chambres sont équipées d'une cuisinette (10 $ de plus).

On peut aussi choisir de loger dans un ranch. Ainsi, le **Springhouse Trails Ranch** (☎ 392-4780, 20 km au sud-ouest de la ville par l'autoroute n°20) offre des chambres (49 $) et des emplacements de camping (12 $).

 Restaurants

Rendez-vous (240 Oliver Street, ☎ 398-8312). Hamburgers, sandwichs, pizzas et mets mexicains au déjeuner (3,50 $ à 7 $). Plats de poisson, poulet ou steak au dîner (8,50 $ à 14 $).

The Great Cariboo Steak Company (Situé dans l'hôtel Fraser Inn, au 285 Donald Road). Petit déjeuner de 3,95 $ à 6 $. Buffet au déjeuner (7 $). Steaks, poulet, fruits de mer et pâtes au menu pour le dîner (8 $ à 18 $).

Bil-Nor Restaurant (Sur l'autoroute n°97, au sud du bureau d'information touristique, ☎ 392-4221 ou 392-4223). Le meilleur restaurant chinois de la région. Ouvert tous les jours de 7 h à 23 h.

 Vie nocturne

Billy Miner Pub (Situé dans le Fraser Inn, au 285 Donald Road). Le pub le plus vivant de la ville. Sa terrasse, le **Billy's Lookout**, donne une belle vue sur la cité.

De Williams Lake à Bella Coola

L'autoroute n°20 Ouest traverse le **plateau Chilcotin** et relie Williams Lake à Bella Coola (464 km). Elle n'est revêtue que sur une distance de 170 km.

 Attraits touristiques

Tout au long de la route, on aperçoit de vastes ranchs qui s'étendent dans les plaines, de même que plusieurs lacs avec, en arrière-plan, de majestueux pics enneigés.

On rejoint finalement le **parc provincial Tweedsmuir**, le plus grand de la Colombie-Britannique avec ses 981 000 ha. Son décor est constitué de montagnes appartenant aux **chaînes Rainbow et Côtière**, de glaciers, de prairies alpines et de vallées. L'autoroute ne permet de traverser qu'une petite partie du parc, au sud. Le reste est une grande étendue sauvage que sauront apprécier les amateurs de plein air expérimentés. Le quartier général, que l'on trouve à 34 km à l'ouest de l'entrée du parc, dispense de l'information et des cartes détaillées.

Au bout de la route s'étend le petit village de **Bella Coola** (moins de 1 000 âmes). Il doit son nom aux Indiens Bella Coolas qui étaient jadis les seuls habitants des lieux. Alex Mackenzie, en 1793, fut le premier Blanc à s'amener dans la région. On peut voir le rocher où il a inscrit son nom et la date de son arrivée en prenant un petit bateau naviguant sur le **canal Dean**. Le **Bella Coola Museum** raconte, quant à lui, la venue de colons norvégiens, à partir de 1894, une autre page de la riche histoire de ce modeste village.

 Hébergement

Quelques terrains de camping sont accessibles depuis l'autoroute n°20. C'est le cas par exemple du **Atnarko River Campground**

(6 $). On peut également camper à certains endroits à l'intérieur des limites du **parc provincial Tweedsmuir** (8 $).

À moins de 5 km de Bella Coola, le **Thorsen Creek Campsite** (6 $ à 10 $, ☎ 799-5659) est ouvert de mai à novembre.

Quesnel

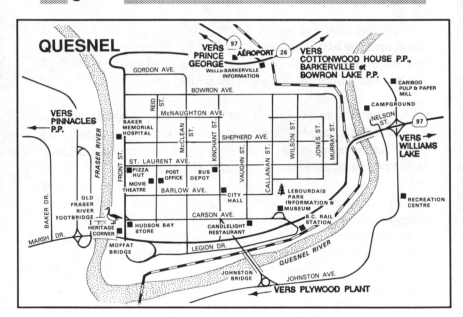

L'autoroute n°97 conduit de Williams Lake à Quesnel. Cette petite ville, qui se situe au confluent de la rivière Quesnel et du fleuve Fraser, demeure aujourd'hui encore bien enracinée dans ses traditions qui remontent aux beaux jours de la ruée vers l'or. Ainsi, on y apercevra de nombreux bâtiments datant de cette époque.

On trouvera le bureau d'information touristique au 703 Carson Avenue, près du parc Lebourdais. En été, il y a de plus un comptoir d'information à la jonction des autoroutes n°97 Nord et n°26 Est.

Attraits touristiques

Pour un retour au temps des explorateurs Alexander Mackenzie ou Billy Barker, rien de mieux qu'une visite du **Quesnel and District Museum**. Ouvert de mai à septembre; entrée gratuite. Situé sur l'autoroute n°97, à l'entrée Sud de la ville.

L'angle des rues Carson et Front forme ce que l'on appelle le **Heritage Corner**. On peut y admirer le vieux **pont Fraser**, ce qui reste du **bateau à vapeur Enterprise** et le magasin original **de la Compagnie de la Baie d'Hudson**.

Aux alentours de la ville, un saut du côté du **parc provincial Pinnacles** est à recommander. On pourra y observer les **Hoodoos**, d'étonnants rochers érodés par les glaciers. Le parc est situé à environ 8 km à l'ouest de Quesnel.

 Hébergement

Des emplacements de camping sont disponibles de mai à septembre au **Ten Mile Lake** (8 $), au nord de la ville par l'autoroute n°97.

Le **Robert's Roost Campground** (12 $, ☎ 747-2015), du côté Ouest du lac Dragon, est aussi un bon choix. On s'y rend en empruntant l'autoroute n°97 direction sud, puis en tournant vers l'est sur Gook Road que l'on suit jusqu'au bout.

Mentionnons également le **Quesnel Airport Inn, Motel and RV Park** (32 $ à 38 $, ☎ 992-5942). Il est de plus possible de camper à proximité (8 $ à 12 $).

On dénichera finalement une grande quantité de motels dans le centre de Quesnel. Les prix varient habituellement entre 34 $ et 48 $.

Restaurants

Pizza Hut (À l'angle des rues Front et St. Laurent). Excellentes pizzas et gigantesque bar à salades. Repas à partir de 11,25 $.

Savala's Steak House (240 Reid Street, ☎ 992-9453). Steaks, côtes levées, pizzas et mets italiens. Repas entre 6,95 $ et 19 $.

Grampa's Place (Situé au Heritage Corner). Café et bistro sympathique.

 Le parc historique provincial de Barkerville

À quelque 89 km à l'est de Quesnel par l'autoroute n°26, Barkerville est un village typique de l'époque de la ruée vers l'or grâce aux 75 bâtiments qui y ont été rénovés. À son apogée, Barkerville se voulait la plus grande cité à l'ouest de Chicago et au nord de San Francisco. C'était alors le centre de la prospère région Cariboo où plus de 40 millions de dollars d'or furent extraits. L'incendie de 1916 marqua, malgré sa reconstruction rapide, le début du déclin de Barkerville. Elle reprit toutefois naissance lorsque le gouvernement provincial entreprit de la rénover en 1958.

Une visite de Barkerville représente donc un retour dans le passé. On peut également y prendre un bon repas dans l'un des restaurants du parc historique et même assister à une comédie musicale à l'ancien théâtre de la ville (adultes 7,50 $).

Le parc est accessible toute l'année; adultes 5 $, enfants 3 $, entrée gratuite en hiver. Des emplacements de camping sont de plus disponibles (8 $ à 10 $).

Le parc provincial Bowron Lakes

Les amateurs d'activités de plein air, en particulier ceux qui pratiquent le canotage, raffoleront du superbe parc provincial Bowron Lakes dont la principale richesse est son magnifique chapelet de lacs. D'une superficie de 123 117 ha, ce parc s'étend dans les monts Cariboo, à 112 km à l'est de Quesnel. Il est accessible du mois de juin au mois d'octobre.

Les lacs formant cette fameuse route canotable longue de 116 km portent les noms de **Bowron, Indianpoint, Isaac, Lanezi, Sandy** et **Spectacle**. Il faut compter de 7 à 10 jours pour parcourir cette route qui s'adresse à des experts bien équipés. Les mois de juillet et août sont particulièrement populaires, bien que septembre permette une excursion dans un décor magnifiquement coloré.

Le bureau d'information se situe tout près du terrain de stationnement principal. On s'y procurera cartes et brochures en plus de s'y enregistrer pour des fins de sécurité. On peut également écrire à l'adresse suivante pour planifier les détails de son excursion :

Ministry of Parks
540 Borland Street
Williams Lake, B.C.
V2G 1R8
☎ 398-4414

NORTH BY NORTHWEST

L a vaste région North By Northwest, qui forme un «L» dans la partie centrale de la Colombie-Britannique, s'étend sur 300 km² des Rocheuses jusqu'à l'océan Pacifique, y compris les îles **Queen Charlotte**, et de la région Cariboo jusqu'au Yukon. En plus d'étendues sauvages d'une remarquable beauté, North By Northwest inclut dans ses limites les villes importantes que sont **Prince George** et **Prince Rupert**.

C'est en 1778 que James Cook et son équipage arrivèrent dans cette partie du territoire à bord des vaisseaux *Resolution* et *Discovery*. Ils traitèrent avec les autochtones (Carriers, Tsimshians, Tlingits et Haidas) desquels ils acquirent des peaux de loutres de mer qu'ils revendirent plus tard à prix d'or en Chine. La nouvelle se répandit en Europe, ce qui déclencha une véritable ruée. Parallèlement, des trappeurs et des explorateurs à la solde de la North West Company traversèrent les Rocheuses

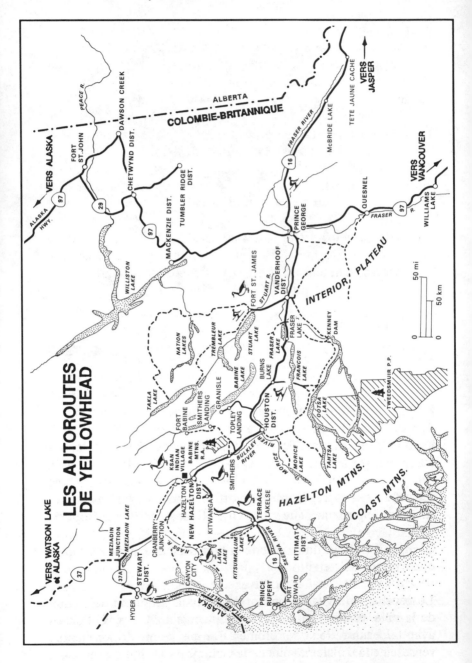

LES AUTOROUTES DE YELLOWHEAD

pour gagner la région. Les plus connus de ceux-ci sont Alexander Mackenzie, Simon Fraser et David Thompson. Bientôt, cet «empire de la traite de la fourrure» fut baptisé par Fraser, New Caledonia, un nom qui lui rappelait son Écosse natale.

Dès 1805, on commença à établir des postes de traite dans le Nord de la région et **Fort St. James** en devint en quelque sorte la capitale. Puis, la ruée vers l'or de 1860 contribua grandement à la colonisation de cette région éloignée que rejoignit finalement le chemin de fer du Grand Tronc en 1914.

La route principale traversant aujourd'hui la région d'est en ouest sur 1 073 km est l'autoroute n°16, aussi appelée Yellowhead. Une autre voie majeure, l'autoroute Stewart-Cassiar (n°37), conduit vers le nord-ouest jusqu'au Yukon.

Prince George

Capitale du Nord de la Colombie-Britannique, Prince George s'étend au confluent du Fraser et de la rivière Nechako, pratiquement en plein centre de la province. De par sa localisation à la jonction des autoroutes n°16 et n°97 et des lignes de chemin de fer du Canadian National et de B.C. Rail, cette agglomération constitue une plaque tournante pour les transports terrestres.

La ville fut fondée en 1807 lorsque Simon Fraser fit construire le Fort George, ainsi nommé en l'honneur du roi George III d'Angleterre. En 1821, Fort George devint un poste de traite administré par la Compagnie de la Baie d'Hudson, vocation qu'il conserva jusqu'en 1915.

Le développement des transports contribua par la suite à l'essor de la ville, d'abord avec l'arrivée du chemin de fer (1914), puis avec la construction d'autoroutes. De nos jours, Prince George représente la troisième ville de la Colombie-Britannique avec ses 70 000 habitants, et le moteur économique, social et culturel du

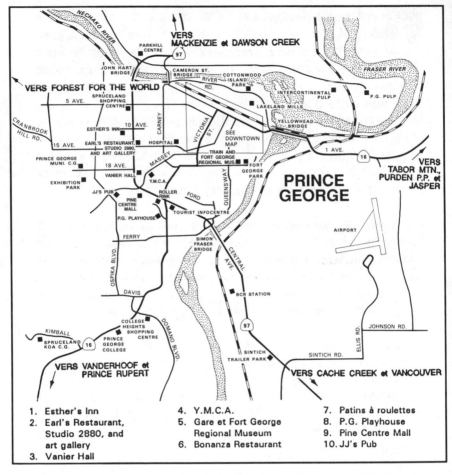

1. Esther's Inn
2. Earl's Restaurant, Studio 2880, and art gallery
3. Vanier Hall
4. Y.M.C.A.
5. Gare et Fort George Regional Museum
6. Bonanza Restaurant
7. Patins à roulettes
8. P.G. Playhouse
9. Pine Centre Mall
10. JJ's Pub

Nord de la province. L'exploitation forestière en est l'industrie principale.

Le bureau d'information touristique de Prince George est logé au 1198 Victoria Street, ☎ 562-3700. Il est ouvert toute l'année du lundi au vendredi, de 8 h 30 à 18 h. Par ailleurs, il faut noter l'existence d'un comptoir saisonnier (mai à septembre, de 9 h à 20 h) à l'intersection des autoroutes n°97 Sud et n°16 Ouest, ☎ 563-5493.

Attraits touristiques

Le parc Fort George

S'étendant au bord du fleuve Fraser, ce parc de 36 ha est le site original du fort construit par Simon Fraser. Un train à vapeur miniature offre d'agréables balades les fins de semaine et lors des congés fériés (adultes 1,25 $, enfants 0,75 $). En juillet, le parc Fort George est le théâtre d'un festival de folklore. Situé tout au bout de 20th Street.

Le Fraser Fort George Regional Museum

La visite de ce musée s'avère une excellente façon de se familiariser avec l'histoire naturelle de la région et la culture des Indiens Carriers. On y admirera, entre autres, des animaux sauvages empaillés, de même que des objets d'artisanat autochtones. Situé dans le parc Fort George, ☎ 562-1612 (ouvert du dimanche au mercredi; adultes 1 $, enfants 0,50 $).

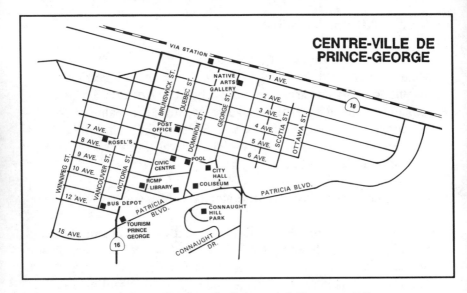

CENTRE-VILLE DE PRINCE-GEORGE

Le Prince George Railway and Forestry Museum

Ce musée ferroviaire est à ne pas manquer. Il fait revivre le développement du chemin de fer au moyen d'anciens wagons et locomotives, de photographies et de pièces d'équipement diverses. Situé sur River Road, ☎ 563-7351 (ouvert tous les jours de 10 h à 17 h; entrée gratuite).

Le Cottonwood Island Nature Park

À deux pas du musée ferroviaire, le Cottonwood Island Nature Park plaira aux amateurs d'oiseaux et aux pique-niqueurs. Il s'agit de l'un des 116 parcs de la ville. Plusieurs sentiers de randonnée sillonnent ce parc de 33 ha. L'entrée est située sur River Road, ☎ 565-6140 ou 565-6290.

La Prince George's Art Gallery

Cette galerie d'art dispose d'une importante collection permanente de tableaux et de sculptures. On peut d'ailleurs s'y procurer des œuvres d'artistes locaux. Située au 2840 15th

Avenue, ☎ 563-6447 (ouverte du lundi au samedi de 10 h à 17 h, et le dimanche de 13 h à 17 h; entrée gratuite).

La Native Art Gallery

Cet endroit est tout indiqué pour ceux qui désirent admirer ou se procurer des œuvres d'art et d'artisanat autochtones. On y dénichera notamment des bijoux, des mocassins, des sculptures, etc. Situé au 144 George Street, ☎ 563-6447 (ouvert du mardi au samedi de 10 h à 18 h).

Le parc Connaught Hill

S'élevant en plein cœur de la ville, ce parc aménagé sur une colline permet d'agréables vues sur la cité et ses environs. Du centre-ville, on accède au sommet en empruntant Queensway Street vers le sud, puis en tournant à droite sur Connaught Drive et à nouveau à droite sur Caine Drive.

Les Heritage River Trails

Les randonneurs apprécieront ce réseau de sentiers (11 km), particulièrement bien aménagé, qui parcourt la ville. Des panneaux didactiques renseignent les marcheurs, les cyclistes et même, en hiver, les skieurs de fond, sur l'histoire naturelle de la région.

 Hébergement

Le terrain de camping le plus populaire est le **Spruceland KOA** (13 $ à 14 $, ☎ 964-7272), à l'ouest de la ville, sur Kimball Road. Ouvert du 1er avril au 31 octobre, il offre des emplacements tranquilles agréablement séparés par des arbres.

Toutefois, c'est le **Prince George Municipal Campground and Trailer Park** (9,50 $, ☎ 563-2313) qui est le plus rapproché de la ville. On y accède par l'entrée située à l'angle de 18th Avenue et Ospika Boulevard. Il est ouvert de mai à septembre.

À 5 km au sud de Prince George, par l'autoroute n°97, il y a également le **Sintich RV Park** (9 $ à 15 $, ☎ 963-9862) qui est cependant réservé aux adultes.

Outre les nombreux motels du centre-ville ou ceux qui longent l'autoroute n°97 (et dont les prix des chambres varient de 30 $ à 55 $), il convient de mentionner quelques adresses intéressantes. Le **Esther's Inn** (43 $ à 62 $, ≈, ●, 1151 Commercial Drive, ☎ 562-4131) est une d'entre elles. La spectaculaire décoration intérieure rappelle Hawaï ou Tahiti avec ses palmiers, ses philodendrons et ses cascades... Des chambres avec cuisinette sont également disponibles pour un supplément de 5 $.

Autre établissement digne de mention, le **Holiday Inn** du centre-ville (107 $ à 122 $, bp, ≈, ℜ, ●, 444 George Street, ☎ 563-0055) offre tous les services réguliers des grands hôtels.

 Restaurants

Earl's (1440 East Central, ☎ 562-1527). Restaurant populaire préparant une cuisine délicieuse à prix raisonnables. Sandwichs, croissants, hamburgers, salades coûtent de 5 $ à 9 $. Vaste choix de vins et de bières provenant d'un peu partout à travers le monde.

Papaya Grove (1151 Commercial Drive, ☎ 562-4131). Restaurant aménagé près de la piscine du Esther's Inn. Petit déjeuner à partir de 3 $. Brunch du dimanche à 9 $. Buffet du midi à 6 $, du lundi au samedi de 11 h à 14 h. Dîner de fruits de mer ou de steak de 8 $ à 28 $.

Niner's Diner (508 George Street, ☎ 562-1299). Décor des années cinquante tout de gris et de vert. Sandwichs et hamburgers à partir de 5 $, assiette de poulet de 6 $ à 10 $, pâtes, fruits de mer, steaks, côtes levées de 9 $ à 16 $.

The Keg (582 George Street, ☎ 563-1768). Bonnes portions de steak (11 $ à 18 $) ou de fruits de mer (13 $ à 20 $). Impossible de sortir de là en ayant encore faim.

Bonanza Restaurant (2757 Spruce Street, ☎ 562-9025). Gigantesque bar à salades. Steaks et fruits de mer à prix raisonnables.

Cariboo Steak and Seafood Restaurant (1165 5th Avenue, ☎ 564-1220). Déjeuner à partir de 5 $. Dîner de poulet, de veau ou de fruits de mer de 12 $ à 22 $.

Rosel's (angle Vancouver Street et 7th Avenue, ☎ 562-4972). Repas gastronomiques et tenues chic... Dîner de 8 $ à 18 $.

 Vie nocturne

Steamers (2595 Queensway, ☎ 562-6654). Un des plus populaires pubs de la ville.

J.J.'s (3601 Massey, ☎ 562-0001). Un autre pub particulièrement apprécié.

Overdrive Cabaret (1192 5th Avenue, ☎ 564-3773). Discothèque où les haut-parleurs diffusent de la musique du «Top 40».

770 Club (770 Brunswick Street, ☎ 563-0121). Discothèque du même genre que la précédente, située dans le **Coast Inn of the North**.

Rockpit (1380 2nd Avenue, ☎ 563-7720). Spectacles sur scène de groupes Heavy Metal.

Coach's Corner Pub (444 George Street). Idéal pour prendre un verre en bonne compagnie dans une atmosphère calme et décontractée. Situé dans le Holiday Inn.

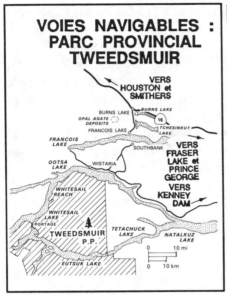

VOIES NAVIGABLES : PARC PROVINCIAL TWEEDSMUIR

Fort St. James

Avant de s'engager sur l'autoroute Yellowhead (n°16) vers l'ouest depuis Prince George, il faut s'assurer d'avoir fait le plein de pellicules photographiques (les champs de fleurs sauvages sont irrésistibles) et d'insectifuge (en été, c'est indispensable)... Le premier village que l'on rencontrera sera **Vanderhoof**, une toute petite communauté qui a la particularité de se trouver exactement au centre géographique de la Colombie-Britannique.

C'est à la hauteur de Vanderhoof que l'on peut emprunter l'embranchement (autoroute n°27 Nord) qui mène à Fort St. James. Cette ville est le site que choisit Simon Fraser pour établir un poste de traite fortifié qui devint la capitale de New Caledonia, nom original donné à la région centrale de la province.

Le bureau d'information touristique est situé sur Douglas Avenue, ☎ 996-7023. Il est ouvert de mai à septembre.

Attraits touristiques

Parmi les attraits dignes de mention de Fort St. James, il faut signaler l'église cathoiique **Our Lady of Good Hope**, construite en 1873, et le **Russ Baker Memorial**, un monument en hommage à ce pilote de brousse qui fonda la Pacific Western Airlines.

Quelques sentiers de randonnée valent la peine d'être explorés. C'est par exemple le cas de la piste qui conduit au sommet du **mont Pope** (3 km), au nord-ouest de la ville. En hiver, on retiendra par ailleurs la proximité du **centre de ski Murray Ridge**, à une vingtaine de minutes de Fort St. James.

Mais, la raison principale qui conduit les visiteurs ici demeure le **parc historique national du Fort St. James**. Le fort original érigé par Simon Fraser y a été reconstitué et des visites guidées permettent de revivre cette page d'histoire (ouvert tous les jours de la mi-mai au mois de septembre; entrée gratuite). Pour de plus amples renseignements, il faut composer le ☎ 996-7191.

De retour sur l'autoroute Yellowhead, l'arrêt suivant pourrait être à **Burns Lake**, petit village ayant la particularité de jouer le rôle de porte d'entrée à la fois au plus petit parc provincial de la Colombie-Britannique (l'**île Deadman**, dans le lac Burns) et au plus grand (le **parc Tweedsmuir**). C'est en effet ici qu'il est possible d'accéder par le nord aux superbes étendues sauvages du parc Tweedsmuir, décrit plus tôt dans ce guide (voir p. 269).

Smithers

La prochaine ville importante sur ce parcours est Smithers dans laquelle on pénètre peu après avoir franchi la rivière Bulkley. Cette ville est encerclée par les montagnes de la chaîne Côtière, dont le mont Hudson Bay (2 560 m).

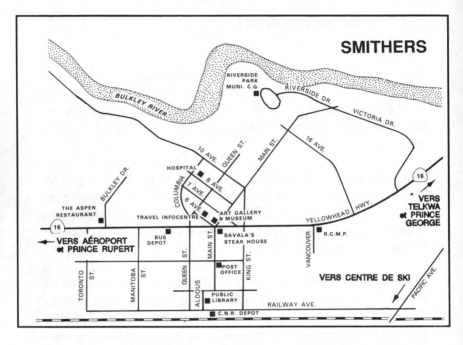

Ce sont la traite de la fourrure et la construction de deux lignes de télégraphe qui ont amené les premiers colons blancs dans la vallée de la rivière Bulkley. Puis, la découverte d'or dans les régions d'Omenica et du Klondike attira une autre clientèle qui finit par s'installer dans la vallée. L'arrivée du chemin de fer dans la région, en 1913, consacra la vocation de Smithers comme centre du Grand Trunk Pacific Railway.

Le bureau d'information touristique de Smithers est aménagé dans un wagon de train, tout juste à l'arrière du **Bulkley Valley Museum and Art Gallery**, ☎ 847-9854 ou 847-5072. Il est ouvert tous les jours, de juin à septembre, de 8 h à 18 h.

  Attraits touristiques

Une visite de Smithers devrait commencer par le **Bulkley Valley Museum and Art Gallery**, endroit tout indiqué pour se familiariser avec l'histoire de la vallée de la Bulkley. Situé à l'intersection de l'autoroute n°16 et de Main Street, ☎ 847-5322 (ouvert tous les jours de 10 h à 17 h en été, et du mardi au samedi de 13 h à 17 h en hiver; entrée gratuite).

Le poste d'observation du **mont Hudson Bay**, à 8 km à l'ouest de Smithers, mérite quant à lui le détour. On y observera entre autres le **glacier Kathlyn**.

Autre attrait à ne pas manquer, le **parc provincial Driftwood Canyon** permet la découverte de fossiles de plantes, insectes et poissons dont l'âge varie de 10 à 20 millions d'années. De la ville, il faut emprunter Babine Lake Road, tourner à gauche sur High Road, puis à droite sur Driftwood Road. C'est à 17 km au nord-est de la ville.

Le **Adam's Igloo Wildlife Museum**, un musée d'histoire naturelle curieusement aménagé dans un igloo, est également à découvrir. Il est situé sur l'autoroute Yellowhead, à une dizaine de kilomètres à l'ouest de Smithers, ☎ 847-3188 (ouvert tous les jours, de juin à septembre, de 8 h à 18 h; entrée payante).

 Hébergement

Le **Riverside Recreation Centre** (10 $, ☎ 847-3229) dispose d'emplacements de camping ombragés et donne accès à la rivière Bulkley, ce qui ne saurait déplaire aux amateurs de pêche. L'autoroute n°16 Est conduit à ce terrain de camping.

Il convient également de mentionner le **Slumber Lodge Motel** (44 $, 1515 Main Street, ☎ 847-4581) et le très confortable **Hudson Bay Lodge** (61 $, ≈, ℜ, 3251 autoroute n°16 Est, ☎ 847-4581).

Restaurants

SavaLa's Steakhouse (138 Main Street, ☎ 847-4567). Pizzas et autres plats italiens, côtes levées, steaks et fruits de mer. Dîner autour de 10 $. Au dessert, il faut s'offrir une de leurs délicieuses glaces italiennes.

Tyee Dining Room (1485 Main Street, ☎ 847-2201). Cuisine chinoise à prix raisonnables. Buffet le dimanche soir. Situé dans le **Tyee Motor Inn**.

Aspen Restaurant (Autoroute n°16 à l'ouest de la ville, ☎ 847-2201). Vivement recommandé par les gens du coin pour la qualité de ses repas de fruits de mer (12 $ à 15 $). Ouvert tous les jours de 6 h 30 à 22 h.

Hazelton

En fait, il y a trois «Hazelton» : **Hazelton**, **New Hazelton** et **South Hazelton**. Toutes les trois se côtoient au point le plus septentrional atteint par l'autoroute Yellowhead. C'est l'arrivée du chemin de fer du Grand Tronc qui créa cette confusion quant à la situation précise de la ville. Hazelton, aujourd'hui surnommée «la vieille ville», existait alors depuis une cinquantaine d'années. Les deux autres Hazelton furent fondées par des propriétaires terriens rivaux, convaincus, chacun de leur côté, que leur terre possédait les qualités essentielles pour devenir une halte de chemin de fer.

Aujourd'hui, la plus importante des trois communautés est New Hazelton, devenue un important centre de services situé au pied du **mont Rocher Déboulé**.

Le bureau d'information des Hazelton se trouve à l'intersection des autoroutes n°16 et n°62, ☎ 842-6071. Il est ouvert tous les jours, de juin à septembre, de 9 h à 17 h.

Attraits touristiques

Pour accéder aux Hazelton, il faut quitter l'autoroute Yellowhead en suivant les indications pour Kispiox. Cette route permet de franchir la turbulente rivière Bulkley par le **pont suspendu Hagwilget**, à 79 m au-dessus de celle-ci.

À environ 8 km de New Hazelton, au confluent des rivières Bulkley et Skeena, **Hazelton** a su conserver son architecture de l'époque des pionniers (1890). C'est l'un des plus petits villages reconnus officiellement par la Colombie-Britannique.

L'attrait majeur de la région est toutefois le **'Ksan Historic Indian Village**. Il s'agit d'une reconstitution fidèle d'un village indien Gitksan. Des visites guidées permettent d'apprécier la précision de cette reproduction (adultes 4,50 $, enfants 1,50 $). On peut de plus observer le travail d'artisans dans leur atelier et admirer de magnifiques mâts totémiques. Le village englobe finalement le **Northwestern National Exhibiton Centre and Museum**, un musée d'art consacré à la culture autochtone. Le village est ouvert tous les jours, de mai à la mi-octobre, de 9 h à 18 h. Pour de plus amples renseignements, il faut composer le ☎ 842-5544.

Plus loin, la route mène jusqu'à **Kispiox**, un village indien Gitksan traditionnel. Ses habitants ont à cœur la préservation de leurs coutumes et c'est à la façon de leurs ancêtres qu'ils fêtent, dansent et préparent leur nourriture. On y remarquera une quinzaine de mâts totémiques, récents et anciens.

 Hébergement

Tout près de Kispiox, le **'Ksan Campground** (9 $ à 12 $, ☎ 842-5940) offre de jolies vues sur les **monts Babine**. Les pêcheurs aussi apprécient grandement l'endroit.

Le plus beau terrain de camping de la région est cependant celui du **parc provincial Seeley Lake** (8 $), ouvert d'avril à octobre. Avec des montagnes qui se reflètent dans les eaux calmes du lac, son emplacement est magique.

 Restaurants

Hummingbird Restaurant (sur la route d'accès aux Hazelton, ☎ 842-5628). Intérieur aux murs de bois. Magnifique vue sur le mont Rocher Déboulé. Au déjeuner, sandwichs, hamburgers ou salades (5 $ à 8 $). Au dîner, steaks ou poulet (12 $). Ouvert tous les jours de 11 h à 22 h.

L'autoroute Stewart-Cassiar

Trois choix s'offrent au voyageur lorsqu'il atteint l'intersection des autoroutes n°16 et n°37 : se diriger vers le nord-ouest en direction de **Stewart** et de **Hyder** (Alaska), filer vers le nord sur l'autoroute Cassiar en route vers le Yukon, ou poursuivre vers l'ouest jusqu'à **Prince Rupert**. La présente section s'attarde aux deux premières options.

 Attraits touristiques

Le premier village que l'on croise sur l'autoroute n°37 est **Kitwanga** où l'on explorera le **mont Battle**, une colline qu'escaladait, il y a 200 ans Nekt, un guerrier amérindien, pour prévenir les attaques de voisins hostiles. Il s'agit du premier site historique de l'Ouest canadien à honorer la culture autochtone.

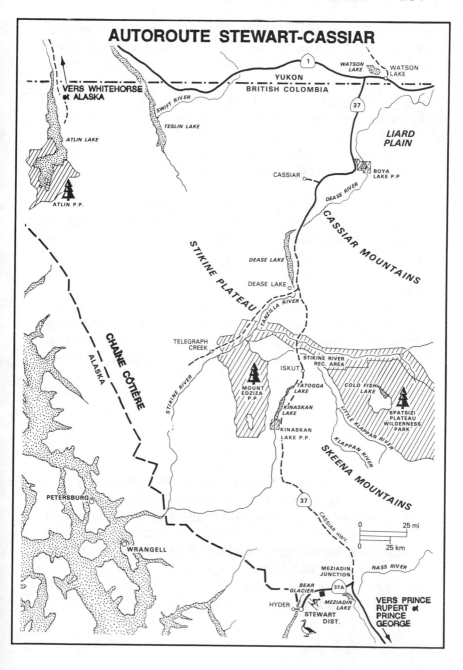

AUTOROUTE STEWART-CASSIAR

Un peu plus au nord, à **Kitwancool**, il faut jeter un coup d'œil sur une extraordinaire concentration de mâts totémiques dont le plus vieux serait âgé d'environ 140 ans.

Par la suite, après avoir choisi de se diriger vers Stewart à **Meziadin Junction**, on aperçoit de la route le magnifique **Bear Glacier** qui se jette dans le **lac Strohn**. Une halte routière équipée de tables de pique-nique permet d'admirer à loisir ce sensationnel spectacle naturel.

La ville de **Stewart** devrait constituer le prochain arrêt sur cet itinéraire. Elle est située à l'extrémité Nord du **canal de Portland**, le quatrième plus long fjord du monde. Le bureau d'information touristique de Stewart et le musée historique local (adultes 1 $) logent à la même adresse sur Columbia Street, ☎ 636-2568.

La route continue alors jusqu'à **Hyder**, un petit village d'Alaska d'à peine 70 âmes, que le voyageur sera surpris d'atteindre sans avoir à se plier à quelque formalité douanière que ce soit.

Si l'on choisit plutôt de se diriger vers le nord à Meziadin Junction, il faut se rappeler que la route est non revêtue sur une grande partie. Après avoir roulé sur une distance d'environ 200 km, on arrive à la hauteur du **parc provincial du lac Kinaskan**, le paradis du pêcheur de truites arc-en-ciel. Plus loin, on atteint la **réserve faunique de Spatsizi Plateau**, dont la superficie totale est de 656 785 ha. Le grizzly, l'orignal, la chèvre de montagne et le caribou, entre autres, habitent les lieux.

Bientôt, la route conduit à **Iskut**, le village le plus près du **parc provincial du mont Edziza**. On fera bien de s'y approvisionner en essence et en vivre. Quant au parc provincial, qui couvre 232 698 ha, on y trouvera de superbes lacs de même que les **monts Spectrum**.

La route se poursuit alors jusqu'au Yukon où elle joint l'autoroute de l'Alaska (n°1). Auparavant, elle croise les petits villages de **Dease Lake** et **Cassiar**.

 Hébergement

Le terrain du camping **parc provincial du lac Meziadin** (6 $), près de Meziadin Junction, demeure ouvert du mois de juin au mois d'octobre.

On peut également loger au terrain de camping de Stewart, le **Raine Creek Park** (6 $), ou au **parc provincial du lac Kinaskan** (6 $).

Terrace

La ville de Terrace est la prochaine municipalité que traverse l'autoroute n°16 menant en direction de Prince Rupert. Elle s'étend sur une série de terrasses le long de la rivière Skeena avec, comme toile de fond, les pics de la chaîne Côtière et des monts Hazelton.

Le bureau d'information touristique est au 4511 Keith Avenue, à l'est de la ville, ☎ 635-2063.

 Attraits touristiques

Sur la liste des attractions à voir à Terrace, on ne doit pas oublier d'inscrire le **Heritage Park Museum**, une reconstitution d'un village de pionniers. Des bâtiments de diverses provenances (un hôtel, une salle de bal, une grange, quelques demeures, etc.) ont été démantelés, puis reconstruits sur ce site. Situé sur Kerby Street, ☎ 567-2991 (ouvert tous les jours en été, de 10 h à 18 h; adultes 1,50 $).

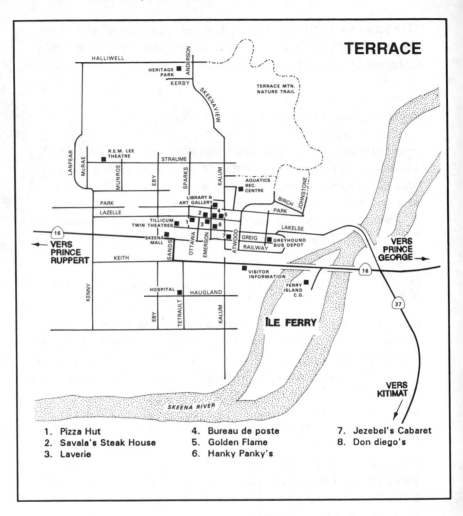

1. Pizza Hut
2. Savala's Steak House
3. Laverie
4. Bureau de poste
5. Golden Flame
6. Hanky Panky's
7. Jezebel's Cabaret
8. Don diego's

Les amateurs d'art et d'artisanat s'arrêteront quelques instants au **Northern Lights Studio** où ils pourront admirer et même se procurer des pièces d'artistes locaux. Situé au 4820 Halliwell Street, ☎ 638-1403 (ouvert du lundi au samedi de 9 h 30 à 17 h 30). Ils lorgneront également du côté de l'**Art Gallery**, qui présente des expositions temporaires d'œuvres d'artistes de la région. Situé dans le sous-sol de la bibliothèque publique de la ville.

Une balade à 78 km au nord de Terrace, par Kalum Lake Drive, permet de découvrir le plus jeune **champ de lave** du Canada. Long de 18 km et large de 3 km, il se serait formé entre 1650 et 1750.

Il peut également s'avérer fort enrichissant d'aller faire un tour du côté de **Kitimat**, en empruntant l'autoroute n°37 Sud. Cette ville industrielle s'élève au bout d'un des bras du **chenal Douglas**. On pourra y visiter plusieurs industries dont l'**Alcan's Kitimat Works Aluminium Smelter** (☎ 639-8259), l'**Ocelot Ammonia's Methanol Plant**, premier complexe pétrochimique du Nord de la Colombie-Britannique (☎ 639-8259), et l'**Eurocan's Pulp and Paper Complex** (☎ 639-8259).

 Hébergement

Les amateurs de camping seront choyés dans la région de Terrace. Tout d'abord, il y a le **Ferry Island Municipal Campground** (7 $ à 9 $, ☎ 638-1174), aménagé sur une île de la rivière Skeena à 3 km à l'est de Terrace. Puis, le long de l'autoroute n°37 Sud en direction de Kitimat, on trouvera le **parc provincial du lac Lakelse** (10 $) qui offre des emplacements de camping de mai à septembre.

Mentionnons de plus le **Waterlily Bay Resort** (10 $), auquel on accédera par l'autoroute n°37 Sud, sortie Waterily Bay Road, entre Terrace et Furlong Bay. L'endroit dispose d'une jolie plage et d'une marina. Finalement, on peut opter pour le très achalandé **parc provincial Furlong Bay** (10 $), dont le terrain de camping donne sur le lac Lakelse.

Pour ceux qui préfèrent le confort d'une chambre, quelques adresses sont à retenir dont le populaire **Reel In Motel and Trailer Park** (36 $, 5508 autoroute n°16 Ouest, ☎ 635-2803). Par ailleurs, le **Copper River Motel** (28 $ à 32 $, 4113 autoroute n°16 Est, ☎ 635-6124) est le plus économique en ville.

L'endroit est propre et bien tenu par des propriétaires fort accueillants. Les murs sont cependant bien minces...

En terminant, il ne faudrait pas oublier le confortable **Mount Layton Hotsprings Resort** (61 $, ≈, ℜ, autoroute n°37 Sud, ☎ 798-2214). Des glissades d'eau sont adjacentes.

 Restaurants

The Northern Motor Inn (autoroute n°16 à l'est de Terrace). Restaurant particulièrement apprécié pour le petit déjeuner. Portions géantes d'omelette pour environ 7 $.

Don Diegos (4741 Kalum Street, ☎ 635-2307). Petit café innondé de lumière et de plantes. Mets mexicains au menu. Cuisine délicieuse, mais portions modestes. Déjeuner de 5,50 $ à 7 $, dîner à 8 $.

Pizza Hut (4665 Lazelle, ☎ 638-8086). Très prisé pour le déjeuner.

The Golden Flame (4606 Lazelle Street, ☎ 635-7229). Excellente cuisine grecque à bon prix (12 $). La nourriture est délicieuse, le service amical et le décor rappelle la Grèce. Ouvert tous les jours de 11 h à 23 h.

Savala's Steak House (également sur Lazelle Street, ☎ 635-5944). Steak, fruits de mer, pizzas et pâtes. Dîner de 9 $ à 14 $.

 Vie nocturne

Hanky Panky's (sur Lakelse). Boîte de nuit aménagée dans le **Inn of the West**.

Thornhill Pub (sur Lake Drive, à l'est de la ville). Pub très apprécié pour sa musique *country* et *soft-rock*.

Prince Rupert

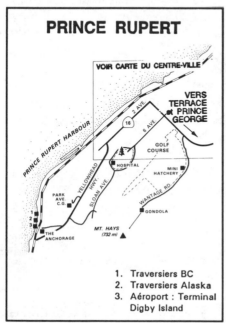

PRINCE RUPERT

VOIR CARTE DU CENTRE-VILLE

VERS
TERRACE
et PRINCE
GEORGE

PRINCE RUPERT HARBOUR

2 AVE.

6 AVE.

16

GOLF
COURSE

HOSPITAL

MINI
HATCHERY

YELLOWHEAD
HWY.

SLOAN AVE.

WANTAGE RD.

PARK
AVE.
C.G.

GONDOLA

1
2
3

THE
ANCHORAGE

MT. HAYS
(732 m)

1. Traversiers BC
2. Traversiers Alaska
3. Aéroport : Terminal
   Digby Island

La cité de Prince Rupert s'étend au bout de la route, à la fin du chemin de fer, là où les traversiers de la Colombie-Britannique s'arrêtent et où ceux de l'Alaska prennent le relais. Perchée au-dessus d'une rade libre de glace à longueur d'année, la ville de Prince Rupert est composée d'éléments hétéroclites tels de vieux bâtiments décorés à l'anglaise, de grands hôtels, un Civic Centre aux lignes modernes, des rues avec des noms rappelant l'Angleterre, et des mâts totémiques.

Prince Rupert fut fondée au début du siècle par Charles M. Hays, dirigeant du Grand Trunk Pacific Railway (aujourd'hui le Canadian National). Il espérait en faire «LE» port du Pacifique en la reliant à l'Est du pays par voie ferrée et ainsi détrôner Vancouver. Son rêve se réalisa partiellement en 1914 lorsque fut complétée la ligne de chemin de fer reliant North Bay, en Ontario, à Port Simpson. Lui-même n'eut toutefois pas le plaisir d'en être témoin puisqu'il sombra avec le Titanic en 1912. Quoi qu'il en soit, la nouvelle ville fut baptisée du nom du prince Rupert, cousin de Charles II, pionnier, homme d'affaires et aventurier.

Depuis la Première Guerre mondiale, l'économie de Prince Rupert repose principalement sur la pêche. Plus de 2 000 embarcations sillonnent les eaux voisines et capturent

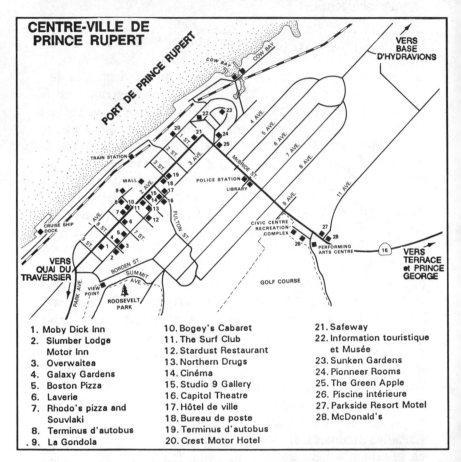

CENTRE-VILLE DE PRINCE RUPERT

1. Moby Dick Inn
2. Slumber Lodge Motor Inn
3. Overwaitea
4. Galaxy Gardens
5. Boston Pizza
6. Laverie
7. Rhodo's pizza and Souvlaki
8. Terminus d'autobus
9. La Gondola

10. Bogey's Cabaret
11. The Surf Club
12. Stardust Restaurant
13. Northern Drugs
14. Cinéma
15. Studio 9 Gallery
16. Capitol Theatre
17. Hôtel de ville
18. Bureau de poste
19. Terminus d'autobus
20. Crest Motor Hotel

21. Safeway
22. Information touristique et Musée
23. Sunken Gardens
24. Pionneer Rooms
25. The Green Apple
26. Piscine intérieure
27. Parkside Resort Motel
28. McDonald's

annuellement 7 000 tonnes de poisson (saumons, soles, harengs et flétans). Lors de la Seconde Guerre mondiale, l'industrie de la construction navale se développa et Prince Rupert devint une base de l'armée américaine. L'industrie touristique, quant à elle, ne fit son apparition que dans les années soixante lorsque les lignes de traversiers de la Colombie-Britannique et de l'Alaska entrèrent en fonction.

Le bureau d'information touristique se situe à l'angle de 1st Avenue et de McBride Street, ☎ 624-5637. Il est ouvert tous les jours de la mi-mai au début septembre et du lundi au samedi le reste de l'année.

 Pour s'y retrouver sans mal

Prince Rupert est la porte d'entrée du Nord de la Colombie-Britannique. C'est aussi une plaque tournante où de nombreux visiteurs transitent avant de poursuivre vers le nord (ou vers le sud) par traversier, ou encore vers l'est en automobile, en autocar ou en train. Il importe donc de s'informer des diverses possibilités offertes quant aux moyens de transport.

Ainsi, le **terminus d'autobus Greyhound** est situé sur 6th Street, ☎ 624-5090. La **gare ferroviaire Via**, quant à elle, est localisée au 211-1150 Station Street.

Par ailleurs, les lignes de **traversier** de la Colombie-Britannique et de l'Alaska Marine Highway convergent toutes deux vers Prince Rupert. Il y a donc des traversiers faisant la navette entre Prince Rupert et les îles Queen Charlotte (six heures et demie, ☎ 624-9627), l'île de Vancouver (15 à 18 heures, ☎ 386-3431) et Ketchikan en Alaska (six heures, ☎ 627-1744 ou 627-1745). En été, il est primordial de réserver afin d'éviter les longues attentes.

 Attraits touristiques

Pour obtenir une vue qui embrasse toute la ville et ses environs, il suffit de gravir le **mont Hays** au moyen du téléphérique qui conduit directement à son sommet (732 m). Il est en opération à longueur d'année (de midi à 21 h 45 en été). Adultes 6 $, enfants 4 $.

De son côté, le **Museum of Northern British Columbia and Prince Rupert Art Gallery** saura captiver le visiteur, et ce pour plusieurs heures. Bien que tout petit, ce musée est rien de moins que fascinant. On y raconte l'histoire de Prince Rupert depuis l'époque des Indiens Tsimshians qui se seraient installés dans la région, il y a plus de 5 000 ans. Une autre salle propose des expositions temporaires d'œuvres d'art. Situé à l'angle de 1st Avenue et de McBride Street, ☎ 624-3207 (ouvert tous les jours de la mi-mai au début septembre, et du lundi au samedi le reste de l'année).

Une visite du centre-ville s'avérera par ailleurs fort agréable. On pourra ainsi découvrir l'**hôtel de ville**, décoré de motifs amérindiens, le **monument à William Hays**, fondateur de la ville, de même que, un peu à l'extérieur du centre, l'architecture moderne du **Civic Centre**, flanqué de trois mâts totémiques, et du **Prince Rupert Performing Arts Centre**. On peut terminer cette promenade en montant au belvédère du **parc Roosevelt**, sur Summit Drive.

Finalement, il est conseillé de faire une excursion du côté de **Port Edward**, à 16 km au sud de la ville, où l'on peut visiter une conserverie de saumon construite en 1889, la **North Pacific Cannery** (visites guidées tous les jours de la mi-mai à la mi-septembre et sur réservation le reste de l'année; adultes 5 $; ☎ 624-6400).

 Hébergement

En été, à cause du va-et-vient constant des traversiers remplis de visiteurs, il peut s'avérer assez difficile de trouver une chambre ou un emplacement de camping à bon prix, à Prince Rupert, si on n'a pas pris la précaution de réserver à l'avance.

Le meilleur terrain de camping des environs est le **Park Avenue Campground** (9 $ à 15 $, ☎ 624-5861), à 1 km du centre-ville, au 1750 Park Avenue.

L'hôtel bleu et vert **Pioneer Rooms** (25 $, 167 3rd Avenue East, ☎ 624-2334) propose, quant à lui, des chambres propres à des prix imbattables.

Pour ce qui est de la formule motel, notons le **Parkside Resort Motel** (54 $, C, tvc, 101 11th Avenue East, ☎ 624-9131) et le **Prince Rupert Slumber Lodge** (55 $, ℜ, tvc, 909 3rd Avenue West, ☎ 627-1711).

Finalement, ceux qui recherchent un peu plus de confort et une localisation au centre-ville opteront pour le **Crest Motor Hotel** (85 $ à 105 $, ℜ, tvc, 222 1st Avenue West, ☎ 624-6771).

 Restaurants

Moby Dick Motor Inn (935 2nd Avenue, ☎ 624-6961). Restaurant d'hôtel reconnu pour ses petits déjeuners consistants et bon marché (3 $ à 5 $).

Smile's Seafood Cafe (113 George Hills Way, Cow Bay, ☎ 624-3072). La suggestion des gens du coin pour un succulent repas de fruits de mer. C'est une sorte d'institution locale implantée depuis 1934. Très achalandé à toute heure du jour. La gamme des prix pour un repas s'étend de 4 $ à 22 $.

Anchorage Restaurant (au bout de l'autoroute Yellowhead). Autre restaurant de fruits de mer digne de mention.

Stardust Restaurant (627 3rd Avenue, ☎ 627-1221). Cuisine chinoise à prix raisonnables (7 $ à 10 $).

Galaxy Gardens (844 3rd Avenue West, ☎ 624-3122). Cuisine chinoise à l'américaine et cuisine cantonaise dans un décor très raffiné. Ouvert tous les jours de 11 h à minuit.

Rodho's Pizza and Souvlaki (716 2nd Avenue West, ☎ 624-9797). Endroit populaire pour la pizza, le steak et les spécialités grecques (9 $).

Boston Pizza (812 3rd Avenue West, ☎ 624-2121). Pour les pizzas, les pâtes, les sandwichs et les salades.

 Vie nocturne

Breakers Pub (Cow Bay). L'un des pubs les plus appréciés des environs avec sa terrasse extérieure et sa vue sur le port.

Bogey's Cabaret (sur 2nd Avenue, entre 6th et 7th Streets). Pour danser jusqu'aux petites heures.

The Surf Club (sur 2nd Avenue, entre 5th et 6th Streets, ☎ 624-3050). Atmosphère de cabaret. Danse.

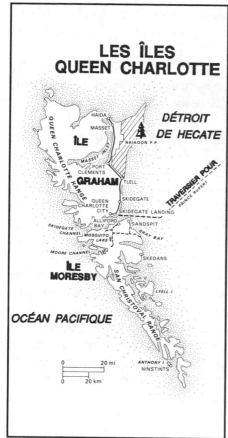

Les îles Queen Charlotte

Sauvages, tranquilles et mystérieuses, tels sont les qualificatifs employés le plus souvent pour décrire les îles Queen Charlotte, un archipel de 150 îles s'étendant à 102 km au large de la côte du Nord-Ouest de la Colombie-Britannique. Les deux plus importantes îles de l'archipel sont l'**île Graham**, au nord, et l'**île Moresby**, au sud, toutes deux séparées par le **chenal de Skidegate**. L'abondante faune de ces îles leur vaut d'être surnommées les «Galapagos du Nord».

Les Indiens Haidas habitent ces lieux depuis des temps immémoriaux. Leurs premiers contacts avec des Européens survinrent en 1774 lorsque Juan Perez s'amena dans les environs. Puis, en 1787, le Britannique George Dixon, officier lors du troisième voyage de James Cook, entreprit de transiger avec les Haidas. Il donna aux îles le même nom que son navire, soit celui de l'épouse de George III d'Angleterre.

De nos jours, la population des îles s'élève tout au plus à 5 000 individus. Ceux-ci vivent principalement de la pêche et de l'exploitation forestière.

Attraits touristiques

Le premier village de l'île Graham est **Queen Charlotte City** (1 000 habitants), pittoresque hameau niché entre la mer bleue de la **baie de Bearskin** et la **Sleeping Beauty Mountain**.

La route croise ensuite **Skidegate Landing** où l'on visitera avec intérêt le **Queen Charlotte Islands Museum**. De magnifiques sculptures Haidas de bois et d'argilite ainsi que divers objets et photographies rappelant la vie des pionniers forment la collection du musée. Situé à **Second Beach** dans la section Nord de Skidegate Landing, ☎ 559-4643 (ouvert en été de 9 h à 17 h en semaine et de 13 h à 17 h la fin de semaine).

Plus au nord, on atteindra la petite communauté d'éleveurs de **Tlell**. On y apercevra le **ranch Richardson**, fondé en 1919. La route longe par la suite l'extrémité Sud du spectaculaire **parc provincial Naikoon** d'une superficie de 72 640 ha. Le mot Naikoon, dans la langue des Haidas, signifie «long nez», ce qui fait référence à cette longue pointe de 5 km qui s'avance dans la mer au nord du parc. Près de 97 km de plages sablonneuses caractérisent le parc. Son quartier général, où on obtiendra tous les renseignements dont on a besoin, est situé à Tlell, ☎ 557-4390.

Prochain arrêt sur cet itinéraire, le village de pêcheurs de **Port Clements** s'étend au bord de **Masset Inlet**, une mer intérieure. Le **Port Clements Museum** raconte la naissance de ce village. Situé sur la route principale (ouvert tous les jours, en été, de 14 h à 16 h).

Bayview Drive, puis un court sentier pédestre, permettent d'aller admirer une étrange curiosité à 6 km de Port Clements : l'**épinette dorée**. Il s'agit d'un conifère vieux de 300 ans et haut de 50 m, d'un jaune brillant.

De retour sur la route principale, on se dirige vers **Masset**, la plus importante communauté de l'île Graham. Près de la moitié de ses 1 600 habitants est affectée à la base militaire nationale. L'autre moitié vit d'activités reliées à la pêche. Puis, à moins de 5 min de Masset, on fera un saut au village indien **Haida** où un musée flanqué de magnifiques mâts totémiques explique les us et coutumes de ce peuple autochtone.

À une vingtaine de kilomètres à l'est de Masset, il ne faut pas manquer de faire une excursion à **Agathe Beach**, une superbe plage sablonneuse, et à la **colline Tow**, s'élevant à 109 m de hauteur tout près de la mer. Ces deux endroits font partie du parc provincial Naikoon.

De son côté, l'**île Moresby** demeure encore aujourd'hui très largement sauvage. Outre quelques villages abandonnés par les Haidas et quelques routes non revêtues, sa nature est pour ainsi dire restée vierge. La partie Sud de l'île a d'ailleurs récemment été désignée **réserve naturelle nationale**. Qui plus est, le **parc provincial de l'île Anthony**, juste au sud de l'île Moresby, s'est vu consacré site du patrimoine culturel mondial par l'UNESCO en 1982. C'est là que l'on trouve le village de **Ninstints** et son extraordinaire concentration de totems.

Par ailleurs, la seule communauté de l'île est celle de **Sandspit** (500 habitants), là où est aménagé l'aéroport principal des îles Queen Charlotte. Le bureau d'information touristique de l'endroit est situé sur Beach Road, ☎ 637-5436.

 Hébergement

Il peut s'avérer quelque peu dispendieux de loger dans les îles à moins de camper, de dormir chez l'habitant ou dans une auberge de jeunesse. Voici toutefois quelques suggestions proposant un rapport qualité-prix avantageux.

Ainsi, le rustique **Gracie's Place** (45 $ à 50 $, bp, sur 3rd Avenue à Queen Charlotte City, ☎ 559-4262) est un lieu d'hébergement au charme certain, décoré d'objets de la mer et de plantes. Deux confortables chambres y sont disponibles. Un autre bon choix consiste à louer une chambre avec vue sur la mer aux **Cedar Springs Cottages** (50 $, sur Relax Road à Queen Charlotte City, ☎ 559-8356 ou 559-4245). Le *Bed and Breakfast* **Spruce Point Lodging** (50 $ à 65 $, 609 6th Avenue, ☎ 559-8234) jouit quant à lui d'une belle localisation au cœur de Queen Charlotte City. On y offre également des lits à la manière d'une auberge de jeunesse pour 15 $ la nuit.

Toujours à Queen Charlotte City, le **Premier Hotel** (45 $ à 60 $, **R**, **C**, tv, au centre de la ville, ☎ 559-8415) construit en 1910, dispose de chambres à bons prix. Il en est de même du **Hecate Inn** (55 $, bp, à l'angle de 3rd Avenue et 4th Street à Queen Charlotte City, ☎ 559-4543).

À Tlell, il convient de mentionner le **Tlell River Lodge** (85 $, bp, ℜ, ☎ 559-4569) et le **Bellis Lodge and Hostel** (12 $ à 17 $ par personne, ☎ 557-4434). Il y a aussi le **Misty Meadows Picnic Ground and Campground** (8 $).

Dans les environs de Masset, on peut choisir de camper au **Agate Beach Campground** (8 $), près de la colline Tow. Les emplacements de camping se trouvent tout juste derrière la plage. Plus près de la ville, à 2 km au nord de celle-ci, il y a le **Masset-Haida Lions RV Site and Campground** (8 $). Mentionnons également dans la région le **Naikoon Park Motel** (35 $, sur Tow Hill Road près de l'entrée du parc Naikoo, ☎ 626-5187) et le **Alaska View Lodge** (55 $, sur Tow Hill Road, ☎ 626-3653).

À l'intérieur même de la ville de Masset, on notera le **Harbour View Lodging** (53 $, 1608 Delkatla Street, ☎ 626-5109) et le *Bed and Breakfast* **Copper Beach House** (80 $, 1590 Delkatla Street, ☎ 626-3225).

Du côté de l'île Moresby, mentionnons le **Moresby Island Guest House** (50 $, C, 385 Alliford Bay Road à Sandspit, ☎ 637-5305), de même que le confortable Sandspit Inn (55 $, ℜ, près de l'aéroport de Sandspit, ☎ 637-5334).

 Restaurants

Margaret's Cafe (Queen Charlotte City). Le rendez-vous des gens du coin pour le petit déjeuner.

Laudette's Place (angle 3rd Avenue et 3rd Street, Queen Charlotte City, ☎ 559-4543). Endroit très populaire bien que les prix soient quelque peu élevés (10 $ à 17 $).

Cafe Gallery (angle Collison et Orr, Masset). Délicieux repas de steak, fruits de mer, châteaubriand et pâtes (à partir de 9 $).

Pearl's Dining Room (angle Main Street Collison Avenue, Masset, ☎ 626-3223). Cuisines chinoise et canadienne (moins de 10 $).

PEACE RIVER-
ALASKA HIGHWAY

G rande région sauvage qui attire les aventuriers depuis plus de 200 ans, Peace River-Alaska Highway tient son nom de deux voies de transport importantes : l'impressionnante **rivière de la Paix**, qui fraye son chemin dans les Rocheuses, et la **route de l'Alaska**, sorte de prouesse de l'ingénierie qui s'étend sur 2 450 km entre **Dawson Creek** et **De Ha Junction**.

Des populations autochtones vivaient dans la région il y a plus de 10 000 ans. Puis, les commerçants de fourrures furent les premiers Blancs à s'intéresser à l'endroit. Cependant, ce n'est qu'après les explorations d'Alexander Mackenzie à la fin du XVIIIᵉ siècle que débuta la colonisation du territoire. Un premier poste de traite fut établi en 1792 là où s'élève aujourd'hui **Fort**

St. John. Par la suite, les ruées vers l'or de 1861 (Cariboo) et
1898 (Klondike) amenèrent de nouveaux habitants.

Chetwynd

Le premier village de l'itinéraire a pour nom Chetwynd (2 800
habitants). Il se situe à la croisée de plusieurs routes : l'autoroute
n°97 le relie à Dawson Creek (102 km), l'autoroute n°29 à
Hudson's Hope (68 km), à Fort St. John (152 km) et à Tumbler
Ridge (90 km). Sa fondation remonte à aussi loin que 1778,
durant la glorieuse époque de la traite des fourrures. Son nom
d'origine, «Little Prairie», ne fut changé qu'avec l'arrivée du
chemin de fer en 1958 afin d'honorer le directeur du
P.G.E. Railway.

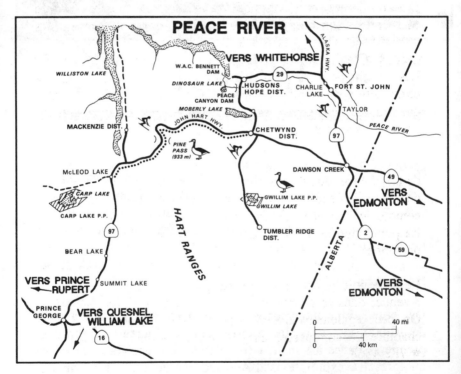

Le bureau d'information touristique se trouve sur la rue
principale du village, ☎ 788-3655. Il est ouvert de 8 h à 20 h.

Attraits touristiques

Il ne faudrait pas oublier de visiter les barrages hydro-électriques **W.A.C. Bennett**, l'un des plus grands barrages en terre du monde, et **Peace Canyon**, au nord du village par l'autoroute n°29.

Les amateurs de pêche à la truite (en été) et de ski de fond (en hiver), se dirigeront plutôt, vers le **lac Morelby**, à 29 km au nord de Chetwynd par l'autoroute n°29.

Dawson Creek

Dawson Creek doit son nom au géologue canadien George Mercer Dawson qui, en 1879, évalua le degré de fertilité des terres de la prairie, assista à la colonisation de ces terres, et découvrit les premiers gisements de gaz naturel et de pétrole. Les premiers colons arrivèrent en 1912, mais c'est la construction du chemin de fer du Nord de l'Alberta, en 1931, qui mit Dawson Creek au monde en lui conférant le rôle de centre de services agricoles.

Aujourd'hui encore, l'agriculture demeure l'industrie première de la ville (production de blé, avoine, orge, légumes, et élevage de bétail). L'exploitation des gisements de gaz et de pétrole compte également pour beaucoup dans l'économie de la région. La population de Dawson Creek s'élève actuellement à 10 473 personnes.

Le bureau d'information touristique se situe au 900 Alaska Avenue, dans le Northern Alberta Railway Park, ☎ 782-9595. On peut également obtenir des renseignements auprès de la chambre de commerce, au 816 Alaska Avenue, bureau 102, ☎ 782-4868.

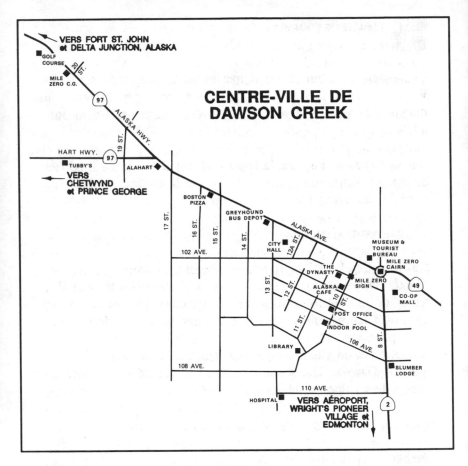

CENTRE-VILLE DE DAWSON CREEK

 Attraits touristiques

Le premier endroit vers lequel il faut se diriger en arrivant à Dawson Creek est le **Northern Alberta Railway Park**. À l'intérieur des limites de celui-ci, on découvrira, outre le bureau d'information touristique, le **Station Museum** et l'**Art Gallery**.

On commencera sa visite en s'arrêtant à la gare restaurée de la Northern Alberta Railway (le Station Museum), construite en 1931. On y fait revivre l'histoire de la ville au moyen de photographies et d'objets relatant la vie du fondateur de la ville

G.M. Dawson. L'épopée de la construction de la route de l'Alaska, qui remonte à 1942-1943, est également racontée aux visiteurs. Le musée est ouvert tous les jours, de juin à septembre, de 8 h à 20 h; adultes 1 $.

Quant à la galerie d'art, on l'a aménagée à l'intérieur d'un ancien élévateur à grains. Sa collection comprend de magnifiques tableaux et pièces d'artisanat, œuvres d'artistes et d'artisans locaux. Ouvert tous les jours en été de 9 h à 17 h; entrée gratuite.

D'autre part, il ne faut pas manquer de faire un saut du côté du **Walter Wright Pioneer Village**, un village historique mis sur pied en 1969. Il contient entre autres des structures de l'époque des pionniers, deux églises, une cabane en rondin, un magasin général, un abri de trappeur et deux écoles. Il est situé à la jonction de l'autoroute Hart et de la route de l'Alaska (ouvert tous les jours en été de 10 h à 20 h; adultes 1 $).

Autre curiosité à voir, une borne (**le Mile Zero Cairn**) marque, sur 10th Street, le point de départ de la célèbre route de l'Alaska, l'**Alaska Canada Military Highway** (aussi surnommée l'Alcan). On a célébré, en 1992, le cinquantenaire de cette légendaire route, longue de 2 450 km.

 Hébergement

On compte trois terrains de camping à Dawson Creek. Il y a tout d'abord le **Alahart Campground**, à la jonction de l'autoroute Hart et la route de l'Alaska, puis le **Tubby's**, sur l'autoroute Hart, et finalement le **Mile Zero City Campground** (8 $, ☎ 782-2590), sur la route de l'Alaska, de loin le plus beau des trois et le mieux adapté au camping avec tente.

Mentionnons de plus deux autres adresses où l'on trouvera le gîte à prix raisonnables : l'**Econo Lodge** (30 $ à 39 $, 632 103rd Avenue, ☎ 782-9181), en plein cœur de la ville, et le

George Dawson Inn (55 $ à 61 $, ℜ, 11705 8th Street, ☎ 782-9151).

 Restaurants

Alaska Cafe (10213 10 Street, ☎ 782-7040). Le meilleur choix en ville. Décor en bois à l'ancienne. Hamburgers, sandwichs et croissants au déjeuner (5 $ à 9 $). Steak, poulet, porc ou fruits de mer au dîner (12 $ à 16 $). Ouvert tous les jours de 11 h à 23 h.

Boston Pizza (1525 Alaska Avenue, ☎ 782-8585). Endroit fort populaire. Bon choix de pizzas à partir de 6 $.

Dynasty (1009 102nd Avenue, ☎ 782-3138). Cuisine chinoise, steak et fruits de mer. Buffet au déjeuner.

Fort St. John

Alexander Mackenzie fut le premier Blanc à visiter la région en 1793 et c'est alors que fut fondé le poste de traite Rocky Mountain Fort. Ce nom fut par la suite changé en 1821, lorsque la Compagnie du Nord-Ouest et celle de la Baie d'Hudson fusionnèrent, pour celui de Fort D'Epinett. Le poste fut cependant fermé dès 1823, comme la plupart des autres de la région.

Le fort original se trouve à environ 10 km de là où se dresse aujourd'hui Fort St. John, ville de 10 000 habitants dont l'économie repose sur l'exploitation de gisements de gaz naturel et de pétrole, ainsi que sur l'agriculture et la foresterie.

Le bureau d'information touristique est au 9323 100th Street, ☎ 785-3033. Ouvert tous les jours de 8 h à 18 h avec heures prolongées en été.

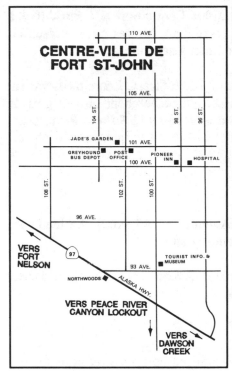

CENTRE-VILLE DE FORT ST-JOHN

Attraits touristiques

On ne peut rater le **Fort St. John-North Peace Museum**. À l'extérieur, il est flanqué de la **Holy Cross Chapel**, une chapelle restaurée datant de 1934, d'une pompe d'extraction de pétrole **(Pump Jack)** et d'une tour de forage ancienne. Le musée en lui-même se concentre sur l'histoire locale. Situé au 9323 100th Avenue, ☎ 787-0430 (ouvert en été de 8 h à 18 h; adultes 2 $, enfants 1 $).

On peut également prévoir une balade jusqu'au **Peace River Canyon Lookout**, un belvédère réservant une vue superbe sur la rivière de la Paix. Pour s'y rendre, il suffit d'emprunter 100th Street, qui devient bientôt une route de gravier, jusqu'au bout.

Hébergement

Deux parcs provinciaux situés à proximité offrent la possibilité de camper. Il s'agit du **parc Charlie Lake** (8 $), qui s'étend sur 92 ha et dont l'entrée se trouve à l'intersection des autoroutes n°29 et n°97, et du **parc provincial Beatton** (8 $), également aménagé au bord du lac Charlie, mais du côté Est, à 6 km au nord de Fort St. John.

Il y a de plus le **Fort St. John Centennial RV Park** (8 $ à 15 $, ☎ 785-3033), coincé entre deux centres commerciaux au 9323 100th Street. Ouvert de mai à septembre.

Plusieurs motels s'alignent sur 100th Street. Leurs tarifs varient entre 32 $ et 45 $. Pour ceux qui recherchent un peu plus de confort, mentionnons le **Pioneer Inn** (78 $, ≈, ℜ, ●, 9830 100th Avenue, ☎ 787-0521).

 Restaurants

Wilson Pizza (9119 99th Avenue, ☎ 785-8969). La meilleure pizza en ville et une excellente lasagne.

Jade's Garden (10108 101st Avenue, ☎ 787-2585). Buffet chinois pour moins de 10 $.

 Vie nocturne

Sidedoor (dans le Pioneer Inn). Musique *country-western*.

Northwoods (sur la route de l'Alaska, au nord de la ville). Musique *rock and roll*.

Casey's Neighborhood Pub (8163 100th Avenue). L'endroit tout indiqué pour faire des rencontres.

Hudson's Hope

Le joli village de Hudson's Hope, qui compte quelque 1 500 habitants, est en fait un ancien poste de traite fondé en 1805. On trouve aujourd'hui, à proximité du village, deux importants barrages (Peace Canyon et W.A.C. Bennett, voir p. 311) produisant environ 40% de l'énergie hydro-électrique de la province.

Le bureau d'information touristique est situé sur la rue principale, à deux pas du **parc Beattie**, ☎ 788-3655. Ouvert tous les jours, durant l'été.

 Attraits touristiques

On trouvera le **Hudson's Hope Museum** juste en face du bureau d'information touristique. Il raconte l'histoire de la ville en plus d'exposer des fossiles découverts dans la région. Il est ouvert tous les jours, de mai à septembre, de 9 h 30 à 17 h 30. Il faut de plus jeter un coup d'œil à l'intérieur de l'**église en rondins St. Peter**, située juste à côté du musée.

La route de l'Alaska

La route de l'Alaska, sans doute l'une des plus célèbres du monde, fut construite en moins de neuf mois durant l'année 1942 (2 450 km entre Dawson Creek et Delta Junction!). Il s'agissait à l'origine d'une route militaire que l'on aménagea à la hâte pour aider à contrer une éventuelle tentative d'invasion du Canada ou des États-Unis par le Japon. Son coût total s'éleva à 140 millions de dollars.

Sur la route, on trouvera deux bureaux d'information touristique, l'un à Fort Nelson (☎ 774-2956) et l'autre à Watson Lake (☎ 403-536-7496).

 Attraits touristiques

Fort Nelson

Il s'agit de la plus grande municipalité entre Fort St. John et le Yukon. Environ 4 000 personnes y vivent. Fort Nelson est situé au confluent des rivières Muskwa, Prophet et Sikanni Chief. Son économie repose principalement sur l'exploitation forestière et l'extraction de pétrole et de gaz.

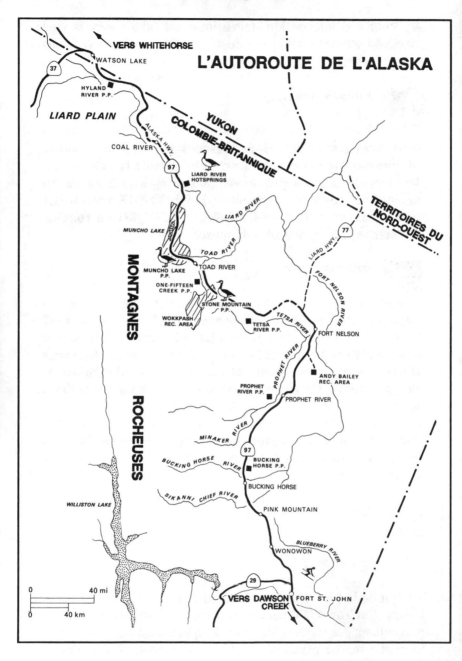

Le **Fort Nelson Historical Museum** rappelle l'époque de la construction de la route de l'Alaska. Il est situé au nord de la ville, ☎ 774-3536 (ouvert tous les jours de mai à septembre).

Watson Lake

Watson Lake, au Yukon, constitue l'extrémité septentrionale de notre itinéraire sur la route de l'Alaska. Il ne faut pas manquer de s'arrêter au **Alaska Highway Interpretive Centre** où l'on explique en long et en large la construction de la légendaire route à l'aide, entre autres, de documents audiovisuels. Le centre est situé à la jonction de la route de l'Alaska et de l'autoroute Campbell, ☎ 536-7469 (ouvert tous les jours de 9 h à 21 h).

 Hébergement

La route de l'Alaska permet d'accéder à une série de parcs provinciaux, entre Fort St. John et Watson Lake. On peut camper dans ceux-ci pour aussi peu que 6 $ à 8 $ par jour. On croisera donc, dans l'ordre, le **Buckinghorse River Park**, le **Prophet River Recreation Area**, le **Andy Bailey Provincial Recreation Area**, le **parc provincial et réserve faunique de Kwadacha**, le **parc Testa River**, le **parc Stone Mountain**, le **parc provincial One-Fifteen Creek**, le **parc du lac Muncho**, le **parc provincial Liard River Hot Springs** et le **parc Hyland River**.

LECTURES RECOMMANDÉES

COLLECTIF, Vancouver : A City Album, Douglas & McIntyre, Vancouver, 1991, 192 p.

COLLECTIF, Greater Vancouver : Touch of Magic, Touch the Magic Publishing, Vancouver.

CRAWFORD, John, GARBER, Anne, Rise & Snine Vancouver, Elliott & Fairweather Inc., Washington, 1991, 150 p.

DODD, John, HELGASON, Gail, The Canadian Rockies Bicycling Guide, Lone Pine, Edmonton, 1986, 256 p.

GARBER, Anne, Cheapeats, Serious Publishing Co., British Columbia, 1991, 142 p.

HERGER, Bob, NEERING, Rosemary, The Coast of British Columbia, Whitecap, Toronto, 1989, 148 p.

KLUCKNER, Michael, Vanishing Vancouver, Whitecap, Toronto, 1990, 208 p.

PATTON, Brian, Parkways of the Canadian Rockies, Summer-thought, Banff, 1982, 154 p.

PRIEST, Simon, Bicycling Southwestern British Columbia & the Sunshine Coast, Douglas & McIntyre Ltd., Vancouver, 1985, 255 p.

PRIEST, Simon, Bicycling Vancouver Island & the Gulf Island, Douglas & McIntyre Ltd., Vancouver, 1984, 256 p.

INDEX

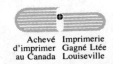

Achevé   Imprimerie
d'imprimer Gagné Ltée
au Canada Louiseville